누구나 알고 있지만 누구도 할 수 없었던
그들만의 이야기

누구나 알고 있지만 누구도 할 수 없었던
그들만의 이야기

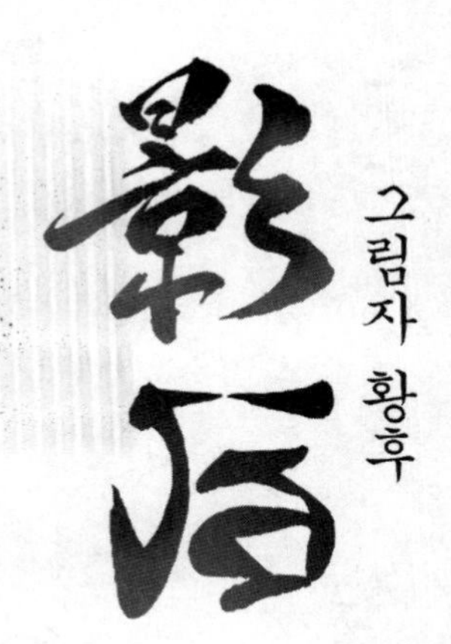

그림자 황후

그림자 황후

1판 3쇄 찍음 2014년 11월 14일
1판 3쇄 펴냄 2014년 11월 19일

지은이 | 유리엘리
펴낸이 | 정 필
펴낸곳 | 도서출판 **뿔미디어**

주소 | 경기도 부천시 원미구 상동로 117번길 49(상동) 503호 (우)420-861
전화 | 032)651-6513 / 팩스 032)651-6094
E-mail | bnm2011@hanmail.net
블로그 | http://blog.naver.com/bbulbnm
홈페이지 | http://bbulmedia.com

값 14,000원

ISBN 978-89-6775-057-2 04810
ISBN 978-89-6775-055-8 04810(세트)

※파본은 구입하신 서점에서 교환하여 드립니다.

影后

下

그림자 황후

유리엘리 감성 소설

목 차

一章

잠시의 여유

소건황제, 정(政) 치세(治世) 1년. 수나라 세력의 판도가 완전히 뒤바뀌었다. 그동안 세도가와 귀족들의 득세로 종래에는 몰락에 가까우리만치 바닥을 기었던 황권이 비로소 제자리를 찾은 것이다.

그러나 그 이면에는 또 한 차례의 대학살이 있었기에 가능한 일이었다. 유창운이 사라지고, 남은 두 파의 수장인 우승하우유권과 어사대부 우문성중이 스스로 자멸한 덕분이기도 했다.

물론, 그들의 자멸 또한 환백이 치밀하게 만들어 놓은 함정에 지나지 않았다. 어리석은 과욕으로 인해 앞뒤 분간도 없이 서로를 물어뜯은 결과로 종래에는 양쪽 모두가 역모죄의 꼬리를 달고 형장의 이슬로 사라진 것이다.

그 일로 남녀노소 할 것 없이 구족에 포함된 이들 2천여 명이 유명을 달리했고, 그들과 조금이라도 연관된 자들의 수 또한 상상을 초월했다. 그뿐만이 아니라 일파였던 후궁들과 제2황비였던 의인황비의 목도 궁문에 효시됐다.

살아남은 이라고는 현재 회임을 한 혜원황비가 유일했으나, 사실상 그조차도 잠시의 말미를 얻은 것뿐이었다. 이미 황비의 자격을 잃은 데다 별궁 중 한 곳에 유폐됨으로 그녀의 목숨이 출산까지라는 걸 황궁 내에 모르는 이가 없었기 때문이다.

그렇게 마지막 세력 하나까지 완벽하게 제거한 환백은 거리낄 것이 없었다. 사라진 이들의 빈자리는 자신의 세력으로 온전히 채웠음에도 환백은 귀족들에게 일정 이상 세력을 굳히지 못하게 함으로 추후의 일을 미연에 방지했다.

두 번 다시 황권을 넘보지 못하는 것뿐만이 아니라 전례가 없을 정도로 강력한 황제의 절대 권력 기반을 확고히 한 것이다. 그에 따른 환백의 잔혹함이나 철저함은 측근들조차도 혀를 내두를 정도였다.

그러나 비단 잔인하기만 한 것은 아니었다. 비록 피를 뿌리기는 했으나 무력 통일을 뒷받침하고 안정시키기 위해 사회적, 경제적, 문화적 통일 또한 강력하게 추진함으로써 혼란은 빠르게 가라앉고 있었기 때문이다.

또 다른 한편으로는 신분에 차별 없이 과거제도를 실시함으로 많은 인재를 등용하고자 했다. 그 과목으로는 수재(秀才), 명경(明經), 진사(進士) 등으로, 수재는 정치학, 명경은 유학, 진사는 문학이었다.

이 밖에 명법과 서(書), 산(算) 등이 있었으며 무관의 시험 또한 동시에 치러짐으로 각 지방에서 일차적으로 향시를 거쳐 황도에서 공거를 보게 해 이 공거에 통과되면 황제가 직접 보는 전시가 부가되고, 그 즉시 결과에 맞게 고급 관리가 되는 길을 열었다.

이러한 환백의 시행 덕분에 대학살의 잔혹함은 빠르게 잊힌 채 시험을 앞두고 나라 전체가 들썩이며 새로운 황권을 향한 열망이 무섭게 타올랐다. 그동안 세도가와 귀족에게 짓눌린 설움을 벗어 버리고 새로운 희망과 꿈을 품은 것이다.

그러나 이러한 와중에도 빛이 아닌 시시각각 어둠이 수나라를 뒤덮고 있다는 걸 어리석은 백성들은 알아차리지 못하고 있었다. 그 어둠은 환백의 천살에 의해 드넓은 대륙 전체의 피바람과, 지금까지와는 비교조차 안 되는 대혼란을 예고하는 것이기 때문이다.

살기와 광기가 천지를 뒤흔드는 전쟁. 그리고 대륙을 관통하는 젖 줄기인 대류하가 하루가 다르게 말라 가고 있다는 사실까지. 오로지 천살의 광기에 사로잡힌 환백과 그 모든 걸 예견하고 참담함을 금치 못하는 휘연 외에는 아무도 알지 못했다.

"폐하, 효헌 황자께서 드셨사옵니다."

"들라."

조용히 문이 열리고 들어서는 효헌을 보며 환백은 보기 드물게 부드러운 미소를 지었다. 오랜 가택 연금을 이제야 풀어 준 것이다.

"그간 강녕하셨습니까?"

"그래. 너는 잘 지냈더냐?"

"소제야 오랜만에 아무 걱정 없이 지낼 수 있었습니다."

그러면서 어깨를 으쓱거리며 웃는 효헌의 모습에 환백은 나지막이 웃음을 터트렸다. 황위에 오르고 지난 일 년간 수많은 일이 있었지만, 이렇듯 편안한 기색은 처음이었다. 그만큼 환백이 효헌을 생각하는 마음에 믿음이 있다는 것을 드러내는 것이다.

"헌데 군사를 재정비한다 들었습니다. 혹 전쟁을 하실 생각이십니까?"

"내실을 다졌으니 주제를 모르는 것들은 쓸어버려야지."

환백의 단호한 말에 효헌이 걱정스러운 얼굴로 말문을 열려다가 이내 조용히 입을 다물었다. 무력으로 온전한 절대 권력을 움켜쥐긴 했어도 아직까지는 내실을 견고히 한 것이 아니기에 걱정이 앞서는 것이다.

그럼에도 말리지 못하는 것은 선황의 어리석은 치세로 인해 주변국이 강세를 더해 가며 비밀스러운 움직임을 보이고 있다는 걸 효헌 또한 알고 있었기 때문이다. 그러나 문제는 전쟁이다.

본시 전쟁이라 하면 무력의 행사가 필수 요건이지 않은가. 하물며 그 시일 또한 오래 걸릴 것은 자명한 일, 그에 따른 백성들의 궁핍함이 더해질 것이고 환백을 향한 태도 또한 변할 수밖에 없다.

지금 보이는 현명함이 한순간에 두려움과 공포로 돌아설 것을 효헌은 우려하는 것이다. 그렇다고 말릴 수도 없음에 효헌은 소리 없이 침음성과 한숨을 목 안으로 삼켰다. 살아 있어서는 안 되는 효헌으로서는 환백의 뜻을 꺾어서는 안 되었다.

"이제 너도 무언가 해야지? 너에게 친왕(親王)의 칭호와 봉토를 하사할 생각이다. 원하는 자리가 있으면 말하라."

"형님, 저는 이대로도 만족합니다. 가끔 답답하실 때 소제를 불러 술이나 한잔 권해 주시면 됩니다."

"쯧, 이제 너를 내 정적의 자리에 올리려는 놈들은 없다. 그러니 내가 시키는 대로 옆에 있어라."

또다시 자신으로 인해 역심을 품는 이들이 있을 것을 걱정하며 제자리에 머물기를 청하는 효헌의 태도에 환백은 단호하게 뜻을 밝혔다. 총명하고 올곧은 효헌을 이대로 죽은 듯이 살게 할 생각은 애초에 없었던 것이다.

그런 환백의 강경한 태도에 결국은 나지막이 한숨을 내쉰 효헌이 마지못해 수긍했다. 효헌 또한 처음 만나 그 순간부터 환백을 옆에서 도와주는 꿈을 품어 왔기 때문이다.

"그나저나 이제 형수님께 인사를 드려야 하지 않겠습니까? 정식으로 예는 올려야지요."

난데없이 휘연을 들먹이는 말에 환백이 미세하게 동요하며 찰나간 깊게 생각에 빠졌다. 모든 것이 자신이 원하는 대로 일이 진행되고 있음에도 여전히 휘연만큼은 조금의 변화조차 없었던 탓이다.

환백은 휘연이 어려웠다. 시일이 흐를수록 더 혼란해지고, 욕심 또한 커졌기 때문이다. 그러나 그런 환백의 바람과는 달리 휘연의 태도는 언제나 한결같았다. 자신을 향해 일말의 감정조차 내비치지 않은 것이다.

그 사실에 매일같이 괘씸해하면서도 한편으로는 묵직하게 숨통을 막아 오는 것 같아 고통스러웠다. 그리고 그 끝에는 언제나 씁쓸함이 배가 되어 상처 입히는 것을 주저하지 않아 환백은 지금 많이 지쳐 있는 상태였다.

하지만 그럼에도 환백은 날이 갈수록 더 심해지는 집착에 휘연을 안는 것을 그만두지 못했다. 자신을 봐 주지 않은 휘연의 냉정한 마음에 화가 나고 안타까우면서도 결코 휘연을 놓을 수 없어 환백은 매달리는 것을 주저하지 않았다.

비록 따뜻한 말 한 마디 오고 가지 않음에도 휘연의 품 안에서만 안정을 찾을 수 있다는 사실을 스스로가 너무도 잘 알고 있었기 때문이다. 그런 자신을 돌아보며 쓴웃음을 짓던 환백이 교령을 시켜 휘연을 데려오게 했다.

"찾아 계시옵니까, 폐하."

약 한 식경이 흘러 집무실 문이 열리고 단아한 차림의 휘연이 들어섰다. 그와 동시에 휘연의 차분한 옥음이 흘러나오고, 가만히 시선을 맞추는 환백과는 달리 효헌은 적잖이 당황한 모습으로 자리에서 일어났다.

소문은 익히 들었으나 아직까지도 면사를 착용하고 있다는 사실에 의문을 표한 것이다. 실제 휘연의 모습은 눈만 내놓은 형태로, 뒤로 가지런히 늘어트린 흑단 같은 머릿결 끝부분을 제외하고는 온통 황금색 금박으로 수놓은 면사로 꽁꽁 싸매고 있다고 해도 과언이 아니기 때문이다.

“정식으로 인사를 올리는 건 처음입니다. 관정(寬程) 효헌이 황후마마께 인사 올립니다.”

“예가 늦어 송구합니다, 황자마마.”

“아닙니다. 인사를 드려도 제가 먼저 드려야지요. 편하게 말씀 놓으십시오. 헌데 형님, 어째서 아직 허락하시지 않는 것입니까? 그 때문에 황후마마의 위신에도 문제가 많은 듯하니, 특별한 사유가 없으면 이쯤에서 허락하시지요?”

인사가 끝이 나자마자 의문을 표하는 효헌의 말에 환백이 미미하게 미간을 찌푸리며 동요하는 감정을 숨기고자 탁자 밑으로 살짝 주먹을 끌어 쥐었다. 효헌의 말이 무얼 뜻하는지 모르지 않은 것이다.

겉으로는 황제의 허락이 떨어져야 했지만, 본시 법도대로라면 대례가 끝난 직후에는 면사를 벗어야 했다. 효헌의 말마따나 면사를 벗지 못한 휘연이 별의별 구설에 오른 것도 사실이기 때문이다.

물론, 그게 아니더라도 휘연을 대하는 환백의 태도에 가장 문제점이 많았다. 역사상 처음으로 태형까지 내리지 않았는가. 그 사실을 환백 또한 알고 있음에도 휘연이 모습을 드러내는 게 내키지가 않았다.

시일이 흐를수록 집착은 광기와도 같아 환백은 할 수만 있다면 그 누구도 휘연을 보는 걸 원치 않았다. 그렇다고 언제까지고 이대로 둘 수 없는 것도 사실이라 환백은 마음에 안

든다는 걸 여실히 드러내면서도 마지못해 허락을 입에 담았다.

"이후로는…… 면사를 벗어라."

환백의 허락에 찰나간 멈칫하던 휘연이 조심스럽게 얼굴과 머리를 감싼 면사를 벗었다. 봉황과 모란이 새겨진 금잠(金簪)만으로 반을 틀어 올린 흑단 같은 머릿결이 차분하게 흘러내리고, 백옥 같은 피부와 단아한 아름다움을 고스란히 드러내자 집무실 안으로 묘한 침묵이 맴돌았다.

하지만 그것도 잠시, 나지막한 탄성을 흘리며 넋이 나간 듯 휘연에게서 시선을 떼지 못하는 효현의 모습에 환백은 수려한 눈썹을 꿈틀거리며 음산한 목소리로 말했다.

"효현, 시선을 거둬라."

"아, 송구합니다."

자신도 모르게 넋을 놓고 있던 효현이 화들짝 놀라 다급하게 시선을 돌리자, 그제야 찌푸려진 미간을 풀면서도 조금 전보다는 한층 더 낮은 목소리로 말문을 열었다.

"정식으로 칭호와 봉토 문제, 적당한 자리를 마련할 테니 내일 대전으로 나오라."

"내일 말입니까?"

"그래. 그렇게 알고 오늘은 그만 돌아가라."

"후우, 예. 허면, 소제는 그만 물러가겠습니다."

환백의 기분이 저조한 걸 알고 별다른 말없이 효현이 자리에서 일어나 두 사람을 향해 공손히 예를 갖춘 후 집무실을 나갔다. 그와 동시에 두 사람 사이로 말 못 할 무거운 침묵이 맴돌았다. 한참만에야 환백이 자리에서 일어나 휘연을 향해 다가갔다.

"다른 곳은 보지 마라. 네가 봐야 할 사람은 오직 나 하나다."

지금의 감정이 무언가 어긋나 집착과 광기까지 내포하고 있으나 그것 또한 환백에게는 당연한 일이었다. 휘연은 오직 자신을 위해 존재하지 않은가. 자신의 것이다.

그 누구도 감히 바라볼 수 없고, 바라봐서도 아니 되는, 오직 자신만을 위해 하늘이 점지해 준 반려였다. 이젠 그 사실을 거부하지 않았다.

아니, 할 수만 있다면 운명이라는 틀 안에 휘연을 옭아맬 수 있기를 환백은 원했다. 이미 운명으로 얽힌 사실을 모른 채 환백은 갈수록 더해지는 집착과 광기로 휘연에게 스스럼없이 다가가고 있었다.

"너를 안을 것이다."

"하오나 폐하, 이곳에서는……."

"거부하지 마라. 너는 거부해서는 안 된다는 걸 잊었나?"

잊지 않았다. 어떻게 잊을까. 휘연은 느릿한 말투와는 달리 성급한 듯 옷자락을 풀어헤치는 환백의 손길에 가만히 눈을 감았다. 하나둘 옷자락이 바닥으로 떨어지고 이내 실오라기 하나 걸치지 않은 상태로 휘연은 아픈 시선을 마주해야만 했다.

잔잔한 떨림을 담고 조심스럽게 얼굴을 쓰다듬어 오는 환백을 보며 휘연은 입안의 여린 살을 깨물어 호흡을 가다듬었다. 그럼에도 미처 추스르지 못한 마음이 흘러넘칠 것 같아 시선을 내리는 휘연을 향해 환백은 수많은 감정이 담긴 목소리로 속삭였다.

“휘연, 나를 봐라. 나를 봐.”

❖

거친 숨결만큼이나 성급한 환백의 행동과는 달리 휘연을 넓은 탁자 위로 눕히는 움직임은 극히 조심스러웠다. 그 딱딱하고 차가운 감각에 움찔 떠는 휘연을 내려다보며 환백이 하얀 등을 받쳐 안아 주었다.

하지만 그것도 잠시, 손끝에서 만져지는 사라지지 않은 채찍 자국에 환백의 얼굴이 괴롭게 일그러지자 휘연이 팔을 뻗어 부드럽게 그의 목을 끌어안았다. 긴장이 가시지 않은 길고 뜨거운 숨을 뱉어 내며 귓가에 작은 소리로 속삭였다.

“마음에 담아 두지 마시옵소서. 폐하께서 행하시는 일에는 아무런 잘못이 없사옵니다.”

뜨거운 숨결과 함께 차분한 휘연의 속삭임에 환백의 움직임이 딱 멈췄다. 믿을 수 없다는 듯 붉은 눈동자가 불안하게 흔들렸다. 곧이곧대로 받아들일 수 없기 때문이다.

어찌 마음에 담지 않을 수 있겠는가. 휘연을 안을 때면 자신이 새긴 낙인을 보며 묵직한 고통을 되새기고는 했었다. 자신을 받아 주지 않는 것도 그 이유라 생각했다.

그래서 괘씸하면서도 휘연을 볼 때면 후회와 고통, 죄악감에 혼란스러워한 것이다. 헌데 정작 고통을 당한 휘연은 자신에게 잘못이 없다고 한다.

한 치도 거짓이 없다는 듯 마주한 눈빛에는 조금의 동요도 없었다. 차분하게 자신을 응시하는 모습에 환백은 몇 번의 달싹거림 끝에야 떨리는 목소리로 물었다.

"나를…… 원망하지 않나? 너를, 고통스럽게 하고 죽이려고 했는데도?"

"원망하지 않사옵니다. 조금도, 조금도 원망하지 않습니다. 그러니 부디 저 때문에 괴로워하지 않으셨으면 합니다."

거짓 없는 휘연의 진심이었다. 그 누구보다도 거대한 운명의 중심에서 의지 없이 끌려다니는 환백이 가장 가여우리라. 비록 지워지지 않은 낙인은 남았다고는 하나 휘연은 환백을 조금도 원망하지 않았다.

아니, 날이 갈수록 자신을 향해 숨김없이 감정을 드러내는 환백을 보면서도 화답하지 못하는 사실에 휘연은 가슴이 아팠다. 그런 휘연의 마음이 전해졌을까. 환백은 가슴속에서 무언가가 투둑 하고 끊어지는 것을 느꼈다.

머릿속이 백지가 된다. 아무것도 생각할 수가 없고 생각할 필요도 없었다. 환백은 휘연의 머리를 감싸고 격렬하게 입을 맞추기 시작했다. 무섭게 타올라 이기지 못한 벅찬 감정이 욕정과 함께 치밀어 올라 호흡이 거칠어졌다.

가슴에 뻐근한 격통이 일면서 때로는 덜컥 걸리는 숨이 탄식처럼 터져 나온다. 세상에서 단 한 사람만이 줄 수 있는 열락(悅樂). 가까이 마주하기만 하면 타오르는 익숙한 열기가 두 사람의 내부로 위험스럽게 지펴진다.

"휘연, 휘연."

"하아— 폐하."

"휘연, 원망하지 않는다면 나를 받아들여라. 다시는, 다시는 아프게 하지 않으마. 약속할 수 있다. 약속할 수 있어."

휘연의 가슴에 얼굴을 묻고 환백이 떨리는 음성으로 말했다. 정말 어떻게 해야 할지 모르는 어린아이처럼 애원하는 모습에 휘연이 울듯이 일그러진 얼굴로 천천히 손을 뻗어 그런 환백의 머리카락을 부드럽게 어루만졌다.

"……용서하십시오. 저는…… 폐하의 마음에 아무런 답도 드리지 못하옵니다."

자신이 원하는 대답이 아닌 것에 멈칫하고 가슴에 파묻었던 얼굴을 들어 올린 환백은 이내 두 눈 가득 물기를 드리우고 올려다보는 휘연을 보며 한동안 아무런 말도 하지 못했다. 그러나 무언가가 달라졌다는 걸 환백은 느낄 수 있었다.

"욕심 부리지 않으면 되는 건가?"

"폐하."

"원한다면 그리하겠다. 내 곁에 있으면 돼. 나머지는 내가 모두 감당하겠다. 너는 내 곁에서 나만을 보면 돼. 지금은 그것만으로도 족하다."

만족할 리가 없었다. 하루하루 휘연을 안으면서도 가로막은 빙벽을 깨트리지 못한 채 허무하게 닿지 않는 상대를 바라보기만 해야 하는 심정은 말로 다하지 못할 고통이나 매한가지기 때문이다. 그럼에도 환백은 그리 말했다.

휘연의 마음이 어떠한지 정확하게 파악은 불가능했으나 적어도 자신을 원망하고 싫어하지는 않는다는 걸 환백은 휘연의 아픈 눈빛에서, 소리 없이 흘러내리는 맑은 눈물에서 순간 알 수 있었던 것이다.

그래서인지 혹여나 깨질세라 조심조심 얼굴을 쓰다듬는 환백의 부드러움에 휘연은 흐릿한 눈을 질끈 감았다가 뜨고 몇 차례에 걸쳐 호흡을 가다듬은 후에야 붉은 입술을 열었다.

"그래도…… 그래도 괜찮으시다면, 하늘이 허락하는 그 순간까지 폐하 곁에 있겠습니다."

"환백, 환백이다. 이름을 불러."

"……환백 님."

작게 자신의 이름을 부르며 스스럼없이 가슴팍으로 파고드는 휘연을 환백은 으스러질 듯 끌어안았다. 사랑스러웠다. 비록 자신의 마음에 답하지는 않았으나 휘연의 마음 한편을 들여다본 것만은 분명하기에.

환백은 품 안에서 탄식과도 같은 신음을 쏟아 내며 녹아드는 휘연이 기꺼워 도무지 자신을 주체할 수가 없었다. 감당하지 못할 열기가 몸 깊숙한 곳에서부터 터져 올라 능란함마저 잃어버린 채 무작정 짐승처럼 덤벼들었다.

마치 난생처음 경험하는 것처럼, 휘연의 목덜미에 코를 문지르며 깊숙이 체취를 들이마시고 만족스러운 탄성을 뱉어 냈다. 성급하게 애무하고 깨물고 보듬어 휘연의 하얀 몸에 자신만의 붉은 애흔(愛痕)을 남겼다.

“흐읏— 환백.”
탐스러운 엉덩이를 쥐고 문지르다 그 사이로 숨은 수줍은 골짜기로 손가락이 깊숙이 파고드는 와중에도 어느새 가슴의 돌기를 게걸스럽게 탐하는 환백의 성급함에 휘연이 참지 못하고 미약한 신음을 흘렸다.
약속된 쾌락을 향한 갈증에 못 견뎌 벌어진 꽃잎 같은 휘연의 입술은 또다시 환백에게 삼켜졌다. 숨이 턱 끝까지 차오를 때까지. 다디단 과즙이라도 삼키는 듯 허겁지겁 물고 빠는 조급함에 주변 공기마저 뜨겁게 달아오르고 있었다.
하복부가 간질거리는 느낌에 자꾸만 근육들이 움츠러들고, 의식하지 못한 사이 휘연의 허리가 흔들리기 시작했다. 조르는 듯한 그 움직임에 환백이 목 안으로 나직한 신음을 토해 내며 다급하게 오므린 휘연의 다리를 들어 올렸다.
“휘연.”
“아아— 하악!”
“으윽!”
느릿하게 몸을 채워 오는 이질감과 아릿한 아픔으로 휘연의 입에서 짧은 신음이 흘러나왔다. 온몸을 깊숙이 묻어 옴과 동시에 숨이 막힐 듯한 날카로운 통증이 지나고 나서야 겨우 눈을 뜨고 환백을 올려다봤다.
환백은 거친 숨을 내쉬면서도 희미하게 미소를 띠고 있었다. 많은 감정을 담고 아련한 눈을 하고서 웃고 있는 모습에 휘연은 천천히 몸을 움직이기 시작하는 환백의 얼굴을 조심스럽게 쓰다듬었다.

소중하고 소중하다는 듯이. 빈틈없이 맞닿은 가슴으로 거칠게 달음박질치는 심장 고동이 고스란히 전해져 왔다. 격렬하게 마찰되어 오는 타인의 기분 좋은 살 느낌.

온전히 채울 수 없음에도 그 온기를 끌어안고 희열로 나직한 신음을 쏟아 내는 휘연의 눈가에서 주체할 수 없는 눈물이 쉴 새 없이 흘러나오고 있었다.

"울지 마라. 울지 마, 휘연."

지금껏 초조할 정도로 감정을 드러내지 않던 휘연의 눈물에 당황한 환백이 열기에 미쳐 날뛰는 몸을 깊게 묻은 채 휘연의 얼굴을 자신의 가슴에 꼭 품고 땀에 젖은 긴 머리를 부드럽게 쓸어 주며 속삭였다.

울음소리와 떨림이 진정될 때까지, 자신의 안타까운 마음이 전해질 때까지 환백은 가는 팔을 들어 매달려 오는 휘연의 몸을 달래듯 어루만지고 고개를 숙여 휘연의 눈물을 핥았다.

눈꺼풀 위로 입을 맞추며 혀로 풍성한 속눈썹을 부드럽게 쓸었다. 그렇게 얼마나 있었을까. 눈꺼풀이 파르르 떨리며 천천히 열리고 눈물에 젖은 눈이 너무도 아름다워서 환백은 다시 휘연의 눈에 입을 맞추었다.

그리고 서두르지 않고 뺨을 따라 미끄러트리며 다시 붉은 입술을 찾았다. 가볍게 부딪히다가도 절실함을 담은 마음에 부드러운 입술이 기다렸다는 듯이 열리며 환백의 혀를 맞았다.

환백은 혀로 가볍게 애무를 하다가 휘연의 혀와 맞닿자 자신의 입안으로 거칠게 빨아들였다. 다시금 시작되는 열기에 휘연의 입에서 억눌린 신음이 새어 나오고 환백의 입술이 턱을 타고 목에 이르자 그 신음은 더욱 진해지고 있었다.

"흐윽! 하아— 환백 님."

피부가 닿는 부분이 모두 달아오를 정도로 열락에 들뜬 뜨거운 숨결이 거칠게 흩어진다. 휘연은 순간 감정이 복받쳐 올라 격정에 휩싸인 채 환백의 이름을 불렀다. 흐느낌을 토해 내듯이 몇 번이고 몇 번이고.

고스란히 전해져 오는 환백의 마음에 결코 답하지 못하는 안타까움을 더해 슬픔이 아닌 애틋함만 남을 때까지. 마치 오늘이 아니면 안 된다는 듯이. 그렇게 휘연은 멈추지 않은 눈물을 쏟아 내면서도 환백에게 매달렸다.

그 사랑스러움에 안쪽을 가득 채웠다가 빠져나가 다시 단숨에 파고들었을 때 환백의 참을성은 완전히 사라졌다. 몸 안으로 깊이 박혀 오는 뜨거운 양물에 휘연의 입가에서 탄성이 쏟아져 나왔다. 거친 호흡 소리가 넓은 집무실 안을 가득 메우고 있었다.

"앗— 하악!"

"으읏— 헉! 휘연."

거칠게 움직이면서도 휘연의 몸에 무리가 가지 않도록 두 팔로 자신의 몸을 지탱하며 목덜미에 입술을 겹친다. 붉은 자국 위로 다시 한 번 깊게 빨아들이는 자극에 휘연이 뜨거운 숨을 토해 내는 사이, 환백의 움직임이 더더욱 거세졌다.

미처 움직임을 따라갈 수 없을 정도로. 타오르는 열기만큼이나 격렬한 움직임에 예민한 부분들이 자극을 받는다. 거친 호흡과 숨결이 목덜미를 스치고 환백의 손이 옆구리를 쓰다듬으며 서서히 끝을 향해 가기 시작했다.

뜨겁고 단단한 불기둥이 몸 안에서 빠르게 움직이며 어느 순간 깊게 파고든 채 뜨거운 정염을 쏟아 낸다. 자신의 안에서 터져 나오는 애액이 예민한 점막을 자극하고 그와 동시에 휘연 역시 허리를 한껏 휘며 사정하고 있었다.

"흐윽— 하앗!"

"큭!"

긴 탄성과 함께 두 사람의 몸이 멈칫하고, 단단히 끌어안아 오는 환백의 품 안에서 탈진한 듯 휘연의 몸이 늘어졌다. 그와 동시에 환백 또한 하얀 가슴에 얼굴을 묻고 거친 숨을 내뱉으며 절정의 여운을 즐겼다.

하지만 여유는 결코 오래가지 않았다. 열기에 붉게 달아오른 휘연의 얼굴 구석구석 입을 맞추고 말캉말캉한 귓불을 잘근잘근 씹다가도 귓바퀴를 따라 움직이던 혀끝이 망설임 없이 안으로 파고들었다.

축축하고 물컹한 살덩이에 오싹— 소름이 돋고 할짝대는 소리가 천둥처럼 크게 들려온다. 그 아찔한 감각에 휘연이 몸을 부르르 떨며 자신도 모르게 몸 안에 품은 양물을 조이자 환백의 입에서 나직한 신음이 터져 나오고 있었다.

"하아— 휘연, 잊지 마라. 너는 내 것이다. 그 사실을…… 읏— 한시도 잊지 마라."

진득한 소유욕을 숨김없이 드러내며 다시 천천히 움직임

을 시작했다. 그런 환백의 눈은 열기로 흐려져 오로지 하나만을 갈망하고 있었다.

"아흣—"

"불안해. 이렇게 안지 않으면…… 사라져 버릴 것 같아서…… 내가 불안하지 않게 내 곁에만 있어라, 휘연. 다른 누구도 보지 말고, 내가 하는 말이 아니라면 아무것도 듣지 마라."

단호한 말투와는 달리 길을 잃은 어린아이처럼 초조함을 고스란히 드러낸 채 불안하게 흔들리는 적안을 마주하며 휘연이 가는 팔을 들어 환백을 꼬옥 끌어안고 비단결 같은 순백의 머리카락에 입술을 묻었다.

기다렸다는 듯 으스러지게 마주 안아 오는 환백의 움직임이 점점 더 열기를 품고 격해졌다. 가뜩이나 매일같이 혹사당한 좁은 곳을 강하게 파고드는 행위에 견디기 힘든 쾌감이 전신으로 퍼져 나가기 시작했다.

쾌감이 지나쳐 오히려 통증이 느껴질 때까지. 격하게 귓가에 스치는 낮은 목소리와 정신을 잃을 만큼 강한 쾌락과 통증에 몸부림치며 휘연은 몇 번이고 잔뜩 쉬어 버린 목소리로 비명 같은 신음을 쏟아 내야만 했다.

휘연이 힘들어한다는 걸 알면서도 환백은 도저히 멈추지 못했다. 되레 시간이 흐를수록 음란하게 수축을 반복하고, 마치 살아 있는 것처럼 자신을 빨아 당기는 나긋나긋한 육체에 정신없이 매달리며 빠져들었다.

그렇게 몇 시진이 지난 후에야 두 사람이 동시에 마지막정을 토해 내자 비로소 끝이 났다. 진이 다 빠져 힘겹게 입술을 비집고 새어 나오는 헐떡임 위로 낮은 목소리가 귓가를 간지럽혔다.

"은애한다, 휘연. 거짓 없는 내 마음이다. 그러니 내 곁에 있어라. 내가 미치지 않도록, 내 곁에서 나를 봐다오."

휘연의 귓가에 작게 속삭이는 환백의 목소리는 무척이나 달콤하게 젖어 있었다. 그러나 그 말을 온전히 받아들이지도 못할 만큼 지친 휘연은 따뜻한 품에 안긴 채 잠에 빠져들었다.

그럼에도 슬며시 입가를 끌어 올리며 달래듯 몇 번이고 입을 맞추는 환백의 목소리에 까무룩 정신을 잃기 전 휘연은 환백을 향해 웃음을 지었다. 더할 수 없이 아름다운, 그래서 더할 수 없이 슬프고 꺼질 듯한 웃음이었다.

❖

대국의 혹독한 한파도 어느새 시간의 뒤편으로 밀려나고, 마치 새로운 세상이 열린 것처럼 새 생명이 움트는 사이, 점점 더 안정권에 접어드는 황궁과는 달리 불현듯 던져진 하나의 소식에 황도가 발칵 뒤집혔다.

세상에 이런 일은 결단코 벌어지지 않으리라 여겼던 자들은 그 소식에 할 말을 잃고 진위를 알아보느라 여기저기 뛰어다녔다. 그 정도로 모든 이들을 경악하게 만든 그것은 표면적으로는 조용한 대국에 일대 경종을 울리기에 부족함이 없었기 때문이다.

수나라 대국에 비해 작은 땅덩어리를 가져 힘이 없다고 업신여겼던 주변국인 예(藝), 후(侯), 한(邯)의 도발. 그리고 그들이 하나로 연합을 이뤄 대국을 노리고 있다는 소문은 삽시간에 퍼져 나가고 있었던 것이다.

이 소식은 대국에 엄청난 혼란을 던져 주었다. 혹자는 소국 주제에 대국을 업신여긴다 분노하여 핏대를 올리는가 하면, 혹자는 나라를 약하게 만든 선황과 이미 혼백조차 남지 않은 전 세도가들을 욕했다.

거기다 더해 징병제로 어린 자식과 남편을 보낸 가족들은 초조함과 불안감에 잠을 이루지 못했다. 그런 그들은 불안한 마음으로 사태를 지켜봤다. 점점 더 흉흉해지는 낯설고도 두려운 전쟁에 대한 공포가 극심한 탓이었다.

그럼에도 소문 하나에 부화뇌동(附和雷同)하는 어리석은 백성들은 갑작스럽게 불거진 의문의 소문에도 조금의 의심도 하지 못했다. 단지 대국의 황제가 분노해 전쟁을 준비하고 있다는 것만이 사실로 드러나고 있었다.

그러나 어찌 짐작조차 했겠는가. 그 또한 환백의 의도였으니, 정작 전쟁 준비로 흉흉해야 할 황궁은 오히려 지나치게 조용했고, 그 중심인 환백은 보기 드문 미소를 입가에 드리운 채 평화로운 한때를 보내고 있었다.

"가까이 오라."

후원을 거닐며 환백이 다가오는 휘연의 손을 마주 잡았다. 손끝에서부터 전해져 오는 느낌과 이제 새순이 돋는 파릇파

릇한 풀 냄새가 따뜻한 봄바람과 어우러져 휘연은 자신도 모르게 편안하게 눈을 감았다.

그 모습에 만족스러운 듯 슬그머니 입가를 끌어 올리던 환백이 짐짓 모르는 척 조심스럽게 여린 어깨를 품 안으로 끌어당기고도 시선을 내려 힐끔힐끔 휘연의 기색을 살피기에 여념이 없었다.

지나칠 수도 있는 휘연의 사소한 행동 하나하나에 의도하지 않게 눈치를 살피는 것이다. 그런 자신의 행동에 미미하게 눈살을 찌푸리면서도 환백은 결코 그 버릇을 버리지 못하고 있었다.

황권을 새로이 하고 휘연의 마음 한편을 들여다본 지 어느새 석 달이 훌쩍 지나가는 사이, 버릇이라면 버릇처럼 몸에 밴 습관이기 때문이다. 그 외에도 두 사람 사이에는 많은 것이 변했다.

여전히 휘연은 마음을 드러내지 않았음에도 환백은 그런 휘연을 보며 내색하지 않았다. 그건 곧 환백 자신의 기분보다 휘연의 기분을 더 살핀다는 걸 여실히 보여 주는 것이나 매한가지였다.

또 한편으로는 휘연이 면사를 벗고 당당히 모습을 드러내면서부터 환백의 신경이 날카로워졌다는 점이다. 흔히 연인 사이에 유치하다면 유치한 질투라는 감정이 황제인 환백이라고 비켜 가지는 않은 것이다.

그럴 때마다 여과 없이 살기를 뿌리면서도 휘연을 위해 하루 세 번의 산책 또한 거르지 않는 환백을 두고 황궁 안에 갖가지 소문과 이야깃거리가 넘쳐나는 것도 어쩌면 당연한 일이리라.

처음에는 그리도 핍박과 멸시를 받던 황후에 대한 갖가지 추문이 면사를 벗으므로 사라졌고, 그 기품 있는 단아한 아름다움에 남색을 경멸하는 황제가 빠졌다는 소문은 기본적인 것에 지나지 않았다.

또, 잔인한 황제의 표정이 휘연의 앞에서는 봄눈 녹듯이 녹아 버린다는 사실이, 소문을 더하는 데 한몫 단단히 하고 있었다. 그러나 가장 중요한 것은 휘연의 위치가 확고해졌다는 사실이다.

그 예로, 제일 처음 신궁의 제사장들과 사도들의 목이 날아가고 새로운 이들로 신궁을 채웠을 뿐만이 아니라, 황후궁에 있던 병사들과 휘연에게 조금이라도 불충한 이들은 본보기로 엄벌에 처해졌기 때문이다.

또한, 텅텅 비어 있는 황비궁과 후궁의 처소에 새로운 후궁과 황비를 들여야 한다는 의견을 모두 묵살하는 것으로, 현재 휘연만이 황후로서 환백의 사랑을 독차지하고 있다는 걸 확인시켜 준 것이다.

그로 인해 휘연의 처지가 완전히 바뀌었으나 실상은 미묘하게 달랐다. 스스로 마음을 드러내지 못하기에 감추는 것만이 능사라 생각하는 휘연이나 은애하면서도 표현하는 방법이 서툰 환백은 그 사실을 누구보다 잘 알고 있었다.

보이지 않는 벽. 제아무리 가까이 다가가고자 해도 두 사람 사이는 일정 거리 이상은 진전이 없었기 때문이다. 그렇게 두 사람은 서로를 배려하듯이 그 선을 지키고 있었지만, 그 평화조차도 이제 얼마 남지 않았다는 사실에 조금씩 알게 모르게 초조함을 드러내고 있었다.

"폐하, 이제 그만 들어가셔야지요?"

아무런 말없이 손을 마주 잡은 채 산책만 한 지가 한식경이 지나가자 휘연이 조심스럽게 말문을 열었다. 그제야 멈칫거린 환백의 얼굴이 약간 불퉁하게 일그러졌다. 벌써 들어가자는 말이 마음에 안 드는 것이다.

"좀 더 있다가 가지."

"하오나."

"쯧, 일은 차질 없이 하고 있으니 걱정할 것 없다."

휘연 딴에는 자신 때문에 시간을 허비하는 환백이 걱정스러워 한 말이었으나 낮게 혀를 차며 퉁명스럽게 중얼거리는 모습에 입을 다물었다. 휘연 자신이라고 싫지만은 않은 것이다.

오히려 지금의 이 평화가 짧다는 걸 알기에 휘연은 더 소중하게 기억하고 싶은 마음이었다. 그래서인지 이 정도는 큰 욕심이 아닐 것이라 마음을 다잡으면서도 문득문득 쓴웃음이 흘러나오는 걸 막을 수는 없었다.

그런 휘연을 불안하게 내려다보는 환백을 보며 찬찬히 두 눈에 되새겨 보기라도 하듯이 휘연은 입가에 따스한 미소를 지어 보였다. 이상하게도 환백에게 잡혀 있는 손이 무척이나 뜨거워 땀이 맺혔는지 조금 촉촉했다.

그렇게 두 사람 사이로 다시금 무겁지 않은 묘한 침묵이 흘렀다. 한동안 시야를 완전히 가릴 정도로 울창하던 나무들의 모습이 조금씩 줄어들고 무릎까지 오는 작은 수목과 풀밭이 눈앞에 넓게 펼쳐졌다.

그 사이의 작은 정자에 이르러서야 환백은 잔걸음을 완전히 멈췄다. 간간이 풀밭을 흐트러트리고 지나가는 바람 소리 외에는 아무것도 들리지 않는 조용한 후원은 마치 시간이 멈춘 듯 고요함만 흐르고 있었다.

"폐하, 청이 있사옵니다."

정자에 나란히 앉아 얼마간 있었을까. 휘연이 몇 번의 달싹거림 끝에야 환백의 시선을 마주하며 어렵사리 입을 열었다. 이 일로 또다시 환백의 기분을 상하게 할 수도 있는 일이지만, 마냥 이대로 지나칠 수도 없기에 말을 꺼낸 것이다.

"청이라, 무엇이지?"

"이제 제법 몸이 무겁지 않사옵니까? 허락만 하신다면 별궁에 들러 살펴보고자 하옵니다."

나지막한 한숨과는 달리 망설임 없는 휘연의 말에 환백의 미간에 깊게 골이 파였다. 누구를 말함인지 알기 때문이다. 제일 초라한 별궁에 유폐된 우문비설과 본궁에 있다가 달포 전 또 다른 별궁으로 옮긴 유자운을 말함이다.

환백은 휘연이 그녀들을 신경 쓰는 자체가 마음에 안 들었다. 제아무리 회임했다고는 하나 두 사람은 죄인 신분이다. 그런 이들에게 황후인 휘연이 신경 쓸 가치는 없다고 판단한 것이다. 설사 그 또한 황후로서 당연한 직무라 해도 환백은 속이 뒤틀렸다.

“내관들과 내궁의들을 붙여 놨지 않나? 그대가 신경 쓸 것 없다.”

딱 잘라 거절하는 환백을 보며 휘연은 목 안으로 한숨을 삼키고 시선을 마주했다. 티 하나 없는 순백의 머리카락이 바람에 흩날리고 그 사이로 영롱하게 빛을 발하는 적안을 들여다보며 휘연은 환백의 기분을 확인할 수 있었다.

환백의 표정은 단호하리만치 굳어 있는 듯했지만, 휘연의 눈치를 살피는 적안은 복잡한 감정이 휘몰아치는 것을 보여주었다. 밝은 햇살 아래 짙은 음영을 드리운 그 눈을 보며 휘연은 조심스럽게 환백의 얼굴을 감싸며 입을 열었다.

“폐하, 저는 폐하를 똑 닮은 아이를 무사히 보고 싶사옵니다.”

생각지도 못한 말에 두 눈을 휘둥그레 뜨고 바라보는 환백의 얼굴이 점차 묘하게 일그러졌다. 마치 못 들을 걸 들었다는 듯한 표정이었으나 결코 기분이 나쁜 기색은 전혀 없었다.

아니, 입가를 잘게 경련하는 걸로 봐서 기분이 좋음에도 어찌 표현해야 할지를 모르는 듯했다. 그 모습에 휘연이 다시 한 번 살포시 미소를 짓고 조용히 말을 이었다.

“폐하, 잠시만 들르는 것이니 윤허하여 주시옵소서.”

“잠시……만이다.”

“감읍하옵니다.”

“가지. 데려다 주겠다.”

쉽게 떨어진 허락에 휘연의 얼굴이 눈에 띄게 밝아지자 부러 더 퉁명스럽게 말하면서도 나직하게 헛기침을 하며 자리에서 벌떡 일어나는 환백의 얼굴이 미미하게 붉어져 있었다.

그리고 다시금 맞잡은 손에 두 사람은 의식하지 못한 사이에 힘이 들어갔다. 그렇게 두 사람은 후원을 나와 별궁으로 향하고, 우문비설이 있는 거처 앞에 당도하고야 발걸음을 멈췄다.

"오래 있지 마라."

"예, 폐하."

"바로 황후궁으로 돌아가고."

"그리하겠습니다."

막상 도착하고 나니 못내 불만이 가시지 않는지 미간을 찌푸리던 환백이 이내 나지막하게 한숨을 내쉬며 숨결이 스칠 정도로 가까이 다가가 조심히, 그리고 세심하게 휘연의 얼굴을 살폈다.

단아한 선이 고운 백옥 같은 피부를 따라 정갈하고 수려한 이목구비, 풍성한 속눈썹 안으로 드러난 마치 정제된 듯 올곧은 까만 눈동자를 마주했을 때야 피식 입가에 웃음을 머금었다.

"정말 못 당하겠군."

"예?"

"아니다. 나는 그만 가 봐야 할 것 같으니 저녁에 보자."

의아하게 바라보는 휘연의 얼굴을 두 손으로 감싸고 조심스럽고 가볍게 스치듯이 입을 맞추고야 환백은 다시 몸을 돌려 자리를 떠났다. 그런 환백의 얼굴은 어느새 또다시 딱딱하게 굳어 있었다.

자신 외에 휘연이 누군가를 만난다는 사실이 불안한 것이다. 무엇보다 석 달이라는 시간이 흘러감에 많은 것이 변했음에도 여전히 자신에게 마음을 내비치지 않은 휘연이기에 그 불안감은 날로 더해지는 것도 어찌할 수 없는 일이었다.

하물며 죄인들이 아닌가. 애초부터 핏줄에 연연하지 않아 회임 자체를 중요하게 여기지도 않았고, 출산을 한 이후로는 살려 둘 마음도 없다 보니 이 이상의 자비는 베풀고 싶지 않았다.

헌데도 휘연의 말에 결국은 불만을 감추고 수긍하고 마는 자신을 되돌아보며 환백은 헛웃음을 터트리면서도 싫지는 않은 듯 고개를 내저으며 마음을 다잡았다.

조급해하지 말자. 여유를 두고 마음을 얻기로 하지 않았는가. 정 불안하다면 확답을 받으면 된다. 어차피 휘연은 오롯이 자신만의 것이다.

확실히 자신에게 속해 있고 그것이 바뀔 리도 없으며, 결코 손에서 놔줄 생각도 없었다. 설사 휘연이 바란다고 해도 그것만은 변함없을 것이었다.

그 사실을 몇 번이고 주지시키면서 환백은 아차 하는 순간 벽을 찢고 튀어나오려고 하는 추악한 이기심과 집착을 억눌렀다. 그렇게 환백이 복잡한 심경으로 본궁으로 돌아갈 때 휘연 또한 비설과 마주하고 있었다.

"귀한 분이 예까지 어인 일이십니까? 내 처지를 비웃고 싶어 오신 것입니까?"

처음 휘연이 들어섰을 때 비설은 놀라움에 한동안 말을 잇지 못했다. 추하디추해 면사를 벗는 것조차 허락받지 못한 것이라는 소문을 온전히 믿은 것은 아니었다.

혼전 신체검사가 그리 호락호락하지 않다는 걸 알기 때문이다. 그러나 사내인 이상은 여인보다는 못할 것은 확실하다고 여기고 있었던 만큼 휘연의 얼굴을 마주한 비설의 충격은 생각보다 크게 다가왔다.

무엇보다 그리 업신여기던 황후와 자신의 처지가 완전히 달라진 것에 그녀는 화가 치밀어 입술을 질끈 깨물고 날카롭게 쏘아붙였다. 한마디로 자격지심이었다.

자신은 불과 몇 개월의 목숨을 연명하는 것이 고작이라면 눈앞의 휘연은 황제의 사랑을 독차지하고 있지 않은가. 그 사실에 자존심이 상하고, 자신의 처지가 새삼 처참해 말이 곱게 나가지 않는 것이다. 그에 휘연은 나지막이 한숨을 내쉬고 조용히 입을 열었다.

"함정당(咸淨堂)에 산실을 마련해 산달이 되면 그곳으로 옮겨야 합니다. 그때까지 필요한 건 모두 불편 없이 준비할 테니 마음을 편히 하세요."

"하! 그래 봐야 죽을 목숨이라 동정이라도 하는 겁니까?"

"동정이 아닙니다. 그대가 자숙하는 모습을 보이면 폐하께서도 참작하실 것입니다. 그리고 저 또한 말씀드릴 터이니 아무쪼록 태교에만 신경을 쓰세요."

"우습군요. 이리 주제넘게 나서는 걸 보니 자신이 잘난 줄 아나 본데, 웃기지도 않습니다. 폐하의 관심이 오래갈 거로 생각하십니까? 천만에요. 폐하는 감정도 없는 분입니다. 나야 황태자만 보면 목숨을 보장할 수 있다지만, 그쪽은 과연 지금 누리는 부가 오래갈지 모르겠습니다?"

비설은 황후 대접은커녕 한 마디 한 마디에 휘연을 깎아내리며 비웃는 걸 서슴지 않았다. 지금이야 비록 이러한 처지에 놓여 있다고는 해도 자신의 말마따나 황태자만 보면 얼마든지 기회를 잡을 수 있을 것이다.

그 사실에 비설은 추호도 의심하지 않았다. 하물며 황비궁과 후궁전이 모두 비어 있지 않는가. 제아무리 자신이 죄인 신분이라 해도 환백이 다른 여인을 들이지 않는 이상은 황태자의 생모로서 목숨은 유지할 수 있었다.

그리고 권력이라는 게 으레 그렇듯 황태자가 자란다면 다시 자신의 자리를 되찾을 자신감 또한 있었기에 비설은 지금의 처지를 비관하면서도 꿈을 깨지 못하고 허상을 좇는 걸 멈추지 않았다.

그런 비설을 보며 휘연은 입안에서 맴도는 말을 조용히 목 안으로 삼켰다. 황태자를 보는 이는 우문비설이 아닌 유자운인 것을. 하지만 차마 입 밖에 꺼내지 못하는 말이라 휘연은 입을 여는 대신 나지막이 한숨만을 내쉬어야 했다.

"내게 주제넘은 참견할 시간이 있으면 버림받을 때를 대비하는 게 좋지 않겠습니까?"

"후, 내관들에게 지시를 내려놓을 테니 필요한 게 있으면 언제든지 말씀하세요."

휘연이 말을 마치고 자리에서 미련 없이 일어나자 비설의 두 눈이 원독을 품고 매섭게 번뜩였다. 휘연이 무슨 말을 해도 곱게 들리지 않는 건 고사하고, 하다못해 자신의 말에 동요하는 기색도 비치지 않아 자존심이 상한 것이다.

그러나 별궁에 배치된 내관들조차도 온전한 자신의 사람이 아닌 지금의 처지로 불만을 입 밖에 낼 수 없는 것은 당연했다. 비설은 분한 마음에 문이 닫히자마자 닥치는 대로 물건을 집어 던졌다. 그 소리에 휘연이 살포시 미간을 찌푸리다가 이내 고개를 내저었다.

"식재료는 최상으로 들어오고 있는가?"

"예, 황후마마. 분부하신 대로 좋은 재료로만 준비하고 있사옵니다."

"그 외에도 필요한 게 있으면 언제든 요구하고, 힘들더라도 자네들이 성심을 다해 불편함 없이 모셔야 하네."

"명심하겠사옵니다, 황후마마."

휘연은 내관들에게 몇 가지 지시를 더 내려놓고야 비설의 처소를 나와 한참이나 동떨어져 은폐되다시피 한 유자운의 처소로 향했다. 같은 별궁이라 하나 비설의 처소보다는 유자운의 처소가 더 크고 깨끗하며 조용했다.

거기에는 휘연이 나름대로 신경을 쓴 부분도 있었지만, 황궁 내에서 몇 명을 제외하고는 아직 유자운의 존재는 비밀에 부쳐져 있기 때문이다. 그리고 차후 유자운의 태도에 따라 휘연이 생각해 뒀던 일을 염두에 두고 있었던 이유이기도 했다.

"오셨사옵니까."

"그동안 강녕하셨습니까."

"예, 황후마마. 마마의 은덕으로 편히 지내고 있었사옵니다."

차분하게 답하는 유자운의 기색을 살피며 휘연은 부드럽게 미소 지었다. 지난번보다 한결 안정을 찾은 듯해 마음이 놓이는 것이다.

"지난번에는 폐하가 계셔서 제대로 말씀을 못 드렸습니다. 앞으로 어찌하실 생각이십니까?"

"예? 어찌하다니요?"

"출산 후를 말씀드리는 겁니다. 말씀드렸지 않습니까? 자렴께서 원하신다면 새로운 자신만의 인생을 사실 수 있습니다. 제가 그리할 수 있게 도울 것입니다. 물론, 황궁에 남아 있기를 원한다고 해도 마찬가지입니다."

생각지도 못한 말에 유자운이 믿을 수 없다는 듯 두 눈을 휘둥그레 떴다. 그러다가 서서히 눈꺼풀이 내려가고, 질끈 감겼다가 다시 떴을 때는 유자운의 맑은 눈동자에 흐릿하게 물기가 어려 있었다.

"제가, 밉지도 않으시옵니까?"

살짝 목이 멘 듯 힘겹게 흘러나오는 유자운의 물음에 휘연은 다시 한 번 입가에 미소를 머금었다. 미워할 수 있을 리가 없지 않은가. 유자운 또한 거대한 운명의 희생양에 지나지 않기 때문이다.

"미워하지 않으니 그런 걱정은 하지 마세요. 자렴께서는 앞으로만 생각하시면 됩니다."

마음을 편안하게 하는 옥음과 더불어 얼굴에 드리운 미소에 유자운은 끝내 어떤 말도 하지 못하고 눈물을 흘렸다. 그런 유자운의 떨리는 손을 맞잡고 휘연은 눈물이 그칠 때까지 부드럽게 토닥였다.

오랜 세월 쌓이고 쌓인 앙금을 모두 털어 내려면 앞으로도 얼마나 더 긴긴 세월을 보내야 할지는 모른다. 다만 여전히 욕심을 버리지 못한 비설과는 달리 유자운은 모든 욕심을 털어 냈기에 휘연은 기회를 주고 싶었다.

아직은 어린 나이가 아닌가. 추한 권력과 욕심이 아닌 그 나이 대에 맞게 자신이 진정으로 원하는 삶을 살아가는 것도 나쁘지 않으리라. 휘연은 그 기회를 주고 싶었고 유자운은 언제나 꿈꿔 왔던 그 기회를 놓치지 않을 것이었다.

二章

발발(勃發)

수나라의 역사가 이어질수록 그 주변국은 속국의 오명을 씻어 내지 못했다. 힘이 없다는 이유로 오랜 세월 수나라의 방침에 따라 통상을 허락받고 조공을 바치며 억압받아 온 것이다.

그러나 사람이 바뀌면 시대도 변하기 마련이 아닌가. 몸을 낮추고 비위를 맞춰 주면서도 그들로서는 언제나 기회를 엿보고 있었음은 자명한 사실이었다.

그리고 그 기회가 찾아온 것이 제19대 소무황제 때였다. 더 정확히는 18대 황제의 말년, 소문태자의 죽음 이후 불혹의 나이로 황태자 위에 오른 직후부터였다.

나약하고 어리석어 향락에만 빠져 나라를 등한시한 황제의 치세로 수나라에 암운이 드리워지자, 주변국인 예, 후, 한이 조금씩 힘을 키워 나가기 시작했기 때문이다.

세도가가 득세함으로 빈부의 격차 또한 심해졌으며 망조가 들려는지 엎친 데 덮친 격으로 가뭄으로 수나라의 젖 줄기인 대류하가 말라 갔다.

굶어 죽는 백성이 늘어나며 쌓인 한(恨)만큼이나 통곡 소리도 높아졌다. 이미 예전의 수나라가 아닌 것이다. 그것은 무엇을 뜻하겠는가.

감히 침범하지 못할 위세로 언제까지고 자신들 머리 위에서 군림할 것 같았던 수나라가 몰락해 가고 있음을 드러내는 것이었다. 그 사실에 속국들은 기회를 엿보며 군사를 키우면서도 비밀리에 교류해 왔다.

수나라의 망조가 확실하다 판단했을 때는 국력이 쇠퇴하여 명색뿐인 종주국이었기 때문에 무례 방자해진 속국들은 섬김의 도리를 다하지 않는 지경까지 이른 것이다.

그리고 이젠 거의 막바지에 이르고 있었다. 조금만 더 내실을 튼튼히 하고 군사를 키운다면 그들의 소원대로 땅덩어리를 넓히고 수나라의 억압에서 풀려날 날이 찾아올 것이기에 주변국들은 지금의 기회를 놓칠 수 없는 처지였다.

하지만 그 누가 알았겠는가. 소무황제의 갑작스러운 죽음으로 수나라의 천자가 바뀌었다. 이제 갓 성인에 올라선 어린 나이로, 고작 치세 일 년도 지나지 않아 망조가 든 수나라의 위세를 단번에 끌어 올린 것이다.

그것은 실로 경천동지할 만했다. 뿌리 깊게 박힌 세도가의 권세를 단숨에 무너트리고 자신에게 반하는 세력을 모조리 숙청했다. 또한, 원망을 쏟아 냈던 백성들의 절대적인 지지를 받음으로 역사상 황제 단 혼자만의 절대 권력까지 이뤄냈다.

그 거침없이 밀어붙이는 맹렬한 기세는 한참 기회를 엿보던 주변국들에 엄청난 충격으로 다가올 수밖에 없었다. 무엇보다 황제가 시행한 징병제는 아직 온전한 힘을 갖추지 못한 그들에게 두려움을 갖게 하기에 충분한 것이었다.

"어쩌다 일이 이 지경까지 왔는지. 끄응, 전혀 눈치조차 채지 못했습니다."

"우리도 마찬가지요. 간세의 보고로는 황제의 세력이 어느 정도인지 아직까지 온전히 드러난 게 없다고 하오."

"허어! 그게 말이나 되는 일입니까? 이름뿐인 황태자가 아니었소? 헌데 어찌 그럴 수 있단 말이오?"

"비밀이 많다는 건 감추는 능력 또한 탁월하다고 봐야 합니다."

"아무리 그래도 그렇지! 어린놈이 어찌 그렇듯 잔인하고 철저하단 말입니까?"

"그 능구렁이 같은 승상도 당할 정도가 아니오? 절대 쉽게 보아 넘길 수 없소이다."

저마다 탄식을 쏟아 내는 이들은 각자 예, 후, 한에서 파견한 외교 담당의 관료들이었다. 오랜 세월 수나라에 초점을 맞춰 비밀리에 교류해 왔던 이들로서는 지금의 바뀐 정세가 비관적으로 다가온 것이다.

그동안에는 유창운을 비롯한 수나라 세도가들에게 뒷돈을

바치며 안으로는 군사를 키우고 내실을 다져 왔다지만, 황제가 바뀌어 줄을 대던 세도가들이 모조리 숙청되면서 이 이상은 진전을 보지 못하고 있었다.

아니, 진전은커녕 자칫하다가는 모든 것이 물거품으로 돌아갈지 모를 일이었다. 하물며 그동안 속국으로서 제대로 된 조공도 올리지 않고 방자한 태도로 나가지 않았는가. 이는 곧 단단히 책을 잡힌 상황이라는 뜻이다.

바보가 아닌 이상은 넘어갈 리도 없고, 숨긴다고 숨겨지지도 않았다. 즉 이들의 상황은 발등에 불이 떨어진 것이나 매한가지였다. 무엇보다 황제가 시행한 징병제로 인해 상황은 더 급박하게 흘러가고 있었다.

그나마 다행히 징병제를 시행하고도 특별한 일 없이 수나라 황실이 조용한 것 같았으나, 과연 그 침묵이 언제까지 이어질지 모르기에 더 불안한 것이다. 그래서인지 주춤하며 꼬리를 말고 있으면서도 긴장을 늦추지 못했다.

"지금이라도 왕께 고해 조공을 제대로 해서 사신을 보내는 게 좋지 않겠습니까?"

"그렇게 합시다. 이대로 앉아 있다가는 손도 못 쓰고 죽어나갈 거요."

"후우, 이미 늦은 것 같습니다."

예나라 영공(令公)의 지위에 있는 원주원의 탄식하는 듯 한숨 섞인 말에 불안을 떨치지 못하는 두 사람의 얼굴에 의아함이 묻어났다.

"늦었다니요?"

"그게 무슨 말입니까?"

"황제가 징병제를 시행했다는 자체가 뭘 뜻하겠소? 이미 우리에 대한 전쟁을 생각하고 있다는 걸 의미하지 않습니까?"

"허어! 결국, 그것인가."

"끙, 이 일을 어쩌면 좋단 말인가."

원주원에 말에 나지막하게 한탄을 쏟아 내는 장화립과 진주황의 얼굴이 깊은 시름에 잠기었다. 그런 두 사람을 보며 원주원이 찰나간 고심한 끝에 조심스러운 반면 단호하게 말문을 열었다.

"이렇게 된 이상, 살아남기 위해서라도 결사항쟁을 해야 하지 않겠습니까."

"그거야 그렇지만. 과연 우리가 대국의 군을 이길 수 있을 거로 보시오?"

"그렇소이다. 지금껏 드러난 것만 해도 80만이오. 거기에 더해 세도가에서 흡수한 군사와 징병제로 군사를 키웠다면 아무리 못해도 백만 대군은 될 것이외다."

두 사람의 말대로 지금껏 수나라 황제의 군사는 80만을 유지했다면, 속국으로 수나라의 억압을 받는 이들로서는 각자 왕의 군사가 15만을 넘을 수 없었다. 물론, 그건 대외적인 수에 지나지 않는다.

그동안 비밀리에 군사를 키우면서 군사가 각각 30만을 넘어섰고, 만약을 위해 귀족들의 사병까지 더한다면 어느 정도는 군사력을 갖출 수 있을 것이다. 그러나 그마저도 지금은 불안하다.

진주황의 말마따나 기존의 80만 대군과 세도가들의 사병을 모조리 흡수하고, 징병제까지 시행해 군사를 모았다면 그 수는 어마어마하게 불어나지 않겠는가. 어쩌면 이들이 예견한 백만 대군을 넘어설지도 모를 일이었다.

설사 일반 백성들이라 오합지졸에 지나지 않는다고 해도 살아남기 위해 상대를 죽여야 하는 전쟁이라는 것에 수의 차이는 실로 엄청나기 때문이다. 하물며 징병제를 실시한 지 벌써 4개월에 접어들었다.

그 말인즉슨, 이미 착실하게 군사훈련이 진행되고 있다고 봐야 하는 것이다. 거기까지 결론이 나오자 암담한 현실에 세 사람이 침음성을 토해 낼 때였다. 다급한 소리와 함께 문이 벌컥 열리며 한 사람이 뛰어들었다.

"영공!"

"어허! 이 무슨 무례한 짓이냐?"

"아, 송구합니다. 허나 워낙 급해서. 저기, 수에서 급보가 날아왔습니다."

"급보?"

급보라는 말에 사내의 손에서 다급하게 서신을 뺏어 들고 읽어 내리는 원주원의 얼굴이 와락 일그러졌다.

"이러고 있을 시간이 없습니다. 하루라도 빨리 움직여야겠습니다."

"급보가 무엇인데 그러시오?"

"지금 수나라 황도가 발칵 뒤집어졌다 하오. 우리가 연합을 이뤄 수나라를 칠 거라는 소문이 퍼져 황제가 전쟁을 준비하고 있다고 합니다."

"그, 그런!"

이미 전쟁은 불가피하다는 걸 예상하고 있었음에도 갑작스러운 소식에 세 사람은 침중한 표정을 감추지 못했다. 단지 이해가 안 가는 것은 난데없이 퍼진 소문의 출처였다.

"아무래도 우리 측에 간세가 있는 것 같습니다. 그게 아니라면 그쪽에서 이렇듯 소문이 퍼져 나올 리가 없지요."

"지금의 황제라면 충분히 가능한 일입니다."

"문제는 소문이 너무 갑작스럽다는 겁니다. 무언가 흑막이 있을 것 같지 않습니까?"

"후우, 지금은 그런 걸 따질 시간이 없습니다. 그나마 우리가 힘을 합치면 백만 대군은 충분히 막아낼 수 있을 것입니다. 절대 저들을 우리 땅으로 들여놓아서는 안 된다는 것만 명심하십시오."

절대 가벼이 넘길 수 없는 전쟁이다. 사소한 이익 다툼도 아닌, 살기와 광기가 난무하는 나라 간의 거대한 전쟁. 그 하나만으로도 커다란 공포로 다가오고 있었다.

"허면, 계획대로 국경 지대에 포진해야겠습니다."

"그래야겠지요. 우선 일차적으로 국경 지대의 백성들을 피신시키겠지만, 모두가 피신은 불가피한 상황에서 저들이 우리 땅을 밟게 하는 순간 속수무책으로 무너질 것입니다."

"하지만 그리되면 군사가 나뉘게 됩니다. 만약을 위해 왕궁을 지킬 군사는 남겨 둬야 할 것이 아니오?"

"후우, 왕족을 지키지 않으면 다음 미래 또한 없는 것이나 매한가지니 남겨 두긴 해야겠지만. 끄응, 안 그래도 모자란 군사를 나눠야 한다니 답답할 노릇이군."

"이미 일은 벌어졌소. 우선은 이 소식을 각자 왕께 보고를 올리고 의논해 봅시다."

원주원의 말에 두 사람이 굳은 얼굴로 고개를 끄덕이고 자리에서 일어났다. 어쩌면 이번 전쟁으로 인해 모든 것을 잃을지도 모른다. 그렇다고 멍하니 앉아서 당할 수는 없는 노릇이 아닌가.

이미 돌이킬 수 없다면 목숨을 걸어서라도 자신들의 땅을 지킬 수밖에 없기 때문이다.

이렇게 인간의 의지로는 감히 막을 수조차 없는 거대한 폭풍이 핏빛의 암운을 드리우며 다가오고 있었다.

"지금쯤 저쪽에도 소문이 흘러 들어갔겠군."

"예. 간세의 말로는 군사협정에서 세 군데의 중심이라 할 수 있는 곳에 포진할 것 같다고 했습니다."

"흐음, 멍청하게 군사를 나누겠다는 소리군. 선발대는?"

"각 나라의 상단으로 위장해 이미 대부분이 잠입한 상태로, 그 정도의 화약이면 왕궁에 아무리 많은 군사가 있어도 충분히 함락할 수 있습니다. 다만, 일반 병사들의 훈련 기간이 짧아 제대로 성과를 이룰 수 있을지가 미지수입니다."

"어차피 징병제로 끌어모은 놈들은 일회용이다. 한 번 이용하고 버릴 천한 패에 많은 것을 기대할 필요는 없지. 그놈들은 나를 위해서 죽어 주면 돼."

냉철한 말끝에 입가를 비스듬히 끌어 올리는 환백의 두 눈이 당장에라도 핏물을 쏟아 낼 듯 형형하게 빛났다. 그런 환백을 보는 묵혼과 교령의 얼굴이 씁쓸한 기색을 띠었다.

모순이라 했던가. 백성들의 절대적인 지지를 받고 있는 황제가 정작 그 백성들을 소모품으로 이용하기 때문이다. 그리고 백성들은 환백이 원하는 대로 목숨을 걸고 전쟁에서 죽어 나갈 것이다.

자신의 손으로 나라를 지킨다는 사명감이 아닌, 고작 가족들에게 돌아갈 식량 몇 포대에 물불을 가리지 않고 목숨을 걸어야 한다. 그게 지금 수나라의 현 실정이었고, 그 중심에 환백이 있었다.

그러나 때론 필수불가결(必須不可缺)이라. 오랜 세월 고여서 썩은 물은 갈아치우는 것이 옳았다. 다만 그에 따른 희생이 크다는 걸 알기에 착잡한 마음을 감추지 못하는 것이다.

"보름 안에 모든 준비를 마쳐라."

"존명!"

이미 시위는 당겨졌다. 이제 남은 건 그 성과를 거두는 것뿐이고, 완벽한 승리를 쟁취할 것이라는 사실에 환백은 추호도 의심하지 않았다.

"헌데 어찌하실 생각이십니까?"

"뭘?"

"유자운 말입니다. 결정하셔야 하지 않겠습니까?"

묵혼의 말에 환백의 미간이 미미하게 찌푸려졌다. 그동안 휘연이 유자운을 만나 이것저것 챙기는 것도 마음에 들지 않는 상황인 것을, 두 사람의 대화를 고스란히 보고받고 있다 보니 기분이 더 안 좋은 것이다.

솔직한 마음으로는 유자운도 출산을 마치는 대로 죽이는 게 옳았다. 살려 놔 봐야 불씨밖에 더 되겠는가. 지금이야 정신을 차린 것 같아도 훗날 자식을 빌미로 또 어떤 과욕을 부릴지 모르기 때문이다.

그렇다고 선뜻 죽이는 것도 내키지가 않는다. 아니, 휘연에게 미움받을 것이 두려워 차마 죽이지 못한다는 말이 더 옳을 것이다. 그 사실에 환백이 헛웃음을 터트리며 고개를 내저었다.

어쩌다 자신의 처지가 이리됐는지, 환백은 생각할수록 황당함을 감추지 못했다. 그래도 싫지만은 않은 것도 사실이라 휘연을 떠올릴 때면 환백의 표정은 더할 나위 없이 풀어지고 있었다.

"황후궁으로 갈 것이다."

환백이 탁자 한구석에 놓인 작은 함을 품 안에 넣고 자리에서 일어났다. 길게 늘어선 시종장과 내관을 대동하고 숭오문을 지나쳐 황후궁으로 향하는 환백의 발걸음이 어느새 잰걸음으로 바뀌고 있었다.

"오셨사옵니까."

"앉지."

평소처럼 흐트러짐 없이 마주 보고 앉은 두 사람 사이에 찻잔이 놓이고, 휘연이 조심스럽게 차관을 기울여 차를 따르자 향긋한 차 냄새가 온 방 안을 감돌았다.

"말해 보라. 내게 할 말이 있을 테지."

"그게…… 무슨 말씀이시온지?"

"쯧, 유자운 문제 말이다. 이제 보름 후면 떠날 터인데 언제까지 입 닫고 있을 생각이지?"

유자운과의 대화를 환백이 모를 리도 없고 떠나기 전 말을 꺼낼 생각도 하고 있었지만, 먼저 물어올지 몰랐기에 휘연은 잠시 당황했다. 하지만 이내 표정을 바로 하고 차 한 모금으로 목을 축인 후 조심스럽게 말문을 열었다.

"폐하, 비록 그녀의 죄가 크다 하나 진심으로 뉘우치고 있는 이상은 한 번의 자비는 베풀어 주시길 간청하옵니다. 그녀 또한 자신의 의지대로 살지 못한 가련하고 어린 여인에 지나지 않다는 걸 아시지 않사옵니까? 하물며 폐하의 자식을 낳을 사람입니다. 마땅히 선처를 해 주시는 게 옳을 줄로 아뢰옵니다."

"아무리 그래도 황궁에 남아 있는 건 허락하지 않겠다."

"아, 그 점은 심려치 마시옵소서. 자식과 떨어지는 것은 안타까운 일이나, 그녀가 새로운 삶을 살고자 한다면 황궁을 벗어나는 게 좋을 것이옵니다. 해서 새로운 신분과 함께 황도와 멀리 떨어진 조용한 곳에 거처를 마련해 줄까 합니다."

"조용한 곳이라……. 유자운이 다시 야망을 품지 않을 거로 확신하는 건가?"

못내 마음에 걸리는지 마뜩잖은 표정으로 묻는 환백을 보며 휘연이 부드럽게 미소 지었다.

"갇혀 있기만 한 새는 새장 밖을 두려워하지만, 한 번 벗어나면 다시는 돌아오지 않는 법입니다. 자유라는 것은 그리도 달콤하고 꿈같은 것이지요."

"그대는…… 휘연, 그대도 자유가 그리운 건가?"

혹여나 그리워한다는 말이 돌아올까 걱정하는 환백의 표정에 휘연은 속으로 쓴웃음을 삼키면서도 겉으로는 내색 없이 고개를 내저었다.

"이곳이, 폐하의 곁이 좋습니다. 자유를 그리워하지 못할 만큼 제겐 이곳이 세상입니다."

"휘연, 진심이겠지? 거짓 없는 그대의 마음이겠지?"

"예, 폐하."

한 치도 거짓 없는 진심이었다. 운명의 고리가 단단히 연결된 이곳이, 그 무엇보다 견고하고 튼튼한 새장에 지나지 않았으나 휘연에게는 환백 그가 있는 이곳이 자신만의 세상이었다.

그러나 그 세상을 돌아서야 할 시기 또한 가까워졌다는 사실에 휘연은 문득 눈가가 시큰해졌다. 이리 약해져서는 아니 되는데, 어찌해서 이렇듯 감당하지 못할 정도로 연정의 마음은 커져만 가는지.

휘연은 내색할 수 없는 마음에 답답한 듯 입안 여린 살을 꾹 깨물었다. 그때 열어 둔 창을 통해 따뜻한 봄바람이 스며들고 휘연은 나지막이 호흡을 가다듬으며 찬찬히 환백의 얼굴을 눈에 담았다.

몇 가닥이 살짝 바람에 흩날리는 단정하게 반을 틀어 올린 순백의 비단결 같은 머릿결이 가장 먼저 시야에 들어왔다. 그리고 더 이상 차갑지 않은 따뜻함을 담은 적안도, 날카로운 콧날도, 매끄러운 입술까지.

휘연은 마음 깊은 곳에서부터 치고 올라오는 감정의 소용돌이가 버겁기만 했다. 환백을 향한 연민, 애정. 그리고 영원히 받아들여지지 못하고 표현하지도 못할 자신을 향한 안쓰러움.

그 모든 것들이 더해지고 감해지고 저울질되면서 휘연은 한 가지 결론에 도달했다. 정이란 참으로 무섭다. 일단 인연이 닿아 몸과 마음을 부대끼다 보면 그다음부터는 상처투성이가 되어도 결국 집착하지 않는가.

하물며 인간의 의지로 끊을 수 없는 운명으로 연결된 두 사람이다. 그 끝이 뻔히 보임에도 물러설 수도 없고, 한 발 나서지도 못한다. 그 막연함에 휘연은 목을 놓아 울어 버리고 싶었다.

“휘연? 표정이 왜 그러지? 어디 아픈가?”

“아닙니다. 그저…… 전쟁에 나가시는 폐하가 걱정돼서 그렇사옵니다.”

“걱정하지 마라. 내 반드시 이기고 돌아올 것이다. 그때는, 솔직한 대답을 들려주길 바란다.”

무엇에 대한 대답을 듣고자 하는지는 뻔한 것이리라. 그렇게도 환백이 듣기를 원하는 휘연의 마음이다. 초조한 듯 살짝 입술을 축이며 끌어안아 오는 환백의 품 안에서 휘연은 가만히 눈을 감았다.

그러나 그것도 잠시, 곧 목에서 느껴지는 차가운 느낌에 품을 빠져나와 고개를 내린 휘연의 시야에 언제 채웠는지 아기의 주먹만 한 월장석(月長石)이 달린 목걸이가 보였다.

"폐하, 이것이 무엇이옵니까?"

"음, 증표다. 본시 월장석은 부드러움이나 달을 나타내기도 하지만, 연인을 뜻한다고 하더군. 그대는 내 하나뿐인 연인이니 이런 것 하나쯤은 나눠 가져야지."

그러면서 휘연과 똑같은 모양의 목걸이를 꺼내 목에 걸며 미미하게 얼굴을 붉히는 환백을 보며 휘연은 눈물이 차올라 다급하게 월장석을 두 손으로 꼭 쥐고 고개를 숙였다. 기뻤다. 말로 다하지 못할 정도로.

은애하는 상대의 하나뿐인 연인이라는 소리에 어찌 행복하지 않을까. 그 연인과 증표를 나눠 가지는 것이 세상을 다 가진 것보다도 더 행복했다. 그러나 그보다 더 큰 슬픔이 휘연의 가슴에 쌓여 가고만 있었다.

아무리 노력해도 여기까지가 한계라는 것을 알기에. 휘연은 겨우 딛고 일어선 땅이 까맣게 꺼져 가는 것 같은 현기증을 느끼면서도 언제 나와 같이 그렇게 소리 없이 마음을 다스리고 또 다스려야만 했다.

❖

소건황제, 정(政) 치세(治世) 1년하고도 반년에 접어들며 주변국을 향해 대대적인 전쟁을 선포했다. 이미 선발대 백만 대군이 황도를 떠났고, 오늘은 후발대 50만 기마군(騎馬軍)의 차례였다.

이는 주변국들도 결코 예상하지 못했을 정도로, 기존의 수나라 80만 황군의 배에 해당하는 어마어마한 수의 대군이었다. 황도 전체가 전운에 휩싸이고 기마군이 일으키는 흙먼지가 누렇게 하늘을 뒤덮었다.

앞으로 얼마나 많은 목숨이 값어치 없이 사라질지 모를 전쟁. 개개인의 보잘것없는 미약한 힘이라도 하나로 뭉쳐 사력을 다해 의지를 토해 냄으로 전쟁은 거대한 광기에 사로잡힐 것이다.

유혈과 원한과 살기가 노도처럼 흐르는 그 안에서 죽어 나가는 것이 적군만이 아니기에 자식을 보내고, 남편을 병사로 보낸 이들의 얼굴에는 형용할 수 없는 불안과 공포가 떠나지 않았다.

하지만 누구 하나 나서는 이는 없었다. 감히, 막아설 수 없는 황제의 위엄에 한낱 자신의 안위 따위를 내세울 수 있을 리가 없기 때문이다. 그저 한목숨 건져 무사히 돌아오기를 기원할 뿐.

신은 만물을 관장하지만, 황제는 생사의 권능을 한 손에 쥐고 나약한 인간들을 지배하고 있는 것이다. 또한, 신이 인간의 운명을 쥐고 있다면 황제는 인간의 목숨을 쥐고 있다.

수나라 역사상 가장 빨리 황권을 휘어잡고 가장 완벽하게 천자의 자리를 거머쥔, 거스를 수 없는 절대적인 힘을 갖춘 황제. 그가 일으키는 이번 전쟁의 여파가 얼마나 거대한지 단 한 사람을 제외하고는 아무도 알지 못했다.

그렇기에 흉흉한 전운에도 다소 흥분을 감추지 못한 듯 황제와 기마군을 배웅 나온 이들의 얼굴에는 묘한 기대감마저 드러나고 있었다. 그런 그들을 바라보며 휘연은 착잡한 마음을 떨치지 못했다.

"황후마마, 신을 찾으셨사옵니까?"

나지막이 한숨을 내쉬는 휘연의 뒤로 소리 없이 묵혼이 모습을 드러냈다. 떠나기 전 유한을 시켜 묵혼을 부른 걸 상기하고 휘연이 미미하게 고개를 끄덕였다.

"묵혼, 그대에게 긴히 부탁할 것이 있습니다."

"하명하시옵소서, 황후마마."

"만약, 만약 폐하께 무슨 일이 생기게 되면……."

차분하게 말을 이어 가던 휘연이 목이 멘 듯 잠시 말을 멈추고 숨을 고르다가 다시 조용하지만 단호하게 말을 이었다.

"묵가와 암영제를 제외하고는 다른 이들은 모르게 조용히 황궁으로 모셔 오셔야 합니다. 아무도 모르게요."

"어찌……."

"그리해 주십시오. 아니, 반드시 그리하셔야 합니다."

"……명 받자옵니다."

보기 드물게 단호한 휘연의 어조에 잠시 의아함을 품었던 묵혼이 이내 깊숙이 고개를 숙이고 모습을 감추었다. 때마침 사나운 기세를 흘리며 흥분을 드러내는 기마군들을 둘러보는 환백의 입가에 만족한 웃음이 얼핏 드러났다.

그러나 그것도 잠시, 기마군의 출정 준비가 모두 끝이 나자 흥분이 되어 금방이라도 달려 나갈 듯한 성질 급한 자신의 말의 갈기를 쓰다듬어 진정시킨 환백이 곧바로 휘연에게 다가갔다.

이날을 위해 휘연이 손수 만든 옷을 입고 붉은 비단 위로 황금색 용을 수놓은 건(巾)을 이마에 맨 채 황금색 갑옷을 두른 환백은 보는 것만으로도 숨이 막힐 듯한 위압감을 뿜어내고 있었다.

"휘연, 안색이 안 좋다. 걱정되느냐?"

혹여나 굳은살이 밴 손에 상처라도 날세라 조심스럽게 볼을 쓰다듬으며 물어오는 환백을 올려다보며 휘연은 가만히 미소를 지우지 않은 채 고개를 내저었다.

"헌데 표정이 왜 그런 것이냐? 어디가 아픈가?"

"아닙니다, 폐하."

"휘연, 그대는 아무것도 걱정할 것 없다. 무사히 돌아오마. 최대한 빨리 끝내고 올 테니 그동안 마음 편히 몸이나 추스르고 있어라. 이번 전쟁을 끝으로 다시는 그대 곁을 떠나는 일은 없을 것이다. 그러니 돌아오면, 그때는 내가 원하는 답을 해다오."

"……예. 기다리겠사옵니다. 부디 무탈하게 돌아오십시오."

아무리 빨리 끝낸다고 해도 나라 간의 전쟁인 이상은 긴 이별이 될 것이다. 두 사람 모두 그 사실을 알고 있었지만, 안타까움과 복잡한 심경을 담아 속삭이는 환백도, 애써 눈물을 삼키는 휘연도 겉으로는 태연함을 유지하려 했다.

하지만 지금의 헤어짐이 어떤 결과를 가져올지를 알고 있는 휘연으로서는 더 이상 견디기 힘든 듯 이내 붉어진 눈시울을 감추려 고개를 숙일 수밖에 없었다. 마지막까지 웃는 모습을 보여 주고자 했던 휘연의 마음이 속절없이 무너진 것이다.

그런 휘연의 두 눈은 어느새 촉촉하게 젖어 있었다. 그럼에도 애써 웃어 보이려는 휘연의 몸을 환백이 조심스럽게 끌어안았다. 언제나 담담하게 감정을 숨기던 연인이 마음을 추스르지 못하고 이렇듯 조용히 울음을 터뜨리니 어찌해야 할 바를 몰랐다.

"휘연."

환백은 당황스러우면서도 싫지 않았다. 웃어 주기를 바랐으면서도 얼마가 걸릴지 모를 이별 앞에서도 담담한 얼굴을 하는 것은 아닌지, 내심 섭섭하고 불안하던 참이었기 때문이다.

헌데 먼 길 떠나는 자신을 보며 소리 없는 울음을 터트린다. 마치 말로 담지 않은 감정을 드러내듯이. 그런 휘연의 사랑스러움에 환백은 좀 더 힘 있게 끌어안고 매끈한 목덜미에 입술을 묻었다.

가볍게 입을 맞추다가 황급히 얼굴을 감싸고 탐스러운 붉은 입술을 가르고 깊게 파고든다. 이리도 사랑스러운 사람을 두고 어찌 갈지. 너무나 사랑해서 떠올리는 것조차 아까운 것을.

이제는 오랜 시간 떨어져 있어야 한다는 사실에 환백은 쉽사리 발이 떨어지지 않았다. 그래서인지 환백은 몇 번이나 입을 맞추고 휘연의 잘게 떨리는 여린 몸을 달래듯 쓸어 주고야 마지못해 떨어졌다.

"울지 마라, 휘연. 이리 울면 내가 불안하지 않으냐? 웃어다오. 내게 그 어여쁜 미소로 웃어 줘야지."

환백의 부드러운 타박에 휘연이 황급히 눈물을 훔치고 가만히 미소 지었다. 비록 붉어진 눈시울에 처연해 보이기까지 한 미소였으나 환백에게는 그 무엇보다 아름다운 미소였다.

"내가 없다고 굶지 말고, 잠도 제시간에 꼭꼭 자도록 하고. 아, 채소만 먹지 말고 고기도 좀 많이 먹어서 살도 찌우고, 탕약은 꼬박꼬박 먹어야 한다."

분위기를 바꾸려는 의도로 이것저것 잔소리를 늘어놓았다. 뭐가 그리도 서러운지 더욱 눈물이 맺혀 고개만 끄덕이는 휘연이 못내 사랑스럽고 안타까운 듯 환백이 다시 한 번 품에 끌어안고 몇 번이고 정수리에 입을 맞췄다.

이대로 떠나려니 도저히 아쉬움에 발길이 떨어지지 않는 것이다. 그런 데다 어찌 이리도 불안한지. 환백이 언제 웃었느냐는 듯 미간을 잔뜩 찌푸리고 나지막하게 침음을 따끔거리는 목 안으로 삼켰다.

가는 곳이 먼 여정의 전쟁터만 아니라면 지금이라도 휘연을 데리고 가고 싶었다. 하지만 그리할 수도 없는 일. 환백이 괜스레 초조해지는 마음에 휘연만을 끌어안고 있기를 한참, 보다 못한 효헌이 두 사람을 방해하고 나섰다.

"형님, 적당히 하시고 가셔야지요?"

"음? 쯧, 너는 눈치 없이 왜 방해냐?"

"그러다 끝이 없을 것 같아서 안 그럽니까. 벌써 한 식경이 지났습니다."

효헌의 말에 확연히 마음에 안 든다는 듯 노려보다가 이내 휘연의 얼굴을 커다란 손으로 감싸고 다시 말이 이었다. 이번에는 좀 전보다 더 단호함이 엿보이는 말투였다.

"휘연, 이 녀석에게 이것저것 신경을 쓰라고는 했다만, 될 수 있으면 이 녀석은 보지 마라. 눈도 마주치지 말고, 말 걸어도 대답하지 말고 무시해. 또 황후궁에도 들이지 말고 필요한 게 있으면 내관들이나 유한을 시키도록 해. 알겠지?"

사람 면전에 두고 대놓고 질투라니. 효헌은 어이가 없어 고개를 내저으며 허탈하게 웃었다.

"허참, 누가 형수님 훔쳐 갈까 봐 그러십니까? 정말 별걱정을 다하십니다."

"시끄럽다. 휘연, 내 다녀오마. 몸도 약한데 괜한 걱정하지 말고 편히 있어라."

휘연이 다시 한 번 눈물을 훔치며 고개를 끄덕이자 환백이 갑자기 와락 품 안으로 끌어당겼다. 어찌나 억세게 휘어잡는지 순간 균형을 잡지 못하고 뒤로 몸이 젖혀진 휘연이 저도 모르게 환백의 목에 매달렸다.

그런 휘연을 내려다보며 마치 할 말이라도 찾는 듯 몇 번이고 입술을 달싹거리다가 다물기를 반복했다. 초조하게 무언가를 요구하는 눈빛. 불안한 듯 슬픈 듯 흔들리는 적안에 휘연은 환백의 마음을 쉽게 짐작할 수 있었다.

혹여나 자신이 없는 사이에 떠날 것을 두려워하는 것이리라. 그만큼 자신의 마음을 표현하지 못했다는 사실에 휘연은 가슴이 미어질 것처럼 아팠다. 환백은 듣기를 원하는 것이다. 입에 발린 말이 아닌 확신을.

그 어떤 약속도, 맹세도 아닌 그저 안심할 수 있는 작은 마음의 표현을. 무슨 말이 더 필요하겠는가. 아무것도 해 줄 수 없는 처지라고는 하나 휘연은 지금 이 순간마저도 외면하고 싶지는 않아 목을 그대로 끌어당겨 조심스럽게 입을 맞췄다.

팔을 들어 환백의 목을 끌어안고 열정적으로 마음을 전했다. 조금이라도 자신의 마음이 전달되기를 바라는 휘연의 표현이었다. 그러자 환백의 팔이 더 세게 몸을 조여 온다. 그렇게 두 사람은 다시 일각여가 지나서야 겨우 아쉬움을 뒤로하고 떨어졌다.

"기다리겠습니다. 이곳에서, 환백 님이 돌아오시는 날을 기다리겠습니다."

붉어진 눈을 하고도 미소를 잃지 않고 하는 말에 환백은 비로소 얼굴 가득 환한 미소를 지었다. 그리고도 몇 번이나 쪽쪽 소리가 나게 입을 맞추고 돌아선 환백은 말에 오르고도 한동안 휘연에게서 눈을 떼지 못했다.

황제가 무사히 환송(還送)하기를 기원하는 궁인들과 대신들이 모두 지켜보는 앞임에도 불구하고 허공에서 부딪히는 두 사람의 시선은 비켜 나지 않았다. 정말이지 사람들 보기 민망할 정도로 참 애탄 이별이었다.

결국, 또다시 효헌이 질린다는 듯 고개를 내젓고 휘연의 앞을 가로막았다. 그 대신 매섭게 꽂히는 환백의 살벌한 눈빛을 고스란히 받은 효헌은 모골이 송연함을 여실히 느껴야 했다.

"폐하, 더는 지체할 수 없사옵니다."

기병대장(騎兵隊將) 사천승의 조심스러운 재촉에 눈살을 찌푸리면서도 미미하게 고개를 끄덕인 환백은 돌아서야 한다는 걸 알면서도 못 박힌 듯 휘연의 모습에서 시선을 거두지 못했다. 이상할 정도로 불안했기 때문이다.

'기다려라, 휘연. 네가 없어지면 나는 견딜 수가 없다. 그러니 약속을 믿고 다녀오마. 기다려다오. 이 불안감이 한낱 기우이기를, 네가 한 약속 그것만을 믿을 것이다.'

환백은 가만히 눈을 감았다고 뜨고 몸을 완전히 돌렸다. 새삼 가슴속에서 휘몰아치는 무서운 집착과 독점욕에 쓴웃음이 흘러나왔지만, 이 전쟁만 끝나면 모든 게 원하는 대로 되리라 굳게 마음을 다잡고 마음 한구석에 남아 있는 불안감을 애써 몰아냈다.

그리고 이내 기마군의 선두에 선 환백이 채찍 소리와 함께 앞으로 나아갔다. 그와 동시에 사천승의 호령 소리에 맞춰 50만의 기마군은 흙먼지를 일으키며 일제히 황궁을 빠져나가기 시작했다.

속도를 낮추어 가볍게 달리는 말의 고삐를 그러잡은 환백은 평소 같지 않게 약간은 긴장한 듯 얼굴이 굳어 있었다. 어찌 이리도 불안한지, 마치 무언가에 걸린 듯이 뒷덜미가 서늘한 느낌에 환백은 알 수 없는 기분에 빠져들었다.

무언가 이상한 기분. 기묘하였다. 기묘하며 괴이하였다. 그러나 그 실체가 무엇인지 도저히 감조차 잡히지 않아 환백은 더 이상 생각을 이어 갈 수도 없었다.

그렇게 환백과 기마군이 떠난 황궁 안은 한동안 가라앉지 않은 흙먼지만이 자욱했다.

"그만 안으로 드시지요."

"예. 왕야께서 정무를 보신다고 들었습니다."

"제가 할 일이 뭐 있겠습니까. 그저 형님이 오실 동안 자리만 지키는 것이지요. 그보다 형님께 들었습니다. 그녀가 머물 곳을 찾으신다고요?"

그녀라 하면 유자운을 말함이다. 다른 사람도 아니고 효헌이라면 환백도 믿고 말을 했을 터라 휘연도 망설임 없이 답했다.

"예. 마땅한 곳이 있는지 사람을 보내 알아볼까 합니다."

"괜찮으시다면 제가 적당한 곳을 알고 있습니다. 황도하고 족히 달포는 걸리는 곳이기도 하고, 마을 인심도 좋고 조용해 안정을 취하기에는 적당할 것입니다."

효헌의 설명에 휘연의 어둡던 얼굴이 한층 밝아졌다. 직접 찾을 수도 없고, 입이 무거운 자를 찾아내 적당한 장소를 물색하는 것도 만만찮은 일이었던지라 내심 휘연도 고심을 하던 참이기 때문이다. 하물며 달포 거리라면 유자운 또한 마음의 불안감을 떨칠 수 있을 것이었다.

"아무래도 새로운 신분과 일꾼들도 구해야 할 테니 최대한 이른 시일 내에 부족함 없이 조치를 취해 놓겠습니다."

"감사합니다, 왕야. 덕분에 시름을 들었습니다."

"감사라니요. 당치 않으십니다. 앞으로도 시키실 일이 있으시면 기탄없이 말씀해 주십시오."

차분하고 예를 다해 정중하게 답하는 효헌을 마주하고 휘연 또한 살짝 고개를 숙였다. 그러다 서로 얼굴을 마주하고 살포시 웃음을 머금던 효헌이 여기저기 꽂히는 시선에 난감한 듯 머리를 긁적였다.

"어째 시선이 더 모이는 것 같지 않습니까? 이러다 형님께 한소리 톡톡히 들을 것 같습니다. 이제 그만 들어가 보시지요. 나머지는 제가 알아서 하겠습니다."

"예. 하면, 염치불구하고 부탁드리겠습니다."

휘연이 살짝 고개를 숙이고 돌아서 보련(步輦)에 올랐다. 누구나 할 것 없이 일제히 고개를 숙이고, 곧 휘연을 태운 보련이 시야에서 사라지고 나서야 고개를 들어 올린다. 휘연의 위치가 과거와 완전히 달라졌다는 걸 보여 주는 것이다.

"안색이 안 좋습니다. 괜찮으시옵니까?"

"후우, 괜찮다."

"너무 심려치 마시옵소서. 자그마치 150만 대군이 아닙니까? 반드시 승리를 거두고 돌아오실 것입니다."

걱정을 덜어 주려는 아소의 말에 휘연이 쓴웃음을 삼키며 고개를 끄덕였다. 승리를 걱정하는 것이 아니기 때문이다. 천살의 흉포함을 그 누가 막을 수 있겠는가. 이미 결과는 뻔한 것이다.

"그렇겠지. 천명은 폐하를 등지지 않을 것이다. 하지

만…… 피할 수는 없겠구나."

"예?"

"아니다. 잠시 혼자 있고 싶구나."

아소와 무영이 물러나고 문이 닫히자마자 침묵이 무겁게 내려앉았다. 공기조차 흐르지 않는 듯한 고요 속에서 휘연은 환백에게서 받은 연인의 증표인 월장석을 두 손이 하얗게 불거지도록 움켜쥐었다.

힘겨운 듯, 부들부들 떨리기 시작하는 몸을 제대로 가누지 못하던 휘연이 털썩 쓰러지듯 침상에 엎드렸다. 심장이 메말라 팍팍해지는 고통에 떨어져 내리려는 눈물을 겨우 참아 내며 눈을 크게 떴다.

그런 휘연의 눈동자가 불안하게 흔들리고, 얼마 지나지 않아 기어이 울음을 터트렸다. 방울져 떨어지는 눈물만큼이나 행여 억눌린 울음소리가 들릴까, 휘연은 두 손으로 입을 틀어막고 숨죽여 울었다.

한때는 오기를 바랐고, 한때는 조금이라도 늦춰지기를 바랐으며, 또 한때는 영원히 오지 않기를, 답지 않게 욕심을 부리기도 했었다. 그러나 한 번 정해진 운명의 굴레를 끊을 재간이 없음이니.

휘연은 이미 모든 것을 받아들이고 있음에도 제 처지가 안타까워 눈물이 멈추지 않았다. 하지만 그보다 가슴속에 앙금처럼 남을 후회가 더 앞섰다.

어차피 받을 원망이라면 작은 욕심을 부려 한 번이라도 마음을 표현할 것을. 어차피 마주할 수 없는 운명이라면 아이처럼 매달리는 그 메마른 사람을 조금이라도 보듬어 안아 줄 것을.

하지 못했다. 어리석게도 끝끝내 그 어떤 보답도 해 주지 못했다. 어찌해야 하는가. 대체 어쩌면 좋단 말인가. 이미 끝은 정해져 있는 것을. 어찌해서 이리도 마음을 주었더란 말인가.

그 아픈 원망이 귀에 생생하게 파고드는 것 같았다. 그 좌절의 분노를 어찌 감당해야 할지, 이 모진 운명이 처음으로 원망스러워 휘연은 그렇게 정신을 잃을 때까지 울고 또 울었다.

❖

황도를 벗어나 행군 한 달째. 앞서 출발한 백만 대군을 거의 따라잡으며 국경이 있는 거리까지 보름여를 앞두고 있었다.

본격적으로 여름이 가깝게 다가선 탓에 갑옷을 두른 병사들의 얼굴 위로 흥건한 땀이 쏟아진다.

묘한 전운에 휩싸인 기마군들은 사흘에 단 한 번의 휴식으로 쉴 새 없이 달려왔음에도 불구하고 긴장감에 더욱 또렷해져 가는 정신력으로 전쟁의 기운을 온몸으로 느끼며 전율하고 있었다.

애초에 징병제로 끌어모아 단기간에 훈련을 거친 병사들을 제외하고 50만 기마군은 오랜 시간 훈련을 거친 최정예들로, 전쟁을 원해서 군을 직업으로 선택한 만큼 그들에게 차라리 전쟁은 하나의 유희에 불과했기 때문이다.

살기와 광기가 난무하는 곳. 목숨을 건 인간 사냥에서만 느낄 수 있는, 온몸이 떨려 오는 즐거운 유희. 그 유희를 위해서 치르게 되는 목숨이라는 대가를 당연하게 생각하는 그들에게는 두려움이란 존재하지 않았다.

오히려 그날을 학수고대하는 듯 모두의 지친 얼굴에는 숨길 수 없는 흥분이 고스란히 드러나 있었다. 그러나 비단 기마군만이 아니었다. 기마군을 돌아보는 환백의 입가에도 만족스러운 웃음이 피어올랐다.

"서둘러라!"

험준한 산맥을 넘기 전, 기슭의 황야같이 넓은 공간에 자리 잡은 야영지. 기병대장 사천승의 우렁찬 외침을 시작으로 50만의 기마군이 건조한 눈빛을 날카롭게 빛내며 신속하게 움직였다.

비록 반나절에 지나지 않을 휴식이라지만 말 위에서 삶은 감자와 말린 고기로 끼니를 해결하며 괴물 같은 체력을 바탕으로 쉼 없이 달려온 이들에게는 꿈같은 휴식처였다.

"주군, 막사가 준비되어 있습니다."

"수뇌진은?"

"모두 모여 있습니다만, 먼저 휴식을 취하시고."

"그곳으로."

환백이 묵혼과 교령을 대동하고 장군들이 모여 있는 막사로 발걸음을 옮기자, 그 뒤를 사천승이 황급히 뒤따른다. 막사 안에는 사천승 휘하 장군들과 부관들, 군사가 이미 자리해 환백을 맞이하고 있었다.

"소식은 도착했겠지?"

"예, 폐하. 한 시진 전에 모두 도착하였나이다."

"보고하라."

팽팽한 긴장감이 흐르는 가운데 군사인 곽현상이 보고를 시작했다.

"먼저 국경 지대의 보고입니다. 연합군은 남서 방향 국경 근처에 주둔해 군진을 구축하고 진법 훈련을 하고 있다고 합니다."

"군세는?"

"각 왕궁을 지키는 10만의 병사를 제외하고 국경 지대로 몰린 군사는 어림잡아 70만 이상이라 했습니다. 우리 수나라의 군세에 비하여 그리 많은 수라고는 할 수 없으나, 속국으로서 명시한 인원인 15만을 생각했을 때 그동안 호시탐탐 군사력을 증강한 것이라고밖에는 생각할 수 없습니다."

"건방진 것들이군. 주제를 모르고 방자하게 날뛴 대가는 톡톡히 받아 내야지."

곽현상의 보고에 분기탱천한 장군들과 달리 환백은 대수롭지 않은 듯 중얼거렸다. 아니, 형형하게 빛나는 적안과 나른한 웃음을 머금은 입가로 보아 이 상황을 즐기는 게 분명했다.

사실 환백은 지금 상황이 즐거웠다. 그동안은 휘연의 곁에 있으며 필사적으로 억눌렀다지만, 몸 안에 휘몰아치는 흉포한 살기가 강해질수록 환백 자신 또한 제어가 안 되던 참이었기 때문이다.

그 살기를 마음껏 풀어낼 수 있는 곳이 전쟁터가 아닌가. 무엇 하나 거리낄 것 없이 폭발할 듯한 열기를 표출할 수 있는 곳. 풀 길 없이 극에 치달은 천살의 살기가 어떤 처참한 결과를 가져올지는 이곳에 있는 그 누구도 알지 못했다.

"왕궁 쪽은?"

"이미 간세들이 왕궁 안에 화약을 들여놓았으며, 그 인근에 포진해 있는 상태입니다. 동시에 양쪽에서 기습과 정면공격을 함께 구사하면 적이 혼란한 와중을 틈타 쉽게 승기를 잡을 수 있습니다."

"말했듯이 속국 따위는 필요 없다. 왕족과 귀족은 사로잡고, 나머지는 군사들에게 포상으로 내주도록. 다 죽여 버려도 상관없다. 마음껏 설치도록 해."

"충—!"

환백의 말에 모두 흥분을 숨기지 못하고 자리에서 벌떡 일어나 한마음으로 복창했다. 이들에게 있어 환백의 명령은 예언과도 같은 두려움이고, 절대적인 것이기 때문이다.

완벽히 하나의 통치권만이 존재하는 대륙 일통. 속국으로 인정해 자치권을 주고 조공이나 받느니, 이참에 나라 자체를 대륙에서 지워 버리려는 게 환백의 목표였다.

불가능을 가능하게 하는 것. 오랜 역사상 강대국으로 주변의 속국들을 다스려 왔던 수나라였으나, 지금껏 단 한 번도 일통을 이룬 적이 없음에도 환백이라면 얼마든지 그 목표를 이룰 수 있다는 게 이들의 절대적인 믿음이었다.

"오늘은 이 정도로 하고, 모두 회포나 풀도록."

더운 열기가 장막의 천 자락을 뚫고 조금씩 침투해 오자 회의를 끝내고 환백이 자리를 털고 일어나 두 사람만을 대동하고 막사로 돌아갔다. 장막을 걷어 올리는 움직임에 막사 안에 있던 그림자가 움찔거렸다.

장소와 맞지 않은 화려한 비단옷을 걸친 아름다운 여인이 일렁이는 촛불 사이로 다소곳이 앉아 환백을 기다리고 있었다. 군사들의 사기를 위해 준비된 기녀였다. 단지 왜 자신의 막사에까지 있는 것인지 환백의 미간이 찌푸려졌다.

“저건 뭐지?”

“아무래도 장군들이 회포를 푸시라고 준비해 둔 것 같습니다.”

“쯧, 쓸데없는 짓은. 내보내.”

예전이라면 몰라도 지금은 휘연 외에는 아무도 품고 싶지 않았다. 아니, 휘연 외에는 그 누구에게도 욕정하지 못한다는 게 더 맞는 말일 것이다. 그리고 당연하다는 듯 순식간에 머릿속을 채우는 휘연의 모습에 환백의 얼굴이 기묘하게 일그러졌다.

무언가 답답하고 괴로운 듯 일그러진 얼굴은 좀처럼 펴질 줄을 몰랐다. 그러다 끝내 목 안으로 앓는 듯한 나지막한 침음성까지 토해 내자 두 사람이 걱정스러운 얼굴로 기색을 살폈다.

“주군, 괜찮으십니까?”

“어디 미령하십니까?”

두 사람의 물음에 환백은 대답 없이 난감한 듯 자신의 하반신만을 노려봤다. 생각하는 것만으로도 터질 듯 부풀어 오른 욕정을 해결할 수도 없는 상황이 마음에 안 들어 어찌할 지 잠시 고민하는 듯하다.

혼자서 해결을 보자니 어째 초라한 것 같고, 그렇다고 기녀를 휘연 대신 안고 싶은 마음은 추호도 없었다. 그런 환백의 시선을 따라 시선을 옮긴 두 사람이 웃음이라도 참는 듯 입가를 실룩거렸다.

"기녀를 다시 부르오리까?"

"그대로 두면 힘드실 텐데 어지간하면 푸시지요? 황후마마께서도 이해하실 것입니다."

"닥쳐!"

한마디로 일갈하며 무시무시한 눈으로 노려보는 환백이었다. 그러나 두 사람이 모르는 척 고개를 돌리고 작게 키득거렸다. 씩씩거리면서도 여전히 하반신만 노려보는 환백의 모습은 어지간해서는 구경하기 힘든 모습이 아닌가.

지금껏 무엇이든 거리낄 것 없이 행동하던 환백이다. 그 사실에 토를 달 수도 없을 만큼 완벽한 절대 강자가 오직 한 사람에 대해서는 어린아이처럼 변하는 모습은 지켜보는 두 사람으로서도 이만저만 재밌는 일이 아니었다.

그런 두 사람의 웃음에 다시 한 번 죽일 듯이 매섭게 노려보던 환백이 이내 땅이 꺼지라 한숨을 푹 내쉬며 땀에 젖은 머릿결을 쓸어 넘겼다. 그러다가 손끝에 닿는 건에 희미한 미소를 짓고 그것을 풀어내 휘연의 향이라도 맡듯 코를 박고 음미했다.

언제 이 모든 걸 준비했는지, 자신도 모르게 떠나는 날이 되어서야 속의부터 모두 손수 만든 옷을 입혀 주던 휘연의 사랑스러움에 어느새 환백은 짜증 대신 얼굴 가득 실실거리는 웃음이 떠오르고 있었다.

"그렇게 좋으십니까?"

"그래도 표정 관리 좀 하십시오. 너무……."

바보 같다는 말을 차마 못 꺼내고 입안으로 삼키자, 아랑곳없이 실실거리던 환백이 얼마 지나지 않아 또다시 짜증이 치미는 듯 한순간에 퉁명스럽게 중얼거렸다.

"젠장, 무리를 해서라도 데리고 오는 건데."

당장에라도 끌어안고 속삭이고 싶은 연인이 옆에 없다는 사실에 못내 아쉬운 듯 나지막하게 한숨을 내쉬는 환백의 표정 위로 짙은 그리움이 떠올랐다.

고작 한 달을 못 봤을 뿐인데도 마치 십 년은 흐른 것처럼. 눈앞에 선명하게 떠오르는 그리운 연인의 모습에 금세 시큰하게 아려 오기 시작하는 가슴의 옷자락을 환백이 천천히 거머쥐고 호흡을 가다듬었다.

그럼에도 진정되기는커녕 오히려 더해지는 괴로움은 안타까운 탄식만 쏟아 낼 뿐이다. 보고 싶다. 정제한 듯한 올곧은 눈동자에 시선을 맞추고 붉은 입술에 입 맞추고 싶었다.

백옥 같은 피부에 자신의 흔적을 새기고, 품 안으로 파고들어 녹아드는 여린 육체를 상상하는 것만으로도 환백은 정신이 몽롱할 지경이었다.

이럴 줄 알았으면 데리고 올 것을. 예상 못 한 것은 아니었으나 적어도 처음 출발할 때까지만 해도 설마하니 이 지경까지 갈 거라고는 생각지 못한 것이다.

하지만 말을 타고 달리는 와중이 아니라면 환백은 지난 한 달간 매번 이같이 그리움에 허덕였다. 그러다가도 혼자 실없이 웃거나 우울해지기도 하며 좀처럼 안정을 찾지 못했다.

게다가 시일이 지날수록 불안감이 커져만 갔기에 환백의 신경은 점차 날카로워졌다.

"후우, 오늘도 잠은 다 잤군."

조용한 침묵만이 흐르는 막사 안으로 오늘도 어김없이 환백의 탄식 섞인 중얼거림만이 어눌하게 흘러나왔다.

❖

"오늘에야 준비가 모두 끝났다고 합니다. 이곳에서 달포 거리인 상녕(常寧)이라는 곳으로, 왕야의 말씀으로는 가옥 안에 정원을 비롯해 소담한 연못과 정자도 갖추고 있다 하니 자렴께서 머무르기에 부족함이 없을 것입니다."

"감읍할 따름이옵니다. 황후마마께서 베풀어 주신 크나큰 은혜를 어찌 갚아야 할지, 제게 그런 기회가 있을지도 모르고."

자신의 처지를 알기에 차마 은혜를 갚겠다는 확실한 언질조차 하지 못하는 유자운은 더 이상 말을 잇지 못하고 고개를 푹 숙인 채 입술을 깨물었다. 죄인처럼 어깨를 가련하게 떠는 유자운의 손을 휘연이 마주 잡고 부드럽게 미소 지었다.

"그런 말씀 마세요. 자렴께서는 이미 보답을 하시지 않았습니까?"

"예? 보답이라니. 제가 무슨."

"이 수나라의 대를 잇고 계시지 않습니까. 자렴께서는 그 무엇보다 대견한 일을 하신 것입니다."

휘연의 말에 유자운은 나지막이 탄식을 쏟아 내며 이젠 표가 나게 부풀어 오른 자신의 배를 조심스럽게 쓰다듬었다. 그러나 이내 살포시 미간을 찌푸리고 머뭇머뭇 입을 열었다.

"아직 대를 이을 수 있을지도 확실하지 않사옵니다. 그리고 혜원의 산달이 한 달이나 빠를진대 제가 어찌 가당찮은 욕심을 부리겠습니까. 혹여 나중에 실망이라도 하실까, 저어되옵니다."

사실이 그랬다. 그동안 매일같이 봐 온 휘연의 성정을 알면서도 뱃속에 있는 아이가 아직 딸인지 아들인지조차 모르는 상황에서 혹여나 실망을 안길 것이 유자운은 초조하면서도 한편으로는 두려웠다.

씻을 수 없는 역모 죄인의 몸으로 살아남은 것뿐만 아니라 뜻하지 않게 꿈에도 그리던 새로운 삶을 살 수 있는 길을 열어 준 이가 아닌가. 진심으로 마음을 주었기에 다시 매몰차게 돌아설 것이 두려운 것은 자명한 일이었다.

그런 유자운의 마음이 훤히 들여다보이는 듯해 휘연은 씁쓸한 얼굴로 잠시간 골똘히 생각에 잠기었다. 그리고 이내 마음의 결정을 내린 듯 휘연은 한결 편안한 미소로 유자운을 향해 물었다.

"자렴, 하나만 묻겠습니다. 만약 자렴께서 다음 대 황제를 낳는다면 어찌하시겠습니까?"

"예? 어찌하다니요?"

"다시 이 권모술수가 넘치는 정치판에 뛰어들고 싶은지를 묻는 것입니다."

차분한 말투와 부드러운 미소와는 달리 생각지도 않은 물음에 찰나간 당황했던 유자운은 결코 일말의 망설임도 없이 단호하게 답했다.

"싫습니다. 차라리 죽음을 불사할지언정 그것만은 싫습니다. 만약 제게 자격이 주어져 황태자를 낳는다고 해도 그것은 은혜를 베푼 황후마마와 폐하께 보답하는 것이지, 그 이상의 욕심은 추호도 부릴 생각이 없사옵니다."

한 치도 흔들림 없이 올곧게 바라보는 유자운의 눈동자에 휘연이 가만히 고개를 끄덕였다.

"그렇다면 아무 걱정도 하지 마세요. 제가 실망하는 일은 없을 것입니다. 그러니 자렴께서는 앞으로의 일만 생각하세요."

"마마께서는 제가 황태자를 볼 수 있다고 보시옵니까?"

이상하게 휘연의 말에는 묘한 힘이 깃든 것같이 느껴져 유자운은 수긍하면서도 의아함을 떨치지 못하고 되물었다. 그런 유자운의 물음에 휘연은 눈이 부시도록 단아한 미소로 답했을 뿐이지만, 유자운은 묘하게 안정되는 기분에 덩달아 미소 지었다.

그렇게 이런저런 이야기로 한참이나 시간을 보내고, 별궁을 나온 휘연은 두 사람과 내관들을 대동한 채 황후궁으로 발길을 돌렸다. 마음 같아서는 비설의 별궁도 찾고 싶었으나 갈 때마다 패악을 부리는 통에 휘연도 그곳은 찾지 않은 것이다.

끝끝내 욕심을 버리지 못하고 회임한 몸으로 독설을 퍼붓는 비설을 떠올리고 휘연은 안타까운 듯 한숨을 쏟아 냈다. 기회를 주고자 해도 소용이 없는 것을. 이미 환백의 명령을 받은 감시원이 그간의 행태를 모두 보고 있었을 것이다.

저렇게 나가다가는 그 끝이 뻔하지 않은가. 결국은 비설의 마지막까지는 막을 방도가 없음에 휘연은 쓴물을 삼킨 듯 목 안이 칼칼해졌다. 그런 휘연의 머릿속으로 환백과 보낸 무수한 시간이 스쳐 지나갔다.

결코 짧지 않은 시간. 하늘은 푸르고 햇살은 따가울진대 가슴속에 이는 바람은 어찌 이리도 시리기만 한지. 휘연은 마음 깊은 곳에서부터 감정의 소용돌이가 올라오는 것을 느끼고 입술을 질끈 깨물었다.

한 번 터진 감정은 주체할 길이 없을 정도로. 환백에 대한 연민, 애정. 그리고 영원히 받아들여지지 못하고 자신의 심장을 갉아먹어 가는 뜨거운 열병은 사무치는 그리움을 띠고 과거를 되새기게 했다.

신궁에 들 때 멀리서 봤던 처음의 만남부터 잔인한 말을 서슴없이 쏟아 내며 숨통을 조여 오던 혼인 첫날, 죽음 직전까지 내몰리도록 태형을 받은 것과 모진 경멸을 받고 수치스러움과 고통을 안겼던 나날까지.

차마 떠올리는 것만으로도 두려울 정도로 괴로운 나날이었다. 차라리 모든 것을 포기하고 싶으리만치 난생처음 겪는 고통은 휘연 자신을 점점 더 나락의 끝으로 내몰았다.

하지만 누가 짐작이나 했겠는가. 그렇게 야속하기만 한 상대를 연모하게 될 줄을. 제아무리 운명이라 하나 속절없이 끌려가야만 하는 처지가 원망스럽기만 했었다.

차라리 끝을 알지 못한다면 욕심이라도 부리련만 그것도 아니지 않은가. 왜 뻔히 그 끝을 보여 주고 마음마저 주라 하는지.

마음조차 표현하지 못해 답을 주지 못하는 자신의 처지에 휘연은 원망해서는 안 된다는 걸 알면서도 두 사람의 운명을 손안에 쥐고 농락하는 천제가 원망스러웠다.

그래서일까. 지금껏 버틴 것도 거짓이라는 듯 휘연은 황후궁에 들자마자 모두를 내보내고 후들거리는 다리를 주체할 수 없어 그 자리에 주저앉았다.

투명한 방울이 고여 소리 없이 떨어져 내리던 눈물이 작은 어깨가 세차게 떨려오며 점차 억눌린 울음을 토해 내기 시작했다.

채울 수 없는 공허해진 가슴에 폭풍 같은 감정을 고스란히 드러내며 아무리 멈추려고 끅끅거려도 그 고통을 아는지 눈물은 계속해서 흘러넘쳤다.

울고 또 울어 지쳐 쓰러질 때까지. 휘연은 간간이 환백의 이름을 부르며 그렇게 시리도록 아픈 눈물만을 쏟아 내고 있었다.

◈

환백이 이끈 수나라 대군이 황도를 떠난 지 한 달하고도 보름. 이미 국경 지대에 도착해 어쩌면 곧바로 전쟁이 벌어졌을 시기였지만, 수나라는 그 때문이 아닌 다른 일로 혼란스럽게 술렁이고 있었다.

여름에 접어들 시기라면 으레 홍수를 걱정해야 할 만큼 쏟아지던 비가 올해에는 전무했기 때문이다. 그뿐만 아니라 가뭄으로 인해 수나라의 젖줄인 대류하가 눈에 띄게 말라 버렸다.

이대로 몇 개월만 더 가뭄이 지속된다면 농작물은 고사하고 대류하로 대처하는 식수마저 끊길 지경에 이른 것이다. 또한, 가뭄에 따른 피해인지 알 수 없는 돌림병이 창궐해 백성들은 비참한 참화를 겪고 있었다.

차마 어찌 손을 써 볼 틈도 없이. 안 그래도 아직 나라가 안정권에 접어들지 못한 와중에 배고픔에 허덕이는 것도 모자라 거대한 전쟁과 가뭄, 돌림병이 동시에 수나라 전체를 흉흉하게 뒤덮은 것이다.

그에 따른 혼란과 절망 속에서 허덕이는 백성들의 고통이 심해질수록 황궁 또한 대책 마련에 심혈을 기울이고 있었다. 하지만 하늘이 부여한 시련을 나약한 인간의 힘으로 온전히 막아 내는 것은 애초부터 불가능했다.

근본적인 해결책이 없는 이상은 그 어떤 대책도 밑 빠진 독에 물 붓는 것밖에 안 되기 때문이다. 그 바람에 이렇다 할 해결도 보지 못하고 높아지는 원성에 대소신료들은 전전긍긍 골머리만 앓고 있었다.

단지 이 모든 걸 예상한 휘연만이 참담한 와중에도 길을 찾기 위해 실질적인 노력을 기울였다. 그중 하나로 황궁 도서관에 일주일 째 틀어박힌 휘연의 앞에는 각종 서적이 여기저기 산처럼 쌓여 있었다.

고대에서부터 내려온 서적부터 침, 뜸을 위주로 한 경락학(經絡學)과 약초를 채취해 치료하는 본초학(本草學), 전염병을 치료하는 상한론(傷寒論)에 이르기까지. 의학에 의술을 접목한 서적은 모두 탐독한 것이다.

다른 건 몰라도 돌림병만은 빠른 시일 내에 잡아야 했다. 그러지 못하면 이보다 더한 지경에 처할 것은 자명한 일이 아닌가. 안타까움에 탄식을 쏟아 내는 휘연의 앞에 유한이 모습을 드러냈다.

"다녀왔습니다, 마마."

"수고했습니다. 증상은 알아오셨습니까?"

"예. 우선 돌림병이 도는 마을에서 올라온 상세한 보고는 모두 가지고 왔습니다만, 현재 닷새 사이에 벌써 세 곳으로 번져 나갔다고 합니다."

유한의 말에 휘연의 단아한 미간에 깊게 골이 파였다. 고작 닷새 사이에 세 곳으로 퍼질 정도라면 이번 돌림병의 병세가 생각보다 더 심각하지 않은가. 하물며 처음 발병 당시 재빨리 격리 조치를 취했음에도 확산을 막지 못했다.

이대로 있다가는 속수무책으로 병이 퍼져 나갈 것이고, 그때에는 불가피하게 치료조차 하지 못하고 최악의 결론을 내려야 할 것이다. 돌림병을 가장 확실하게 근절시키는 방법의 하나로, 마을 전체와 농경지를 전부 소각(燒却)하는 것.

하지만 그리되면 그 마을에 있었다는 이유만으로 두 눈 시퍼렇게 뜨고 살아 있는 이들까지 모두 생목숨을 내놔야 한다. 그거야말로 최악의 수가 아니고 뭐란 말인가.

휘연은 어떻게든 그것만은 막고 싶었다. 그러기 위해서는 발병 원인을 알아내야 했기에 유한에게 각 지역에서 올라온 보고 내용을 알아오라 명한 것이다. 과연 마땅한 해답을 찾을 수 있을지는 자신할 수 없었지만, 휘연은 수십 개에 해당하는 서면을 펼쳐 놓고 꼼꼼하게 읽어 내려갔다.

그렇게 얼마나 흘렀을까. 고개를 갸웃거리던 휘연이 다시 몇 개의 따로 빼 두었던 서면과 서적 몇 권을 뒤적거려 비교하고야 단호하게 고개를 들어 올렸다. 지난 며칠간의 피로가 단번에 풀어진 듯 휘연의 표정은 한결 밝았다.

"무영아, 왕야께 황후궁에서 뵙자고 청하여라. 아소, 너는 지필묵을 준비하고."

"예, 마마."

"혹 알아낸 것입니까?"

휘연의 표정에 기대감이 어린 얼굴로 초조하게 물어오는 유한을 향해 휘연이 고개를 끄덕이며 답했다.

"그런 것 같습니다. 직접 병자들을 보면 좀 더 확실하게 알아낼 수 있겠으나, 내가 나갈 처지가 아니니 우선은 약이 듣는지부터 알아봐야겠습니다."

그리고는 유려한 서체로 빠르게 써 내려가는 휘연의 붓끝은 일말의 망설임이라고는 없었다. 머뭇거림이 없다는 것은 확신을 한다는 의미였고, 그 모습에 두 사람이 안도의 한숨을 내쉰 것도 잠시였다.

먹물이 마르자마자 반듯하게 접어 품에 넣은 휘연이 빠르게 도서관을 빠져나가 황후궁으로 향했다. 휘연이 보기 드물게 서두르자 뒤를 따르는 내관들과 마주치는 이들의 두 눈이 휘둥그레졌다.

지금껏 휘연의 이런 모습은 처음이었으니 당연한 반응이다. 물론, 이 와중에 그런 게 눈이 들어올 리 만무한 휘연은 개의치 않고 뛰다시피 겨우 황후궁에 도착하고야 힘겨운 숨을 토해 냈다.

"마마, 왕야께서 기다리고 계시옵니다."

"후, 그래? 아소, 시원한 냉차를 내오너라."

"예, 마마."

가슴에 손을 얹고 가쁜 호흡을 가다듬고야 안으로 들어선 휘연이 자리에서 일어나 깊숙이 예를 취하는 효헌을 향해 살짝 고개를 숙였다.

"오셨습니까. 늦어서 송구합니다."

"아닙니다. 도서관에서 오시는 길이신지요?"

"예. 앉으십시오, 왕야. 긴히 드릴 말씀이 있습니다."

자리에 앉은 두 사람이 사이로 시원한 냉차가 놓이고, 잠시간 조용한 침묵이 흘렀다. 냉차 한 모금으로 입을 축인 휘연이 품에 넣은 처방전을 꺼내 내밀자 효헌이 그것을 받아 들고 천천히 읽어 내려가다가 이내 반색하며 물었다.

"마마, 혹 이것은."

"예. 올라온 보고를 토대로 보건대, 이번 돌림병은 처음에는 가벼운 두통으로 시작하나 사흘이 지나지 않아 발열과 동시에 구토와 적리(赤痢) 현상을 보입니다. 그 이후로 며칠의 고열에 시달리다가 그대로 단명하는 특성이 있었습니다. 아마도 그때가 되어서는 이미 허약해질 대로 허약해진 병자의 구토로 인해 어떤 약도 무용지물이 되어 버렸을 것입니다."

"후우, 안 그래도 다른 역병과 달리 습진이나 여타 증상이 없는데도 의원들이 잡아 내지 못한 이유가 그 시기가 너무 짧고 전염성이 높다는 데 있는 것 같습니다."

"본시 돌림병이라는 게 갑자기 출현하고 파괴력이 엄청나다는 게 특성입니다. 증상을 제대로 파악했다고는 해도 그 즉시 손을 쓰지 못한 이상은 피해를 줄일 수는 없었을 것입니다. 하물며 오랜 가뭄과 기근으로 약해진 몸이라면 더 쉽게 무너졌을 테지요."

말끝에 씁쓸한 듯 입을 다문 휘연도, 마주한 효헌도 한동안 아무 말도 하지 못했다. 새로운 황제의 등극으로 오랜 세월 받아 온 핍박에서 벗어나 희망을 품은 것도 잠시고, 또 다른 고통에 시달리고 있으니 백성들의 한이 오죽하겠는가.

남편과 아들, 형제를 전쟁터로 보내고 하루하루를 노심초사한 그들에게는 지금의 시련이 지옥 같을 것이다. 그러다 원성이 높아지면 그 모든 원망이 전쟁을 일으킨 황제에게 돌아갈 것은 자명한 일이라 두 사람은 착잡한 심정으로 나지막이 한숨을 내쉬었다.

"헌데 이것이 약재가 되겠습니까?"

"예. 더 좋은 약재를 공급할 수 있다면 좋겠으나 가뭄으로 인해 약재 또한 한정되어 있고, 한낱 잡초라 해도 그 효능은 뛰어난 법입니다. 해서 증상에 맞게 도처에 깔린 것으로 알려 드린 것입니다. 누구나 쉽게 구할 수 있는 것이지요."

"그건 그렇지만 이것만으로 될지."

"걱정하지 마십시오. 갈근(葛根)은 두통에도 좋은 약재이나 기근에도 탁월해 제대로 먹지 못하는 병자들에게 도움이 될 것입니다. 또한, 애엽(艾葉)과 인진호(茵蔯蒿)는 예로부터 돌림병에 가장 많이 쓰이는 약재 중 하나이지요. 그 외에 독성이 없고 몸을 보하며 같이 섞어도 무방한 것들이니 필시 도움이 될 것입니다."

휘연의 차분한 설명에 그제야 효헌은 다시 한 번 처방전을 찬찬히 읽어 내린다. 처방전에는 약초를 뜯는 시간과 말리는 방법, 사용 방법, 예방책에 이르기까지 상세하게 적혀 있었다.

"시간까지 달리하는 줄은 처음 알았습니다."

"흔히 약재를 달이는 물이 여러 종류라는 말은 들어 보셨을 것입니다. 약초 또한 자연의 정기를 받아 낮과 밤, 그늘과 햇빛, 음기와 양기가 맺히는 시간에 따라 그 효능도 달리하는 법이지요."

몰랐던 사실과 휘연의 해박한 지식에 효헌이 진심으로 감탄을 내비쳤다. 본시 학식이 남달리 높은 서문세가라 해서 어느 정도 예상하고 있었음에도 효헌은 다시 한 번 그 뿌리를 인정했다.

그래서인지 휘연의 단아한 용모를 무례하게도 찬찬히 뜯어보던 효헌이 살포시 붉어진 얼굴로 미소 지었다. 환백이 황궁을 떠나면서 닳지 않게 전전긍긍하던 모습이 떠올랐다. 그리고 새삼 그 기분이 이해가 되는 것이다.

"지금쯤 애가 달았겠군."

"예?"

"아, 아닙니다. 그보다 다행히 약재는 쉽게 구할 수 있어 돌림병은 어찌 막을 수 있을 것 같지만, 문제는 가뭄이군요. 후우, 언제까지 이어질지. 이대로 가다가 식수마저 바닥이 나면 그때는 정말 큰 혼란이 찾아올 것입니다."

가뭄은 인간의 재량으로 해결할 수도 없는 일이라 어느새 침중한 빛을 띤 효헌의 얼굴이 일그러졌다. 그런 효헌의 말에 휘연이 찻잔을 내려놓으며 마치 대수롭지 않다는 듯 조용히 말을 이었다.

"전쟁이 끝이 나야 답이 나올 것입니다."

"예? 그게 무슨."

"자세히 말씀드리지는 못합니다. 전쟁이 결코 오래가지는 않겠지만, 아무래도 거리가 있다 보니 폐하께서 환궁하시기 전까지는 가뭄은 계속되겠지요. 그러니 그에 따른 대책을 세우시되, 백성들이 동요하지 않게 하는 것이 우선입니다."

휘연의 차분하지만 단호한 말에 효헌은 의아함을 풀 생각도 하지 못하고 얼떨결에 고개를 끄덕였다. 지금 태도로 봐서는 무언가 알고 있는 것이 확실함에도 효헌은 몇 번의 달싹거린 끝에 입을 다물었다.

누구든 피치 못할 사정이 있지 않은가. 제아무리 시급을 다투는 일이라 해도 굳이 휘연을 불편하게 만들고 싶지 않았던 효헌은 이후 다른 대비책에 대한 의견을 몇 가지 더 수용하고야 조용히 황후궁에서 물러났다.

그 이후 일은 일사천리로 진행됐다. 휘연이 적어 준 처방전을 각 돌림병이 발병한 마을들과 그 인근 마을에 전달하고, 국고를 열어 기근과 앞으로 몇 개월이 될지 모를 가뭄에 대한 대비책을 내놓았다.

그리고 그 효과는 얼마 지나지 않아 나타났다. 처음에는 식용으로나 쓰이는 흔한 약초에 반신반의하던 이들은 처방전대로 따른 결과 더 이상의 전염성을 보이지 않고 병도 조금씩 호전되는 모습을 보였기 때문이다.

또한, 어질고 학식이 높은 황후에 대한 소문도 무성해졌다. 병이 진압되기 시작하면서 효헌이 휘연의 공로를 백성들에게 알린 것이다. 그 때문에 휘연은 당황스러움을 금치 못했지만, 그에 따른 파급효과는 뛰어났다.

본시 나라가 어지러우면 백성의 어버이인 군왕이 욕을 먹는 게 자명한 일이지만, 국고를 열어 백성들의 안위를 살핀 휘연의 현명함과 어진 마음이 이번 일로 인해 환백에게 돌아섰던 원망이 사그라진 것이다.

그렇게 때아닌 혼란 속에서 도탄에 빠져 참혹할 지경까지 치달았던 수나라는 가뭄 때문에 힘들어하면서도 작은 희망을 놓지 않을 수 있었다. 이제 남은 것은 전쟁의 결말이었고, 그 점에는 일말의 불안은 있을지언정 누구도 의심하는 이는 없었다.

❖

적군 70만과 대치하고 있는 국경 지대. 근 두 배에 해당하는 엄청난 대군의 위용에 연합군 측이 암담함을 느끼고 필사의 의지를 불태우고 있었다면, 수나라 측은 형형한 기세를 내뿜으면서도 여유로움을 잃지 않았다.

사실상 환백은 곧바로 전투를 치르기를 원했으나 이곳까지 쉼 없이 달려온 군사들의 체력을 보충하자는 생각으로 이틀의 휴식을 명한 것이다. 그럼에도 연합 측은 쉽게 도발하고 나서지 못할 것이었다.

그걸 알기에 말 위에 올라 멀리 윤곽이 보이는 적진을 노려보는 환백의 입가에 조금은 나른한 웃음이 떠올랐다. 그러나 웃음기 없는 건조하면서 평소보다 더 붉은빛을 띠는 눈만은 더욱 날카로웠다.

애초부터 길게 끌고 갈 전쟁도 아니었고, 인위적으로 마련된 이곳에서 자신은 마음껏 몸 안에 휘도는 미칠 듯한 살기와 광기를 풀어 버리면 그만이다. 그 결과로 세 나라가 역사 속으로 사라지는 것은 당연지사.

벌써부터 진득한 피 냄새가 주변을 맴도는 것 같아 환백은 만족한 웃음을 흘렸다. 그렇게 양쪽 진영이 대대적으로, 그러나 숨을 죽인 듯 조용히 전쟁에 대비한 최종 점검을 하고 있었다.

"주군, 황궁에서 연락이 왔습니다."

"그래?"

황궁이라는 말에 눈을 반짝 빛내며 훌쩍 말에서 뛰어내려 뺏다시피 서신을 받아 들고 빠르게 읽어 내려갔다. 이곳까지 오는 동안 닷새에 한 번씩은 꼬박꼬박 받아 보던 서신이지만 볼 때마다 기분이 좋았다.

물론, 그 이유는 뻔하다. 황궁이 돌아가는 상황이 반가운 게 아니라 일찍이 떠날 때 명령했던 대로 매번 서신에 휘연의 일거수일투족을 적어 보내는 효헌의 지극정성의 결과 때문이다.

그래서인지 서신을 펼칠 때부터 실실거리며, 누가 보면 경악하고도 남을 만큼 바보 같을 정도로 헤픈 웃음을 머금고 있던 환백이 차츰 얼굴이 굳어지며 끝내 두 손으로 와락 구겨버렸다.

서신의 내용은 다른 때보다 길었다. 현재 수나라의 현 상황을 그대로 보고하는 서신에는 가뭄으로 인한 혼란에 돌림병까지 겹쳐 백성들의 원성이 높아지고 있다 쓰여 있었다.

그러나 환백이 화가 난 이유는 따로 있었다. 휘연에 한해서는 지나치다 싶을 정도로 짧은 것이 문제였다. 하물며 며칠이나 황궁 도서관에 틀어박혀 잠조차 제대로 자지 않고 있다니?

"젠장, 그러다 건강이라도 해치면 어쩌려고."

아무리 그래도 그렇지. 황제로서 수나라 전체가 혼란에 휩싸인 상황을 두고 고작 며칠 밤을 새우는 휘연의 소식에 열을 올리다니. 어찌 보면 황당할 정도였지만 사실상 지금 환백에게는 다른 건 눈에 들어오지도 않았다.

안 그래도 하루 종일 눈에 밟히는 연인이 혹여나 자신이 없는 사이 아프지나 않을지, 누군가 괴롭히지나 않을지, 별 걱정을 다하던 중이 아니던가. 누가 뭐래도 환백에게는 휘연이 가장 중요한 것이다.

그 바람에 잔뜩 미간을 구기고 날다시피 막사 안으로 뛰어들고, 빠르게 답신을 써 내려가는 환백의 얼굴은 비장하기까지 하다. 물론, 답신의 내용은 간결했다. 그리고 다분히 강압적인 내용이었다.

휘연을 당장 황후궁으로 편히 모시라는 것과 그리하지 않을 시 돌아가서 가만히 두지 않겠다는 명백한 협박조의 내용으로, 현재 수나라의 상황에 대해서는 추가로 적은 짧은 한 줄이 전부였다.

알아서 하라는 것. 이 서신을 받고 황당해할 효헌의 표정이 훤히 예상되는 내용이었다. 서신은 그렇게 전서구의 발목에 매달린 채 다시 진영을 떠나 황도를 향해 높이 날아올랐다.

"준비는?"

"완벽합니다."

"좋아. 출발한다."

황궁이 있는 쪽을 바라보며 부드럽게 입가를 끌어 올리던 환백이 순식간에 표정을 갈무리하며 다시 말에 올랐다. 그와 동시에 암영제와 묵가, 기마군 5만이 전장을 소리 없이 빠져나가고 있었다.

◈

인간의 정이란 얼마나 부질없는 것인가. 특히 전장에서 인간의 정은 애초에 존재하지 않는다. 마음을 나약하게 하는 순간 자신의 목숨과도 직결하기에 전장에서까지 어리석은 감정을 드러내는 자들은 절대로 없었다.

죽음은 모두에게 진지해질 것을 명령했고, 죽음 앞에서까지 인간의 존엄과 정을 지껄이는 자들은 모두 흙이 되었다. 죽음은 절대적인 권한으로, 명령하며 그 명을 거스르는 자들은 준엄한 죽음의 심판을 받아야만 한다.

설사 그것이 나라를 지키기 위한 충성과 정의를 위한다는 명목이 있다고 해도 살육이 당연하다는 듯 버젓이 벌어지는 전장에서는 그 명예조차도 한낱 쓰레기에 지나지 않을 것이다.

하물며 모두가 그러한 마음이겠는가. 안타깝게도 아니었다. 오직 나라를 위해 왕과 황제를 위해 그들 스스로 목숨을 바치기를 바라는 자들이 몇이나 될지 따지는 것 자체가 부질없기 때문이다.

적어도 가족에게 돌아갈 곡식 몇 포대에 전장에 참여한 이들에게는 오로지 생존만이 중요했다. 죽이지 않으면 자신이 죽는다. 지극히 단순한 논리.

불과 얼마 전까지만 해도 농기구를 들고 땅을 일구던 이들에게 어차피 선택권이란 없지 않은가. 그저 거대한 바람에 휩쓸린 이상은 살아도 그만, 죽어도 그만이었다.

만약 살아남는다면 돌아가 가족들의 얼굴을 볼 것이나, 과연 살아남을 수 있을지를 자신하는 사람은 아무도 없었다.

천지를 뒤흔드는 거대한 전쟁에 인간의 목숨은 그만큼 값어치가 없는 것이다.

그럼에도 그들은 광기에 물든 짐승의 일부가 되어 살아남기 위해 창, 칼을 들고 상대를 죽인다. 공포조차도 잊고 스스로 불 속으로 뛰어들게 만드는 것이 바로 전쟁이기 때문이다.

그리고 그 전쟁은 이틀간의 거짓말 같은 짧은 휴식을 끝으로 새벽 동이 터 오르기도 전에 길게 늘어지는 날카로운 고둥 소리와 넓은 평야에 울리는 북소리에 맞춰 시작을 알리고 있었다.

뿌우우우웅— 둥둥둥둥둥—

진격을 알리는 소리가 울려 퍼지고, 천지를 뒤흔드는 함성과 함께 수나라의 대군이 일제히 들판을 박차고 달리기 시작했다. 찢긴 풀들이 튀어 오르고 진흙이 사방으로 터져 나갔다.

저마다 형형한 눈을 부릅뜨고 대지를 호령하며 적진을 향해 달린다. 선봉에 선 기병들의 지휘하에 징병제로 모은 보병들이 앞장서고, 그 뒤로 방패와 창으로 무장한 창검병, 양옆으로 온통 흑갑을 두른 기마군이 쏟아져 나갔다.

전투마가 대지를 박차는 소리는 땅을 울리게 만들었고, 쉴 틈 없이 울려 퍼지는 북소리와 기수들의 깃발 신호는 시야를 어지럽혔다. 그런 그들의 머리 위로 기름과 화약으로 무장한 궁병대의 화살이 하늘을 새까맣게 뒤덮으며 적진을 향해 쏘아졌다.

순식간이었다. 워낙 사람 수가 많으니 어디로 쏘아도 백발백중이다. 그만큼 수나라의 공세는 체계적이고 거대하였다.

자욱한 흙먼지 속에서도 확연히 모습을 드러낼 만큼 그 위세만으로도 위축될 정도로 대단했다.

쐐에에에엑—

"크아아악—!"

"으악—!"

지옥도(地獄道)가 이러할까. 넓은 평야에 펼쳐진 것은 지옥도였다. 끊임없이 화살이 쏘아지고, 창, 칼이 서로 날카로운 금속성을 내며 부딪힌다. 한데 뒤엉켜 싸운 자리에 남은 것은 처참한 광경.

긴 창이 몸을 꿰뚫고, 무시무시한 속도로 전력 질주하는 전투마의 발길질에 짓밟히며 처절한 비명과 함께 우두둑거리는 소리가 들려왔다. 매끄럽게 목이 잘리고 사지가 떨어져 나간다.

이제 선두에서 싸우던 보병들의 태반은 죽거나 다쳐서 후방으로 밀려나고, 그 자리에 또 다른 시체들이 차곡차곡 쌓여 간다. 하나같이 짓이겨진 상태였고 멀쩡한 시체도 없었다.

팔과 다리가 분리된 것은 기본이었고, 상체의 반이 뭉그러지거나 머리가 터져 나간 시체도 수없이 널브러져 짙은 혈향이 코를 심하게 자극해 왔다. 여기저기 흘러나온 인간의 내장들.

아직도 더운 열기를 뿜어내고 있는 온갖 내장들의 모습에 속이 울렁거리고, 당장에라도 위장 속에 있는 것들을 모두 게워 내고 싶을 정도로 비릿한 냄새가 사방을 뒤덮었다.

흘러내린 피가 얼마나 많았는지 십만 평이 넘는 광활한 평야는 붉은 바다로 변해 가며 처참한 지옥도를 펼쳐 내고 있었음에도 한 번 불붙기 시작한 거대한 광기는 멈출 줄을 모르고 타오르고 있었다.

그리고 같은 시각, 예, 후, 한의 왕궁이 있는 도성 또한 혼란에 휩싸였다. 미처 피신하지 못한 백성들의 집이 불타오르고, 여기저기 찢어지는 비명 소리가 도성 안을 가득 채웠다.

이미 안과 밖으로 공략을 준비했던 환백의 계획대로 각각 기마군 5만에 지나지 않은 숫자였으나 미리 침투시킨 간세들과 많은 양의 화약에 의해 전쟁을 알림과 동시에 이곳 또한 공격받은 것이다.

"왕이시여! 속히 피하셔야 하옵니다! 왕궁 밖으로 적군이 진을 치고 있는 데다 왕궁 곳곳에서 화약이 터져 불길이 번지고 있사옵니다!"

"뭐라. 화약이라니?"

"그게 무슨 말이냐?! 화약이라니."

"아무래도…… 간세가 있었던 듯싶습니다."

예나라 왕실을 지키는 위진대장의 침통한 보고에 왕을 포함한 왕족들과 신료들의 표정이 참담하게 일그러졌다.

"아직, 아직 성문은 건재하지 않은가? 이대로 도망칠 수는 없습니다! 여기서 도망치면 백성들은 어찌합니까?!"

"왕자님, 송구하오나 기습의 파급으로 궁을 지키는 병사 반 이상이 목숨을 잃었습니다. 이대로는 왕궁을 지키는 것은 불가능하옵니다. 속히 피하시옵소서!"

"말도 안 돼. 어찌, 어찌 이렇듯 허무하게 무너질 수 있단 말입니까!"

이제 갓 13세의 어린 왕자가 외치는 비통에 찬 절규에 누구 하나 토를 다는 사람은 없었다. 몇 십 년을 준비해 온 거사가 허무할 정도로 쉽게 무너지는 순간이었다.

"전쟁이란 그런 것이다. 한 번 전열이 무너져 버리면 걷잡을 수 없이 와해되고 말지."

"아바마마!"

"전하! 크윽—"

한순간에 십 년은 세월을 보낸 듯한 국왕의 힘없는 목소리에 신료들이 일제히 무릎을 꿇고 머리를 조아렸다. 몇 년, 아니 하다못해 일 년의 기간만 더 있었더라면 이렇듯 허무하게 무너지지는 않았을 것을.

바뀐 황제에 대해 촉을 곤두세우고 더 서두르다 보니 오히려 빈틈을 만든 결과를 초래한 것이다. 하지만 이제 와서 상황이 바뀔 리도 없잖은가. 이미 기운 대세를 바로잡을 수 없음에 국왕은 마음을 다잡고 마지막 명령을 내렸다.

"너희는 왕자와 공주들을 데리고 떠나거라."

"아바마마!"

"못난 놈! 전장에 나간 형들의 생사도 장담할 수 없다! 너라도 살아남아야 후일을 도모해도 할 것이 아니냐!"

"죽어도 싫습니다! 이대로 도망칠 수는 없습니다!"

어린 아들의 외침에 국왕의 얼굴 위로 안타까운 빛이 떠올랐다. 세 왕자와 두 명의 공주를 두고 결코 이런 날을 예상하지는 않았었다. 그 안일함이 이렇듯 큰 재난으로 다가온 사실에 국왕은 제대로 대비하지 못한 어리석음을 자책할 수밖에 없었다.

그러나 이제 와서 자책만 한들 뚜렷한 답이 나오겠는가. 전장에 나간 두 아들의 생사조차 불문명한 지금, 막내아들과 두 딸만이라도 살려야 했기에 국왕은 이내 마음을 다잡고 단호하게 말했다.

"훗날을 위해서라도 이 아이들만은 반드시 살려야 할 것이야. 데려가라!"

"싫습니다! 저도 싸우겠습니다! 이것 놔라! 아바마마!"

"아바마마—!"

가지 않으려고 발버둥치는 왕자와 두 명의 공주들이 호위들의 손에 이끌려 어전을 떠나고, 남은 이들은 묵묵히 죽음이 다가오기를 기다렸다. 이들로서 할 수 있는 일은 아무것도 없었기 때문이다.

지금 이 순간에도 왕궁을 지키기 위해 병사들이 최선을 다하는 것도 왕자와 공주들이 피신하는 시간을 벌기 위함이었지만, 이 또한 부질없는 짓에 그치고 만다는 사실을 이들은 알지 못했다.

"쥐구멍은 막았나?"

"예. 이미 비밀통로와 수로를 차단하고 나오는 놈들은 무조건하고 사로잡으라 했습니다."

"흠, 투석기와 충차는?"

"이미 만반의 준비를 마쳤습니다."

"시작해."

"존명!"

예나라 도성 안으로 들어서 굉음과 함께 곳곳에서 불길이 치솟기 시작하는 왕궁을 올려다보는 환백의 입가로 만족한 웃음이 흘러나왔다. 지난 이틀간 쉬지 않고 이곳으로 달려와 몸은 피로했지만, 지금 이 순간만큼은 흥분이 몸을 뜨겁게 데운다.

피비린내와 비명 소리. 검과 검이 부딪히는 감각. 열기와 흥분을 뒤따르는 음습한 죽음. 이제 곧 맡을 피 냄새에 대한 기대가 세포 하나하나를 뒤흔들고, 난폭한 충동이 심장을 뜨겁게 뒤흔들었다.

심장 안의 성난 짐승이 눈앞의 먹잇감을 당장 먹어 치우라고 명령하고 있었다. 이성으론 제어할 수 없는 조급한 파괴욕이 환백으로 하여금 망설임 없이 검을 집어 들게 만들었다.

"투석 준비!"

"투석 준비—!"

대장의 명령에 잇따른 복창 소리와 함께 거대한 투석기가 일제히 움직이며 본격적으로 투석전이 시작되었다. 수십 개의 기름칠을 해 불을 붙인 돌덩이들이 허공을 가로질러 견고한 성벽 안으로 날아갔다.

퍽! 콰직—

"크아아악!"

투석기에 맞은 망루의 허리 부분이 부러져 버리고, 성벽에도 무시무시한 위력의 돌덩이들이 작렬하자 우왕좌왕하던 병사들은 허공으로 내동댕이쳐져 사지를 버둥거리며 까마득한 성벽 아래로 떨어져 내렸다.

망루 꼭대기에서 튕겨 나온 병사는 온몸으로 무기고의 나무 지붕을 부수며 무기고 안으로 떨어졌다. 부서진 나무 파편이 병사의 등허리를 관통해 복부로 튀어나왔고, 온몸의 뼈가 박살이 난 병사는 그대로 즉사했다.

순식간이었다. 걷잡을 수 없이 타오르는 겁화가 이러할까. 투석이 날아가는 동안에 쏘아 올린 화살들이 새까맣게 하늘을 뒤덮어 공세를 몰아가는 사이, 굳건히 버티던 성문은 이내 굉음과 함께 타격을 받고 있었다.

"충차(衝車)다! 막아라!"

쿠우우웅―!

"으아아악!"

"성문이 깨졌다! 돌입하라!"

거대한 충차가 몇 번에 걸쳐 성문을 들이 받고 끝내 부서져 내리며 궁문 밖을 빼곡히 채우고 있던 5만의 기마군이 환백을 선두로 불시에 궁 안으로 밀고 들어갔다. 지축을 울리는 말발굽 소리가 도성을 뒤흔든다.

확실히 실내전을 염두에 두고 지키는 훈련을 했던 왕궁의 병사들과는 달리, 오래전부터 전쟁을 위해 오로지 살상만을 위한 훈련을 거듭해 온 환백의 기마군은 거침이 없었다. 실력 차이가 이곳에서 확연히 드러나는 것이다.

그런데다 이미 화약과 불길, 투석과 화살 공격으로 왕궁 측 병사들은 태반이 무너진 상태였고, 지휘관도, 대열도 없이 개별적으로 우왕좌왕했다. 그에 비해서 기마군은 환백을 중심으로 위력적으로 움직였다.

"크아아악—!"

악에 받친 고함 소리와 검이 인간의 뼈를 부수는 소리, 그리고 마지막 숨결을 비명에 흘려보내는 절규에 젖은 왕궁은 병사들의 광기와 광기가 정면으로 충돌하면서 아름다웠던 왕궁을 피와 죽음으로 검게 적셨다.

그런 왕궁을 내달리며 환백은 선두에 서서 피와 내장을 뒤집어쓴 몰골로 겁에 질린 적군의 몸을 갈랐다. 머리가 절반쯤 떨어져 나간 기괴한 모습으로 죽어 있는 시체의 배를 가르고 목을 잘라 냈다.

누군가의 복부에서 흘러나온 창자가 밟혀 울컥! 소리를 내면서 터졌다. 기마군은 그 섬뜩한 소리에도 아랑곳하지 않고 닥치는 대로 검을 휘둘렀다. 그에 따라 쏟아지는 핏물과 갈라진 살덩이들이 사방으로 튀어 올랐다.

산 채로 혀가 잘린 병사는 왈칵 쏟아져 나오는 피를 입에 물고서 버둥거렸다. 흰자위를 드러내고 살고자 버둥거리는 병사의 가슴팍 위로 환백을 태운 백마의 말발굽이 지나가며 섬뜩한 소리를 흘린다.

마치 기어 다니는 하찮은 벌레를 밟아 죽이는 것같이. 비명은커녕 숨도 제대로 쉬지 못하고 꿈틀거리는 병사를 내려다보며 광기에 물든 웃음을 흘리며 그 고통스러운 죽음을 구경한다. 아주 만족스럽다는 듯이.

환백의 날카로운 검날이 한 번 휘둘러질 때마다 여기저기 찢어지는 비명만이 흘러나오고 있었다. 더 볼 것도 없었다.

피에 미친 야수. 아니, 피에 굶주린 광기를 드러낸 야수라는 게 더 옳을 것이다.

그렇게 비명이 난무하고, 하늘이 부여한 삶의 기회를 박탈당한 시체들이 주변에 어지럽게 늘려 쌓여 갈 때, 전장과는 달리 왕궁의 싸움은 일찍이 끝이 났다. 단 여섯 시진 만에 오랜 세월 동안 끈질기게 살아남았던 예나라는 완전히 대륙에서 지워진 것이다.

"주군, 왕을 비롯해 왕족들과 신료들은 모두 한자리에 모아 두고, 계집들은 군사들에게 하사했습니다."

"그리고 예상대로 비밀통로로 도망치던 왕자와 공주들도 잡아들였습니다."

"다른 쪽은?"

"두 곳은 연통이 없는 걸 보아 아직 마무리가 안 된 것 같습니다만, 전장은 현재 징병제로 끌어모은 보병들을 제외하고는 큰 타격 없이 몰아가고 있습니다."

"회포를 푼 5천을 제외하고 새벽에 전장으로 출발할 수 있게 준비해."

"존명!"

교령이 암영제를 이끌고 사라지자 환백은 묵혼을 대동한 채 어전으로 향했다. 가는 사이에도 곳곳에서 여자들의 비명과 어우러진 기마군의 헐떡이는 소리와 신음이 아직 불길의 잔재가 사라지지 않은 왕궁 안에 울려 퍼지고 있었다.

승자가 갖는 당연한 전리품으로, 궁 안에 피신하고 있던 귀족가의 여식들과 궁녀들은 5만 기마군의 욕정을 감당해야 했다. 거기에 어린 사내아이들 또한 포함되어 있었고, 승자로서 그들이 질릴 때까지 그 행위는 반복될 건 뻔한 일이었다.

적게는 두 명을, 많게는 수십 명을 상대하며 서러운 눈물을 쏟아 내는 그들을 누구 하나 동정하지 않았다. 그런 그들의 고통에 젖은 절규를 들으면서도 환백은 온통 피 칠갑을 한 채로 만족스럽게 웃으며 어전으로 들어섰다.

"황제 폐하께 충성을!"

"황제 폐하께 영광을!"

어전 한가운데 포박된 포로들을 에워싸고 있던 기마군이 왕좌에 앉는 환백을 향해 절도 있게 복창하며 검날을 바닥으로 세우고 한쪽 무릎을 꿇었다. 그제야 포로들을 내려다보는 환백의 얼굴 위로 한 줄기 비웃음이 흘러나왔다.

"왕자와 공주들을 빼돌리려고 했더군."

"부탁드리겠소! 아직 어린아이에 지나지 않소이다. 이 늙은이의 목을 가져가고 이 아이들만이라도 연명할 수 있게 해 주시오."

"내가 왜 그래야 하지?"

"속국으로서 어떠한 조약이라도 달게 받겠소이다! 고작 어린아이들이 무엇을 할 수 있겠소! 제발 이 아이들만은 살려 주시오. 제발 부탁드리겠소!"

국왕은 몰랐다. 환백이 처음부터 대륙 일통에 뜻을 두고 전쟁을 일으켰다는 사실을. 만약 알았다면 한 나라의 국왕으로서 이렇듯 비참하게 애원하지는 않았을 것이다. 그런 국왕을 보며 환백은 명백히 조롱을 드러냈다.

"속국이라. 그러다가 또 몇 십 년 지나면 주제도 모르고 기어오르려고 하겠지. 안 그런가?"

"맹세할 수 있소이다! 제발 부탁이오! 두 번 다시 욕심을 부리지 않겠소이다!"

"맹세하겠습니다! 왕자님과 공주님들을 살려 주십시오!"

국왕을 따라 신료들이 모두 머리를 깊숙이 조아리고 읊조리자 환백이 재갈을 물고 무릎을 꿇은 채 자신을 노려보고 있는 어린 왕자와 겁에 질려 부들부들 떨고 있는 두 공주를 바라봤다.

그 매섭게 꽂히는 섬뜩한 눈길에 세 사람의 몸이 벼락이라도 맞은 듯 굳었다. 천살의 살기를 정면으로 맞닥뜨리기에는 어린 세 사람은 너무도 심약한 것이다.

"그러고 보니 어린것들이라 제법 즐길 만하겠군. 왕비하고 후궁들도 늙은 것치고는 아직 탱탱한 것 같고."

"무, 무슨!"

"멍청하기는. 아직도 모르겠나? 속국은 없다. 이 대륙에는 내가 통치하는 수나라만 존재할 것이다."

"그, 그런!"

"더 상대하는 것도 귀찮군. 사내놈들은 죽여라. 아, 그 왕자 놈은 반반하니 네놈들한테 내리지. 마음껏 회포를 풀고 귀족들과 왕족들을 모조리 죽이되, 그 외 반반한 계집들은 노예 인장을 찍어 군사들을 위해 남겨 두도록!"

"충—!"

환백이 자신의 할 말만 마치고 자리에서 일어나자, 경악한 국왕의 표정이 흉포하게 일그러지고 피를 토하는 심정으로 소리를 질렀다. 하지만 그 원한에 찬 외침은 결코 오래가지 않았다.

"이, 이! 잔인한 놈! 이 천벌을 받을…… 윽! 크악!"

"전하!!"

"우웁!"

국왕은 핏발선 눈으로 피를 토하며 복부에서 흘러나오기 시작하는 자신의 내장들을 내려다보았다. 목구멍에서 역류한 피가 기도로 들어가 폐를 가득 채웠고, 호흡곤란과 정신적 충격을 견디지 못한 그의 눈은 초점이 풀렸다.

비단 국왕뿐만이 아니었다. 자살할 것을 대비해 재갈을 물린 왕자와 여자들을 제외하고는 신료들은 하나같이 죽음의 공포와 맞서야 했기 때문이다. 차라리 단칼에 목을 잘랐다면 이렇듯 끔찍하지는 않았을 것을.

신료들 중 한 명이 움찔움찔 어깨를 떨면서 저도 모르게 이미 감각이 죽어 버린 두 손으로 바닥으로 흘러내린 자신의 내장을 그러모으기 시작했다. 그런 그의 얼굴에는 고통도, 공포도 없었다.

그저 괴이하게 일그러진 얼굴로 묵묵히 자신의 내장을 다시 자신의 복부로 주워 담았다. 결코, 살고자 하는 의지가 아니었다. 단순한 죽음을 맞닥뜨린 육체가 그리하는 모습은 기괴하기 이를 데가 없었다.

핏물에 미끄러지는 내장을 절반쯤 주워 담았을 때 그의 손은 더 이상 움직이지 않았고, 무너지듯 피에 젖은 대리석 바닥에 눕혀진 얼굴에는 피가 섞여진 눈물만이 흘러내리고 있었다.

그 모습에 기마군은 킬킬거리며 바닥에서 꿈틀거리는 왕과 사내들의 모습을 즐거운 듯 감상했다. 광기에 젖은 살육. 지금 이들에게는 인간의 목숨이 얼마나 하찮은지를 여실히 보여주는 것이다.

그렇게 승자와 패자의 결말이 갈린 가운데 어전 안으로 찢어지는 날카로운 비명이 다시금 울리기 시작했다. 왕자와 여자들의 옷을 찢어발기고 난폭하게 덤벼드는 기마군들의 모습은 굶주림에 미쳐 버린 짐승의 형상이었다.

◈

며칠간 지루하게 전투가 이어졌다. 그러나 이미 판세는 확연히 갈린 상태였다. 그저 한쪽은 마지막까지 발악하는 것에 지나지 않았고, 다른 한쪽은 그런 그들을 사냥하는 것을 즐기고 있었기 때문이다.

그도 그럴 것이, 전투가 벌어진 첫날 채 하루도 지나지 않아 각각 5만의 기마군에 의해 무너진 예, 후, 한의 왕궁 소식은 연합군의 의지를 확연히 꺾어 놓는 결과를 초래한 것이다. 지킬 것이 사라졌다.

희망도 사라져 버렸다. 왕족은 갓난아이조차 비참하게 죽어 나갔고, 귀족들은 노예의 인장이 찍힌 반반한 여자들을 제외하고는 모두 목이 떨어져 나갔으며, 근간이 되는 왕궁조차 폐허로 변해 버린 것이다.

비록 백성들이 남아 있다고는 하나 그들을 이끌어야 할 존재들이 모두 사라진 이상은 중심을 잃고 우왕좌왕하는 게 당연하였다. 하물며 전장과 왕궁을 잇는 마을들은 약탈로 인해 모두 불타올라 잿더미로 변한 지 오래였다.

이미 죽음의 기운이 짙게 드리운 그들에게는 여세를 몰아치는 수나라의 거대한 공세 앞에 맥없이 무너지거나 주춤거리며 물러나는 수밖에 없는 것이다. 그리고 어느 정도 전투가 소강상태에 이르렀을 때였다.

연합 측의 막사 안에서 혼란스러운 목소리가 흘러나오고 있었다. 고작 전투 며칠 만에 몇 십 년간 준비해 온 거사가 허무할 정도로 쉽게 끝난 것이다.

"한시라도 빨리 조치를 취해야 합니다. 이대로는 며칠도 버티지 못할 것입니다."

"하지만 도리가 없잖소? 이미 소문은 일파만파로 퍼진 상태요. 이제는 막을 도리가 없다는 말이오."

"그렇다고 이대로 있을 수는 없지 않습니까? 잡아서 엄중한 군벌로 다스려야지요!"

"허어! 갑갑한 소리 하시네. 지금 이 순간에도 무더기로 도망치는 놈들을 일일이 다 어찌 감시한단 말이오? 그럴 인력이 있으면 진작에 사용했지!"

"하면, 이대로 손가락이나 빨면서 지켜보자는 말이오?! 장군은 어찌 그리 천하태평이오?!"

"말 함부로 하지 마시오! 지금 현실을 몰라서 나를 몰아붙이는게요?! 누군 답답하지 않은 줄 아시오?!"

"자자, 그만들 두십시다. 왕자님들 앞에서 이 무슨 추태요. 이럴 때일수록 진정하고 하나로 뭉쳐야지요."

연합 측의 문젯거리는 실상 한두 가지가 아니었다. 애초에 수적으로 밀리는 전투였고, 그중 왕궁이 무너졌다는 소문을 막지 못한 게 크나큰 실수였다.

그 소문은 발 빠르게 퍼져 나갔고, 그 결과 탈영병이 크게 늘어났다. 안 그래도 태반이 죽어 나갔는데 계속 뭉텅이로 병사들이 도망치고 있으니. 결국 연합군은 전투를 이어 갈 수도 없는 갑갑한 처지에 몰렸다.

이쯤 되면 전투를 이끄는 수뇌부 사이에도 분란이 일기 마련이었다. 마지막 한 명까지 죽기 살기로 싸우느냐, 아니면 투항하고 살아남아 후일을 도모할지 분분한 의견은 더욱 깊은 분란만 조장하고 있었다.

처음에야 왕국을 위해 충성심이 가득했다고는 하나 상황이 최악으로 치닫다 보니 슬금슬금 자신의 안위부터 챙기게 되는 것이다. 이미 망한 나라지 않는가. 하물며 암담한 상황에서 문제는 그것 말고도 또 있었다.

"군량미 보급까지 끊기지 않았습니까. 현재 남아 있는 양으로 채 며칠도 버티지 못할 것입니다."

"얼마나 남았소?"

"보급 창고 두 곳이 허물어지는 바람에 현재로서는 50석도 남지 않았습니다. 그리고 부상자를 치료할 약초도 마찬가지입니다. 이대로는 원성이 높아지겠지요."

"허어! 기가 막힐 노릇이구먼."

"다들 답답들 하시오! 일이 이 지경까지 갔는데 더 뭘 할 수 있단 말이오? 무조건 반대만 할 것이 아니라 상황을 좀 더 냉정하게 판단할 필요가 있지 않겠소이까?"

"그렇습니다. 이긴다는 보장이 있다면 모르겠지만, 지금 남은 군사와 여러 정황이 막막합니다. 이대로 버텨 봐야 전멸뿐이지요. 그러느니 차라리 왕자님들이라도 피신을 시키는 게 옳을 것입니다. 그래야 훗날을 도모해도 할 것이 아닙니까."

"그러자면 시간을 벌어야 할 게 아닙니까?"

"그것도 그렇지만, 문제는 저 잔인한 황제가 투항을 받아주느냐지. 여러분도 봤지 않소이까? 끔찍한 괴물이었소. 젠장, 피에 미친 악귀보다 더하더이다."

진저리를 치는 장군의 말을 끝으로 막사는 침묵에 잠겼다. 그러자 모두의 머릿속에 한 사람이 선명하게 떠올랐다. 온통 피를 뒤집어쓴 괴물 같은 형상으로 전장을 휘젓던 모습.

그 끔찍한 지옥 속에서 피에 미친 악귀처럼 검을 휘두르는 황제는 모든 이들의 두려움을 사기에 충분했다. 떠올리는 것만으로도 섬뜩한 한기와 전율이 엄습해 올 정도로.

어느 순간부터인가 특이한 백발과 피보다 더 붉디붉은 잔혹한 눈동자는 이들에게 있어 죽음의 상징이 되었다. 무엇보다 며칠간 이어지는 난전에서 황제의 모습은 한시도 사라지지 않았다.

먹고 마시고 지치는 건 고사하고 인간이라면 응당 있어야 할 수면욕조차 없다는 건 괴물이 아니고 뭐란 말인가. 세상천지에 잠도 자지 않고 며칠이나 전장을 누비고 다닌다니.

그런 기사는 듣지도 보지도 못했던 이들로서는 다시금 떠오르는 절대 무위를 갖춘 황제의 모습에 소름이 치솟는 듯 하얗게 질린 채 저마다 입을 꾹 다물고 나지막한 침음성을 토해 냈다.

◈

일대 혼란과 참담함이 흐르는 연합 측과는 달리 수나라 수뇌부 회의는 하나같이 지친 표정이었지만, 그 위로 숨기지 못한 포식자들만의 여유로움이 묻어나왔다. 그런 그들을 돌아보며 환백이 손을 들어 올리자 군사의 보고가 이어졌다.

"먼저 각 왕국의 비고와 귀족들의 재물을 모두 거둬들여 곡식을 제외하고는 모두 본국으로 이송했습니다. 현재 남아 있는 기마군이 도성과 인근 마을에 숨어든 병사들을 수색하고 있습니다만."

"찾을 필요 없다."

"예?"

"쥐도 숨을 구멍을 줘야겠지. 위치가 있는 놈들을 제외한 병졸들은 그대로 모르는 척하도록. 아니, 이참에 그놈들에게 단단히 일러라. 밀고할 시 포상을 내리되, 숨길 시에는 마을 전체를 불태워 버린다."

"존명!"

어차피 대세는 갈린 상태이다. 연합 측도 그 사실을 알 것이고 제 목숨 아까운 놈들이라면 투항을 해 오겠지만, 각 나라를 대표한 왕족과 귀족들이 살아 있고 개중 충성심이 강한 인재가 있다면 그들을 피신시키려 시간을 벌려고 할 것이다.

그렇게 되면 또다시 불씨를 잡기 위해 시일을 허비해야 한다. 그러느니 차라리 어리석은 백성들을 이용하는 것이 더 빠르다. 배불리 먹을 수만 있다면 나라님이 누가 되든 상관없는 게 백성이지 않은가.

이미 뼛속 깊이 공포를 맛본 그들로서는 환백의 이러한 명령은 오히려 일말의 희망이 되어 악을 품고 덤벼들 것이다. 쉽게 선동할 수 있는 백성들을 이용한 것, 환백에게 있어 너무나 쉬운 패에 지나지 않았다.

"피해는 어느 정도지?"

"사상자는 대략 보병 15만, 창검병과 기병대가 5만에 지나지 않습니다만, 크고 작은 부상자가 20만에 가깝습니다."

"상대는?"

"상대는 부상자 다 포함해서 채 30만도 남아 있지 않은 상태로, 지난 며칠간 지켜본 바로는 하루가 다르게 탈영병의 수가 기하급수적으로 늘어나고 있습니다."

"큭, 이대로 며칠만 있으면 싸울 놈도 남지 않겠군."

"이미 군량미도 끊긴 상태이니 그전에 투항하려고 할 것입니다."

"그전에 최대한 잡아야지. 벌써부터 사냥을 끝내는 건 싱겁지 않은가."

조금은 삐딱한 태도로 조소를 드러내며 대수롭지 않다는

듯 중얼거리는 환백의 말에 막사 안으로 숨 막힐 듯한 침묵이 맴돌았다. 마치 즐거운 유희거리라도 찾은 듯 툭툭 내뱉는 장난스러운 말이 왜 이리도 두려운지.

한순간, 조금은 여유롭던 표정 위로 날카롭게 날이 선 듯한 긴장감이 드러났다. 환백의 무위를 직접 지켜본 이들로서는 죽음의 사신이라는 말이 적군에게만 통하는 게 아니기 때문이다.

절대적인 패황. 피와 죽음의 사신. 그 누구보다 잔혹하고 냉정한 환백은 전장에 참여한 모든 이들에게 절대적인 공포의 대상이었다. 그런 그들의 사색이 된 표정은 알 바 아니라는 듯 환백은 짙게 미소 지었다.

나른하고 만족스러운, 흉포한 짐승의 미소는 다가올 또 다른 피의 겁난을 예고하는 것 같아 그를 바라보는 모두의 사색이 된 얼굴은 좀처럼 풀어질 줄을 몰랐다. 그러나 그 분위기를 단번에 바꾸는 소식이 있었으니.

"주군, 황궁에서 연락이 왔습니다."

막사를 들어서는 교령이 미처 품 안에서 완전히 서찰을 꺼내기도 전에, 벌떡 일어나 뺏어 들고 펼치는 환백의 표정은 더할 나위 없이 풀어져 있었다.

물론, 환백의 갑작스러운 변화에 한결같이 못 볼 거라도 본 듯 경악한 건 당연한 일이다. 그러나 이건 시작에 불과했으니.

난데없는 변화도 감당하지 못할진대 장문의 서신을 빠르게 읽어 내리는 환백이 입가를 실룩거리고, 끝내 어깨까지 들썩이며 기분 좋은 웃음을 터트리는 게 아닌가.

그러더니 왠지 잔뜩 힘이 들어간 어깨로 태연하게 말문을 열었다. 덤으로 꿈에 나올까 두려운 헤픈 웃음도 곁들이면서. 문제는 이해하지 못할 그 내용이었다. 누가 들어도 경악할 만한 내용 어디에 웃을 수 있단 말인지.

"현재 가뭄 때문에 물이 마르고 나라 곳곳에서 역병이 돌고 있다는군."

"예, 예?!"

"가, 가뭄에 역병이라니요?"

"못 들었나? 말 그대로 가뭄에 전염성이 좋은 역병이 돌고 있단 말이다."

귀가 뚫려 있으니 못 들을 리 만무하다만. 하나같이 기괴한 얼굴로 말을 잇지 못했다. 환백의 표정과 내뱉는 말의 차이를 어찌 받아들여야 할지를 모르는 것이다. 그런 그들을 돌아보며 환백이 다시 한 번 웃음을 흘렸다.

"헌데 속 시원히 해결했다는군."

"아! 설마 역병을 잡았단 말씀이시옵니까?"

"잡았지. 의술을 아는 누군가가 열흘도 걸리지 않아, 병을 직접 보지도 않고 흔하디흔한 약초로만 잡아냈다는군."

"아! 천만다행입니다! 자고로 역병이라 하면 사람 잡는 무서운 병이 아닙니까? 그런 병을 그리 쉽사리 잡았다니, 누군지 모르나 그 의원의 의술이 대단한 것 같사옵니다."

"그러게나 말입니다. 내 지금껏 역병을 그리 빨리 해결했다는 소리는 듣지도 못했습니다."

"그렇지요. 한 번 발병하면 최소 몇 개월은 가지 않았습니까? 그런 병을 쉽게 해결했다니. 허어! 누군지는 몰라도 실로 대단합니다."

저마다 역병을 잡은 의원에 대한 칭찬을 늘어놓는 모습에 환백의 풀어진 입가가 연방 실룩거렸다. 마치 호탕하게 웃고 싶은 것을 참는 것 같은 그 모양새에 두 사람이 나지막이 한숨을 내쉬며 고개를 설레설레 내저었다.

저리도 좋을까. 그 심정 모르는 바는 아니지만 아무리 좋아도 그렇지. 어지간하면 주군으로서 체통은 지켜 주면 좋으련만, 심정은 알고 있음에도 도저히 이럴 때면 적응이 안 되는 것이다.

"그 의원이 누구인지 궁금한가? 자네들도 익히 아는 사람이지."

그러면서 가만히 장군들을 돌아보는 환백의 표정에는 어서 물어보라는 재촉이 담겨 있었다. 거기다 흉흉하던 눈동자까지 반짝반짝 빛을 머금은 것 같은 환백을 보며 두 사람은 목 안으로 헛헛한 웃음을 터트렸다.

'주군, 유치하십니다.'

정말이다. 어쩌면 이리도 유치한지. 전장을 누비며 흉포한 살기를 흘리던 이와 과연 동일 인물이 맞는지도 의심 가는 순간이었다.

"그, 그 의원이 누구이옵니까?"

"쯧, 누구겠나? 당연히 사랑스럽고 똑똑한 황후지."

"예?! 그 의원이라는 분이 황후마마시란 말씀이옵니까?"

"진정이시옵니까? 황후마마께서 의술도 하실 줄은 몰랐사옵니다."

"쿡쿡, 어디 의술만 하는 줄 아나? 왕야의 보고로는 이번 가뭄으로 인해 고통받는 백성들을 살피고, 그에 따른 대책까지 세웠다는군. 그 덕분에 전쟁과 역병으로 흉흉해진 민심도 다 잡았다고 하니 아무 걱정도 하지 말라고 하는군."

자랑이 가득 담긴 환백의 말에 모두의 입에서 감탄사가 절로 터져 나왔다. 전쟁도 승리를 거둔 것이나 매한가지인데, 크나큰 역병까지 잡고 민심까지 살폈다니. 이보다 더 기쁜 소식은 없지 않은가.

하물며 그 모든 일이 황후가 행한 것이라는 사실에 이들의 놀라움은 더욱 커졌다. 그동안 항간에 떠도는 황후에 대한 여러 소문이 있었으나, 오로지 훈련만 받아 왔던 이들은 황궁을 떠나올 때 멀리서 봤던 휘연의 모습만이 알고 있는 전부였기 때문이다.

사내라고는 상상조차 할 수 없이 아름다운 이였다. 더불어 환백이 얼마나 휘연을 아끼는지 그 애틋하다 못해 차마 보기 민망할 정도의 이별을 직접 지켜본 이들로서는 환백의 풀어진 얼굴을 이제야 어느 정도 이해할 수 있었다.

"폐하, 아름답고 현명하신 황후마마의 혜안으로 이렇듯 일사천리로 일이 해결됐으니 이보다 더 큰 경사가 어디 있사옵니까?"

"그렇사옵니다. 이 모든 건 폐하의 홍복이시옵니다!"

한결같이 반색하는 얼굴로 여기저기 두 사람을 칭송하는

말이 터져 나오자, 지극히 만족스럽다는 듯 환백의 웃음은 더욱 짙어졌다. 사실상 환백도 서신을 보고 놀란 참이었지만, 그보다 이렇듯 기분이 좋은 이유는 따로 있었다.

서신에는 사소한 것 하나부터 구구절절이 휘연이 행한 일과 그 성과에 대한 칭송이 적혀 있었으나, 끝에 추신으로 덧붙인 말이 환백을 더욱 들뜨게 한 것이다. 휘연이 환백을 많이 걱정하고 그리워한다는 구절이다.

그 마지막 글귀를 읽는 순간 가슴이 심하게 두근거렸다. 자신만 그리워하는 게 아니라는 사실이 이렇듯 마음을 설레게 하고, 괜스레 웃음이 비집고 나와 환백은 좀처럼 표정을 갈무리하지 못할 정도였다.

오죽했으면 지금 당장에라도 환궁하고 싶어 엉덩이가 들썩거릴 정도이겠는가. 하지만 그럴 수도 없는 노릇이라 환백은 기분이 좋은 듯 싱글벙글 웃다가도 이내 침울하게 울상을 짓기도 했다.

그런 환백의 표정 변화에 두 사람을 비롯한 모두의 표정 또한 시시각각으로 변해 가는지도 모르는 채로 그렇게 환백은 한참이나 끙끙 앓는 소리를 내며 골똘히 생각에 잠긴 끝에야 무슨 대단한 결심이라도 한 듯 단번에 표정을 굳혔다.

"사흘."

"예?"

"사흘 안에 전쟁을 끝낸다."

"예?! 하, 하오나 폐하, 그건 아무래도 무리……!"

"번복은 없다. 사흘 안에 무조건 끝내."

더 이상 어떠한 말도 듣지 않겠다는 듯 서찰을 소중하게 품 안에 갈무리하고 자리에서 일어나 막사를 나가는 환백을 보는 장군들의 표정이 괴이하게 일그러졌다. 사흘 안에 무조건 끝내라니?

말처럼 쉽다면 몰라. 전쟁이 애들 장난도 아니고, 아무리 다 이긴 상황이라고 해도 남은 적들을 상대하고 마지막 소탕까지 하려면 사흘은 터무니없는 기한이지 않은가.

그걸 뻔히 알면서 그런 명령을 내리다니. 차마 절대적인 명령에 불만을 내뱉지는 못하고 한참이나 입만 달싹거린 후에야 일제히 지친 얼굴로 땅이 꺼지라 한숨만을 내쉬었다. 어차피 떨어진 명령이다.

번복할 수 없는 걸 아는 이상은 어쩌겠는가. 그저 잠자코 수긍할 수밖에. 단지 알면서도 괜스레 서러워지는 마음까지는 다잡지 못한 듯 한동안 막사 안에는 무거운 한숨 소리만이 흘러나오고 있었다.

그런 장군들의 심정은 아는지 모르는지 자신의 막사로 돌아온 환백은 어느새 또다시 실실거리며 황궁으로 보낼 서찰을 써 내려가고 있었다. 사흘 안에 전쟁을 끝내고 돌아가겠다는 확고하고도 짧은 답신이었다.

“쿡쿡, 조금만 기다려라. 내 곧 돌아가마.”

❖

모두의 우려와는 달리 수나라와 예, 후, 한의 전쟁은 환백이 장담했던 대로 사흘이 걸리지 않았다. 잠시도 쉴 틈 없이 몰아붙이는 수나라의 공세에 사흘째 되는 날 거의 전멸 직전까지 갔던 연합 측이 투항해 온 것이다.

그로 인해 수나라는 승리의 함성을 내질렀고, 연합 측의 패잔병들은 몸을 움츠리면서도 끝까지 살아남은 사실에 안도했다. 여기서 조금만 더 밀어붙였다면 필시 자신들은 시체더미 사이에 누워 있었으리라.

이미 전쟁에 참여한 각 나라의 왕자들과 고위급 장군들은 몸을 사린 채 도망친 후였기에 남은 그들로서는 선택할 길은 단 두 가지였다. 살길을 도모하든가, 처참하게 죽임을 당하든가.

설사 일방적인 심판을 받아야 할 처지라고 해도 이들은 더 이상 싸우려는 의지조차 없었다. 어차피 대항할 힘도 남아 있지 않은 그들로서는 자신들을 버리고 도망친 왕자에게 충성해야 할 이유 또한 없었기 때문이다.

고작해야 15만의 군사로 뭘 할 수 있단 말인가. 그것도 그들을 이끄는 수뇌라고는 최하위 부관급의 소부장들 몇몇이 전부였고, 장군이라고는 그 가운데 무릎을 꿇고 담담하게 눈을 감고 있는 한 명뿐이었다.

그런 그를 내려다보는 환백의 표정 위로 한 줄기 흥미로움이 스치고 지나갔다. 갑주와 검에 새겨진 고급 문양의 형태로 봐서는 고위 귀족급이 분명할진대 왜 피신하지 않고 끝까지 남아 있는지가 궁금한 것이다.

그뿐만 아니라 끝까지 발악하는 것에 지나지 않았지만, 그 무위 또한 예사롭지 않았었다. 그것만 보더라도 절대 가벼이 볼 만한 위치가 아닐 텐데도 도망치지 않았다는 건 무언가 할 일이 남은 것인가.

거기까지 생각하자 환백은 피식 웃음을 머금었다. 할 일이 남았든 아니든 어차피 사내의 운명은 정해져 있다. 무엇보다 환백의 성격상 단순한 흥미로움에 솔깃해 자비를 베풀 리 없기 때문이다.

그래서인지 곧 흥미를 잃고 자리에서 일어나는 환백의 기척에 지금껏 눈을 감고 있던 사내의 눈이 번쩍 뜨였다. 고개를 한껏 들고 올려다보는 사내의 눈동자에 얼핏 당황스러움이 스치자 환백의 입가가 삐뚜름하게 올라갔다.

"뭐지? 할 말이라도 있나?"

"제게 묻지 않는 것입니까?"

"뭘?"

뭐라니? 적어도 자신이 고위급 장군이라는 걸 알았다면 묻고 싶은 것이 많을 게 아닌가? 아니, 하다못해 도망친 왕자의 위치라도 묻는 게 옳은 일이다. 헌데 이 무관심한 태도는 뭐란 말인지.

사내는 애써 담담하게 무표정을 유지했지만, 잘게 흔들리는 혼란스러운 눈동자까지는 감추지 못했다. 그러나 그것도 잠시, 이내 마음을 다잡은 듯 깊게 심호흡을 하고 단호하게 말을 이었다.

"소인은 후나라 도진무사(都鎭撫司)를 지낸 조문기의 서자로, 조관이라 합니다. 제 소임은 접전이 벌어지면 최소 사흘간 시간을 끌라는 명을 받았습니다. 물론, 이미 닷새 전 도망친 왕자들과 장군들의 명령입니다만.”

“그래서?”

“도주한 이들을 쫓으실 생각이라면 포기하십시오. 그들은 야만족의 경계를 넘어갈 것입니다.”

조관의 말에 일순 주변이 웅성거리며 소란스러워졌다. 야만족이라 하면 대륙의 경계인 화암산맥(火巖山脈)을 넘어서 인간이 살지 못하는 오지의 땅에 뿌리를 두고 살아가는 인간들을 말함이다.

더 정확히는 인간이되 인간의 말을 하지 못하는 짐승에 가까운 이들로, 지금껏 그들만의 터전을 벗어난 적이 없었다. 고작 알려진 것이라고는 몇 번의 사례가 전해진 게 전부일 정도로 그들은 폐쇄적이었다.

또한, 사실인지 아닌지는 모르나 전해져 내려오는 말도 황당하기 그지없다. 경계 안으로 들어오는 것은 인간이고 동물이고 가리지 않고 먹는다는 풍습도 있었기 때문이다. 하물며 화암산맥을 넘는 것조차 사실상 불가능하다.

곳곳에 불길이 치솟는 바위산을 인간이 어찌 넘는단 말인가. 헌데 죽으려고 작정한 것도 아니고 그런 곳을 스스로 찾아갔다? 그 사실에 피식 웃는 환백을 보며 조관은 다시 말을 이었다.

“화암산맥을 통과하는 가까운 길이 있습니다.”

“길?”

“예. 후나라 상진이라는 곳에 가면 살아서는 다시 돌아오지 못한다는 불회곡(不回谷)이 있습니다. 대낮에도 귀신이 나온다 하여 가까이 가지 않는 곳이지요. 그곳을 통과하면 화암산맥을 넘지 않고도 좀 더 빨리 대륙의 경계에 도달할 수 있습니다."

"흐음."

"자세히는 알지 못하나 야만족에 대해서 전해져 내려오는 풍습이 정확하다는 건 알고 있습니다. 그러나 모두가 그런 건 아닙니다. 적어도 경계에 가까운 촌락은 몇 년 전 발견 당시 호의적인 태도를 보였습니다."

"그러니 그놈들이 숨어 있기에는 안성맞춤이다, 는 말이군."

"예. 독충과 함정, 듣지도 보지도 못한 각종 짐승이 서식하는 곳, 그만큼 방비 또한 탁월하지 않겠습니까."

확실히 그렇다. 조관의 말대로 만약 야만족이 호의적인 태도로 그들을 받아들여 숨겨 준다면 그곳만큼 안전한 곳은 없을 것이다. 알려진 것보다 알려지지 않은 것이 더 많은 곳이기에 섣불리 들어가지도 못하지 않은가.

삭초제근(削草除根) 하는 것도 중요하지만, 그 피해 또한 만만찮을 것은 당연한 일이었다. 그렇다고 이대로 적의 근간이 되는 뿌리를 살려 놓을 수도 없음에 환백이 살포시 미간을 찌푸릴 때, 조관의 목소리가 확고하게 흘러나왔다.

"그곳에 발을 들이지 않고 제거할 방법은 하나뿐입니다."

마치 그 방법을 알려 주겠다는 말투에 환백이 눈을 가늘게 뜨고 조관을 내려다봤다. 그 말을 하는 의도를 알기 위함이다. 지난 이틀간 검을 맞대고 싸운 적이 한순간에 돌아설 리가 없잖은가. 의심이 가는 것은 당연한 일이다.

"내게 목숨을 구걸할 생각인가?"

환백은 그렇게 결론 내렸다. 인간이란 자기 목숨을 제일 중요시 여기지 않는가. 마지막까지 충성하는 것 같아도 인간은 본시 믿을 게 못 되는 것이다. 그런 생각에 환백이 입가를 비틀어 올리자 조관은 되레 자조적인 웃음을 흘렸다.

그러나 그 눈만큼은 웃지 않았다. 싸늘하게 가라앉은 눈동자가 품고 있는 숨기지 못한 분노에, 결코 목숨 따위나 구걸하려는 의도가 아니라는 걸 환백 또한 쉽사리 짐작할 수 있었다.

"방법은?"

"굳이 안으로 들어가실 것 없습니다. 아니, 절대 멀쩡한 인간은 안으로 들어갈 수 없습니다. 그곳은 흔한 벌레조차도 독을 품고 있는 곳이고, 곳곳에 함정이 있으며 대륙에서는 볼 수 없는 짐승들이 넘쳐나는 곳입니다."

"꽤 자세히 알고 있군."

"크, 제가 몇 년 전 직접 그곳으로 들어갔던 장본인이니 당연하지 않습니까."

그러면서 쓴웃음을 흘리는 조관의 얼굴은 무언가를 떠올리는 듯 일그러졌다. 몇 해 전, 난데없이 경계를 조사하고 오라는 명령을 내리던 자신의 아비와 형제들의 비릿한 얼굴이 떠오른 탓이다.

더 정확히는 난데없는 명령도 아니었다. 어릴 때부터 언제나 그리했었다. 서자는 천민보다 더한 취급을 받곤 했다.

새삼스러울 것도 없었다. 지긋지긋하도록 당하다 보면 만성이 된다고 했든가. 다만 천민인 어미를 인질로 잡고 겁박해 매번 자신을 위험한 일에 떠밀어 죽이려는 그들의 행태에 치가 떨릴 뿐이다.

이번만 해도 황당할 지경이 아닌가. 조관은 며칠 전 자신의 갑주와 검을 넘겨 주고 접전이 벌어지면 최소 사흘 이상은 시간을 벌라는 명을 내리고 뒤도 돌아보지 않고 도망치는 형제들을 떠올렸다.

그들 딴에는 소임을 다하고 죽으라는 뜻이었겠지만, 매번 질기디질긴 목숨은 이번에도 기가 막히게 살아남았다. 아니, 이번만은 스스로도 반드시 살아남아야 했다.

이 지긋지긋한 연을 완벽하게 끊어 내기 위해서라도 필히 살아남아 끝을 봐야 했기 때문이다. 그리고 그 해답은 괴물이라 칭하고, 죽음의 사신이라 칭하는 절대적인 권력자만이 가지고 있었다.

끔찍하다면 끔찍하다는 규제가 걸린 자신은 직접 끊어 내지 못하는 대신 눈앞의 황제라면 너무도 쉽게 끊어낼 것이다. 그리할 수만 있다면 지겹고 하찮은 목숨 따위 조관은 얼마든지 버릴 수 있었다.

"그래서?"

"먼저 불회곡부터 설명하자면, 하루 종일 안개가 끼어 있는 곳입니다. 안개 때문에 시야 확보가 어려우나 당황하지 않고 크게 길을 벗어나지만 않으면 쉽게 통과할 수 있을 것입니다. 그리고 경계에 도착했다면 안으로는 들어가지 마시고 입구부터 태우십시오. 이왕이면 밀림 전체를 없애버리는 게 좋을 것입니다. 그들도 안쪽으로 들어가지 못하는 이상은 불을 피해 밖으로 나오겠지요. 그때 끝내시면 됩니다. 요즘 같은 가뭄이면 제아무리 방대한 밀림이라 하나 쉽게 번지지 않겠습니까?"

"그렇군. 원하는 건?"

"폐하와 같습니다. 그곳에서 나오는 인간들은 단 한 명도 살려 두지 않는 것. 그 이상은 없습니다."

사실이었다. 그들이 내리는 마지막 명령을 수행한 이유는 그들을 거스르지 말라고 눈물로 호소하던 가련한 어미의 부탁 때문이었고, 끝까지 살아남은 이유는 그들이 도망친 곳을 아는 사람은 자신 외에는 아무도 없었기 때문이다.

이제 황제가 나서 그들을 다 쓸어버리면 자신은 어미의 말을 어기지 않고 복수를 할 수 있다. 그 대가로 목숨을 내놓는 것쯤이야 무에 어려울까. 덤으로 많은 목숨이 사라질 것이나 그들 중 누구 하나 자신을 인간으로 대접한 이들은 없었다.

어차피 제 백성과 병사를 버리고 도망친 족속들이 아닌가. 하물며 야만인들이야 오죽할까. 응당 인간을 먹는 이들이라면 차라리 사라지는 게 더 옳다고 판단한 조관은 지극히 만족스럽다는 듯 긴장을 풀고 편안히 눈을 감았다.

자신의 할 말은 다 했으니 목을 베라는 의미였다. 그런 조관을 가만히 내려다보던 환백은 한참만에야 흥미가 떨어진 듯 고개를 돌렸다. 이유는 실로 간단했다. 살고자 하는 놈을 죽이는 건 재미있으나 죽고자 하는 놈을 죽이는 건 재미없어서였다.

"사천승."

"하명하시옵소서, 폐하!"

"들었겠지? 사흘간 휴식을 취한 후, 유황과 화약을 재정비하고 궁병대와 기마군 30만을 이끌고 경계로 가라. 모조리 태워 버리고 나오는 놈들은 죽이도록."

"존명!"

환백의 명령이 떨어지자 조관은 진심을 다해 고개를 조아렸다. 환백이 보낸 군사들과 화력이라면 제아무리 미개척의 방대한 곳이라 해도 한낱 잿더미로 변할 것이다.

안으로 들어가도 죽고, 설사 밖으로 빠져나온다고 해도 살아남지 못한다. 지옥보다 더 끔찍한 곳, 더러운 족속들이 죽기에는 안성맞춤인 곳이었다. 그것으로 되었다.

뇌리에 박힌 어미의 눈물로 얼룩진 얼굴이 마음에 걸렸지만, 오랫동안 이어져 왔던 질긴 인연을 완벽하게 끊어 낸다면 차라리 앞으로가 더 편안해질 거라는 결론에 조관은 마음을 비웠다.

어차피 목숨을 보장받지 못할 전쟁에 참여했지 않은가. 어미 또한 자신이 살아 돌아오지 못할 것을 예상하고 있을 것이기에 조관은 쓴웃음을 지으며 이제나저제나 목이 떨어지기를 기다렸다.

그러나 아무리 기다려도 목을 내려치는 느낌이 없어 점차 초조해지던 조관은 이내 머리 위에서 떨어지는 환백의 심드렁한 말에 의아한 시선을 들어 올릴 수밖에 없었다.

"언제까지 멍청하게 있을 거지? 따라와."

"예? 목 안 치십니까?"

"안 쳐."

"왜 안 치십니까?"

어찌 보면 황당한 물음이었으나 조관의 처지로서는 당연한 의문이었다. 죽음의 사신으로 불리는 피의 패황이 아닌가? 고작 잔당들을 밀고 한 번 했다고 살려 줄 만한 성정이 아니라는 말이다.

무엇보다 지긋지긋한 삶을 끝내는 것도 나쁘지 않았던 조관으로서는 딱히 살고 싶은 마음도 없었다. 헌데 이 심드렁한 태도는 뭐란 말인지, 얼떨결에 뒤따르던 조관은 돌아온 대답에 황망한 표정을 감추지 못했다.

"재미없다."

고작 이유가 재미없어서라니. 어이없음에 조관이 맥이 다 풀린 표정으로 멍하니 서 있자 교령이 피식 웃으며 나름대로 환백의 마음을 짐작한 듯 설명을 곁들였다.

"주군께서는 네가 마음에 드시나 보군."

"저 말입니까? 뭘 보시고."

"글쎄. 워낙 종잡을 수 없는 분이시라. 그래도 한 가지는 확실하지. 아마 평생을 가도 주군의 의중은 파악하기 어려울 테니 그냥 포기해."

여전히 이해가 안 되기는 매한가지지만, 의중을 파악하기 어려울 거라는 말은 수긍이 되는 듯 조관이 고개를 끄덕이고 교령을 따라 환백이 향한 막사로 들어갔다.

그곳에는 이미 수뇌부들이 모두 자리해 있었다. 그와 동시에 매섭게 꽂히는 시선들에 조관은 당황스러웠다.

제아무리 승패가 완전히 갈렸기로서니 적이었던 자신이 회의에 있어도 될지 눈치가 보이는 것이다. 하지만 그것도 잠시, 곧 이어지는 환백의 말에 시선은 순식간에 흩어졌다.

"기마군 30만과 궁병대를 야만족의 경계로 보내기로 했다. 그곳에 일을 마무리하는 동안 우장군은 나머지 기마군을 분배해 각 지방 관사를 모두 비워 두되, 귀족들은 한 놈도 살려 놓지 마라. 만약 반항할 시 마을 전체를 전멸시켜도 상관없다. 이왕이면 최대한 잔인하게 죽이는 게 본보기가 되겠지. 기한은 황궁으로 돌아가 새로운 인물을 보내기 전까지다."

"존명!"

"군사, 지시한 건 어떻게 됐지?"

"예, 폐하. 이미 파발을 보내 시골까지 벽보를 붙이도록 지시했습니다. 또 왕도에 남아 있던 기마군이 본보기로 걸린 마을 세 곳을 깨끗이 지워 버렸다고 했으니, 이미 소문이 파다하게 퍼졌을 것이옵니다."

"좋아. 나는 먼저 출발할 테니 군사는 이곳을 정리하고 황도로 귀환한다."

"존명!"

환백이 막사를 나와 곧바로 말에 오르자, 그 뒤로 묵가와 암영제가 호위하듯 말에 올랐다. 그리고 그 옆으로 얼떨결에 떠밀리다시피 같이 말에 오른 조관은 여전히 당황스러운 얼굴로 환백을 따라 전장을 떠나야 했다.

중인으로 태어나고 성장한 25년간 핍박받아 온 조관에게 환백과의 인연은 훗날 확고한 위치에까지 올려놓는 시작이 되었다. 그렇게 전 대륙을 공포로 몰아넣었던 전쟁은 날짜로 따지자면 고작해야 열사흘 만에 끝이 났다.

그것도 일방적인 승리를 거둔 전쟁이었으나 거대한 피바람이 몰아친 흔적은 고스란히 남아 있었다. 십만 평이 넘는 광활한 평야는 제 색을 잃고 붉게 물들었고, 처참하게 썩어 가는 시체 더미들은 까마귀와 독수리 떼들의 배를 불렸다.

찌는 듯한 열기로 인해 허공을 떠도는 악취는 사라지지 않았으며 그 마지막을 정리하는 검은 불길은 치열하고 참혹한 흔적들을 지워 나갔다. 그러나 처절한 대학살은 거기에서 그치지 않았고, 천하는 전율한 채 숨을 죽였다.

정작 전쟁을 일으킨 황제는 황도를 향해 쉬지 않고 달리고 있었으나, 그의 입을 타고 나온 절대적인 명령은 이후로도 거침없는 혈로(血路)로 이어졌기 때문이다. 일말의 자비 없이 모든 것을 파괴하는 잔인한 명령.

30만의 기마군과 궁병대가 야만족의 경계로 향하는 길은 버젓이 약탈과 살인, 방화가 벌어졌고, 나머지 20만의 기마군은 이미 그 이름조차 사라져 버린 예, 후, 한의 땅을 다시 한 번 휩쓸었다.

목이 떨어져 나간 귀족들과 선비들의 수는 헤아릴 수조차 없었으며, 그들에게 조금이라도 반하는 무리가 나오면 마을 전체가 짓밟혀야 했다. 마치 씨를 말리기라도 하려는 듯이 인간 백정과도 같은 그들의 잔인함에 하늘도 놀라고 땅은 울부짖었다.

이미 패자인 이들에게는 잔혹한 처사였지만 아직까지 정식으로 수나라에 속해 있지 않은 이들로서는 당연한 승자의 패악을 막을 도리는 없었으니, 스스로 딸을 바쳐 생을 도모해야 했으며 그늘로 숨는 수모를 당해야 했다.

누구 하나 의지할 곳 없는 그들로서는 할 수 있는 일이 아무것도 없었다. 그저 이 끔찍한 학살이 하루빨리 멈추기를. 자신들이 섬기던 주인에게서 버림받은 백성들은 비통과 한에 몸부림치며 그렇게 두려움에 떨어야 했다.

◈

빛 한 점 들지 않는 캄캄한 밤. 휘연은 하얀색 비단옷 위로 바람에 흩날리는 흰 장포를 걸치고 하염없이 어둠 속을 걷고 있었다. 마른 나뭇잎이 바스락거리며 발밑에서 부서진다.

이곳이 어디인지, 지금 자신이 어디로 향하는지도 모르는 채로 정처 없이 걷던 휘연의 발길이 어느 순간 눈앞에 나타난 누군가의 뒷모습에 멈칫거렸다. 넓은 등으로 가지런히 내려앉은 새하얀 눈처럼 깨끗한 백발.

'폐하?'

환백이다. 대륙 어디에도 저 같은 아름다운 머리카락은 없을 것이기에 휘연은 멈춘 발길을 재촉해 환백의 뒤를 정신없이 쫓았다.

'폐하, 어디로 가십니까? 폐하!'

휘연의 외침에도 그는 대답이 없었다. 그저 뒤도 돌아보지 않고 어딘가로 성큼성큼 걸어갈 뿐이다. 마치 같은 곳에 있되 다른 공간이 존재하는 듯이, 아무리 쫓아도 좁혀지지 않은 거리에 휘연은 애타게 부르고, 그는 듣지 않았다.

'환백 님, 멈추세요. 제발 멈추세요!'

휘청이는 다리를 이끌고 하염없이 뒤쫓던 휘연은 별안간 무언가 발치에 걸리는 느낌에 맥없이 앞으로 고꾸라졌다. 멀어지는 환백의 등에 초조함을 느끼고 다시 일어나 그를 따르려 하는데 갑자기 주변 환경이 바뀌었다.

새까맣던 어둠이 차츰 사라지고, 형태가 하나씩 생겨난다. 그와 동시에 구역질을 부르는 지독한 악취. 손끝에 만져지는 불쾌한 끈적임과 물컹거리는 무언가에 손을 내려다보던 휘연의 두 눈이 경악에 물들기 시작했다.

새빨간 핏물. 휘연을 중심으로 한데 뒤엉켜 형체도 알아볼 수 없는 끔찍한 시체들이 사방으로 끝도 없이 널브러져 있다. 손발이 기괴하게 뒤틀리고, 잘려 나간 목이 휘연을 향해 피눈물을 흘리며 원망을 쏟아 내는 것 같았다.

그 처참한 광경에 휘연은 비명조차 지르지 못했다. 무언가 목 안을 콱 틀어막은 것같이, 소리 없이 입만 벙긋거리는 휘연의 주변으로 끝도 없이 펼쳐진 공간은 온통 붉은 피로 범벅이 되어 있었다.

'흐읍.'

핏물에 젖어 부들부들 떨리는 손으로 귀를 틀어막고 눈을 가려 봐도 이미 뇌리에 박혀 있는 끔찍한 원망과 절규, 참혹함은 지워지지가 않았다. 깊고 깊은 곳, 나락의 저편으로 내던져진 심장이 날카롭게 비명을 질러 댔다.

이것이 모두 자신의 탓인 것처럼. 지옥의 악귀처럼 달라붙는 악에 받친 절규에 귀를 막고 눈을 감아도 소용없었다. 발끝을 타고 올라온 어둠이 이미 머리끝까지 휘연을 집어삼키려 하고 있었다.

'너 때문이야! 우리가 죽은 건 모두 너 때문이야—!'

'알고 있었으면서 막지 않았어! 이게 모두 너 때문이야——!'

'괴로워. 아파! 살려 줘. 죽고 싶지 않아. 살려 줘—!'

휘연은 몸이 떨려 왔다. 사방에서 울려 퍼지는 비명을 듣고 싶지 않았다. 암담한 절망과 허무, 좌절과 원독(怨毒)에 사무친 분노, 처절한 고통과 슬픔으로 가득 찬 비명에서 벗어나고 싶었다.

그러나 절규는 귀로 들리는 것이 아니었다. 휘연의 영혼을 통해 가슴 저 밑바닥까지 전해지는 끔찍한 울림이었다. 벗어나려고 발버둥 칠수록 더 옥죄어 오는 괴로움에 휘연은 숨을 쉴 수가 없었다.

눈물도 흐르지 않았다. 마치 눈에 보이지 않는 상처가 커다랗게 입을 벌린 채, 울컥울컥 핏덩이를 쏟아 내는 것 같았다. 너무나 아파서 휘연은 소리조차 제대로 낼 수가 없었다.

여기저기 잡아당기는 손길에 하얀색 비단옷이 붉게 물들어 갔다. 이곳에서 벗어날 수 없다는 듯이. 몸이 서서히 빨려 들어가는 느낌에 휘연은 멍한 시선을 들어 환백의 등을 응시했다.

'환백 님…… 환백 님!'

휘연의 울부짖음에도 그는 돌아보지 않고 계속 앞으로만 갔다. 애타는 부름에도 한 번도 뒤돌아보지 않고 무심하게 시체 더미를 밟고 지나가는 환백의 야속함에 휘연이 절망적으로 환백을 불렀다.

하지만 환백을 향한 야속함은 오래가지 않았다. 환백이 향하는 곳에 생겨난 커다란 검은 구멍. 마치 모든 것을 빨아들이려는 듯이 살아서 꿈틀거리는 그 기괴함에 휘연이 두 눈을 커다랗게 떴다.

시커먼 구멍 사이로 보이는 가시덤불. 검보다 더 날카롭고 빠져나갈 공간 없이 빼곡하게 드리운 날을 세운 가시덤불에 휘연이 피를 토하듯 소리를 내질렀다. 말려야 한다. 말리지 않으면 환백이 위험했다.

'안 돼, 안 돼! 환백 님! 더 이상 가시면 안 됩니다! 그곳은 안 됩니다! 멈추세요! 제발 멈추세요—!'

휘연의 처절한 울부짖음을 들었을까. 환백의 걸음이 멈췄다. 그러나 그것 또한 찰나에 지나지 않았고 환백은 다시 망설임 없이 걸었다. 그런 환백을 향해 작정이나 한 듯이 검게 꿈틀거리는 가시덤불이 다가갔다.

순식간에 온몸을 칭칭 휘감고 검은 구멍 안으로 끌어들인다. 날카로운 가시에 살점과 옷가지가 찢겨 나가고 피가 튀고 비린내가 풍겼다. 환백의 아름다운 얼굴이 피에 물들어 형체를 잃어 갔다.

천천히 야금야금 먹어 치우듯이, 느릿하게 발끝부터 검은 구멍 안으로 사라지는 그 끔찍한 광경을 보며 휘연은 서서히 시체 더미 속으로 빠져 들어가고 있었다. 끈적한 절망이 머릿속을 뒤덮는데도 울 수조차 없었다.

이윽고 새까만 암흑이 찾아왔을 때야 휘연은 눈을 번쩍 떴다. 온몸이 흥건하게 땀에 절어 있었다. 악몽이 몸을 먹어 버린 것 같았다. 혼란 속에서 잠이 깬 휘연은 눈동자를 이리저리 굴리며 현실을 인지하려고 애썼다.

하늘거리는 휘장 밖으로 희미하게 낯익은 천장이 보인다. 아직 생생히 남은 꿈의 파편들이 머릿속을 어지럽혔다. 흥건하게 땀에 젖은 손을 펴 말라서 칼칼해진 목을 만졌다.

'꿈…… 꿈이었구나.'

안도하는 것인가, 아니면 불안해하는 것인가. 휘연은 너무도 생생한 꿈의 환영에 나지막이 한숨을 내쉬며 두 눈을 질끈 감았다. 부정할 수 없다. 단순한 악몽이 아니지 않은가. 현실이고 앞으로 일어날 일이었다.

시체 더미는 천살의 살기로 희생된 이들일 것이다. 환백이 들어간 검은 구멍은 천살의 업을 끊어 낼 수 있는 곳. 단 한 가지 마음에 걸리는 것이라면 그 기괴한 가시덤불이다. 고통스러워했다.

단 한 마디도 하지 않았지만, 몸이 찢겨 나가고 피를 흘리며 날카로운 가시 사이로 바라보는 적안이 고통에 물들어 있었다. 깊고 깊은 슬픔과 고통이 어우러진 그 눈빛이 떠올라 휘연은 가슴이 아팠다.

그 또한 거대한 운명에 순응하는 피해자일진대 어찌해서 고통스럽게 하는지. 죽어 간 수많은 이들의 처절한 원망에 찬 절규보다 마지막 환백의 모습이 더 머릿속에서 지워지지 않는 것 같아 휘연은 당황스러웠다.

겉으로는 백성을 위한답시고 그들의 죽음에 안타까워했지만, 결국 자신 또한 이기적인 인간에 지나지 않는 것이다. 그 사실에 눈가가 시큰해져 휘연은 머리를 털고 일어나 창가로 다가갔다.

창문을 활짝 열자 후덥지근한 열기가 훅 끼쳐 온다. 은은한 종각 소리 외에는 풀벌레 소리조차 들리지 않은 늦은 밤, 무심코 하늘을 올려다보던 휘연의 두 눈이 커다랗게 떠졌다.

“아, 천문이.”

천문(天門)이 열리고 있다. 그렇다는 건 환백의 천살이 벗겨지고 있다는 걸 의미한다. 아직은 흐릿해 온전하지 않았지만, 온통 꽉 막혀 있던 암울한 장막이 확연히 열어지고 있었다.

그건 곧 환백의 신상과도 관련된 것이었기에 막연히 하늘을 올려다보는 휘연의 눈가로 끝내 맑은 눈물이 소리 없이 흘러내렸다. 멈추는 법을 잊기라도 한 듯, 그렇게 휘연은 하염없이 눈물만을 흘리고 또 흘렸다.

三章

단업(斷業)

깊은 밤, 휘연은 세상의 흉흉함과는 상관없다는 듯 고고한 자태와 은은한 빛을 뿜는 달을 올려다보며 천천히 한쪽 손을 들어 심장 언저리에 가져갔다. 불안한 마음만큼이나 좀처럼 안정을 찾지 못하는 두근거림.

당장에라도 거세게 뛰던 박동이 멈출 듯한 기묘한 아픔에 그대로 옷자락을 움켜쥐고 나지막하게 호흡을 내뱉으며, 여느 때와 같이 화려하고 정갈하게 꾸며진 정원을 천천히 거닐었다.

그러다가도 멈칫거리며 하늘을 올려다보기를 수차례 번복하는 휘연의 표정이 어둡게 가라앉았다. 결코, 밤의 어둠 때문만은 아니리라. 천문이 열리기 시작한 열흘 전부터 휘연은 밤에 잠들지 못했다.

하루가 다르게 흐릿하던 장막이 걷히고, 이제는 어느 정도 구분할 수 있으리만치 선명해졌기 때문이다. 그리고 그 가운데로 붉은 광채를 띠던 천살성이 확연히 빛을 잃어 가고 있다는 사실이 휘연을 점점 더 초조하게 몰아가고 있었다.

'이미 각오했던 일인 것을. 어째서 이토록 가슴이 미어질 듯 고통스러운 것일까.'

바보 같은 짓이다. 알고 있는데. 감히 막을 수도 없고 막아서도 안 되는 순리이거늘, 어찌해서 이리도 마음을 추스르지 못하는 것인지. 휘연은 자꾸만 달려드는 초조함을 떨쳐 버릴 수가 없었다.

머리로는 이성적인 판단을 내리지만, 가슴이 따라주지 않는다. 마음 둘 곳을 잃고 숨을 쉴 때마다, 눈을 깜빡일 때마다 다가올 현실이 무겁게만 느껴진다.

욱신거리는 심장의 통증에 깨문 입술에서 피가 흐른다. 의지와는 달리 생생하게 느껴질 정도로 서걱서걱— 날카로운 소리를 내며 찢기는 마음에 어떻게 해야 할지 모르겠다.

그 미련함에 휘연이 천천히 숨을 몰아쉬었다. 이제 와서 이게 무슨 바보 같은 짓이란 말인가. 한낱 욕심에 미련이나 떠는 어리석음이라니. 휘연은 버티고 선 다리에 힘을 주며 정신을 다잡으려 노력했다.

처음부터 그랬듯이 자신이 할 수 있는 건 아무것도 없다. 애초에 자신은 단 하나의 소임을 위해 희생을 전제로 태어났지 않는가. 그것은 정해진 운명이었고, 거스를 생각은 추호도 하지 않았다.

희생, 그것은 결코 아름답지도 고귀하지도 않았으며, 누구 하나 알아주는 이가 없다고 해도 서문휘연은 그렇게 태어나고 자랐으며 이젠 그 마지막을 눈앞에 두고 있었다.

'그것 외에는 존재해서는 안 되는 것이겠지.'

알면서도 왜 이다지도 쓰리고 허무한지. 차라리 아무것도 몰랐더라면 괜찮았을까. 무지해 현실에 만족하고 순간순간을 곧이곧대로 받아들였다면, 이리 가슴속에 멍울이 지도록 억누르지 않아도 되었을 텐데.

그랬다면 절실하게 온몸으로 애정을 갈구하는 그를 외면하지 않고 숨김없이 마음을 표현했으리라. 운명이 어떻게 흘러갈지도 모르면서 매 순간 행복한 단꿈에 빠져 주제도 모르고 욕심을 부렸을 것이다.

'그리고는 무지가 불러올 더 큰 고통에 허덕였을 테지.'

뻔한 결말에 피식 쓴웃음이 흘러나온다. 어차피 결과는 매한가지가 아닌가. 제아무리 고통이 크다고 한들 죽어 간 수많은 이의 목숨에 비하지 못하듯이, 아등바등 노력해도 환백과의 인연의 고리 또한 끊어질 것이다.

이미 정해진 운명은 욕심이 난다고 붙들 수 있는 것이 아니었다. 하물며 수십만의 생명을 잔인하게 앗아 간 천살의 업을 끊어 내는 것은 이 대륙에 평화를 가져옴을 뜻하지 않는가.

또다시 천제를 거스르고 죄악을 쌓지 않은 이상 백성들은 더는 피 흘리지 않고 그 평화를 유지할 수 있을 것이다. 그리고 천살을 벗은 환백 또한 뒤틀린 운명에서 비로소 온전히 벗어날 수 있다.

모든 틀에서 벗어나 역대 누구보다 빛나는 황제가 되어 새로운 인연을 맞이하는 것. 천살의 운명을 벗어난 환백의 앞날이 그렇다면, 희생을 전제로 태어난 휘연의 앞날은 안타깝게도 아무것도 존재하지 않았다.

'욕심을 부리고 싶어도…… 부릴 수 없다.'

정해진 운명이라면 순응하고 의연히 그 길을 가겠다고 수없이 나약해지려는 자신을 달래었건만. 모두 부질없는 짓이었는지, 새삼 가혹하게만 느껴지는 운명이 무겁게 짓누른다.

벗어날 수 없다. 그것만이 진실인 것을, 메마른 입가로 쓴웃음이 흘러나온다. 웃음소리와 함께 섞여 나오는 거친 숨소리에 옷자락을 부여잡았다.

불규칙한 호흡이 계속될수록 시야가 어지러워지고 손톱끝까지 새하얘질 정도로 창백해진 피부와 안개처럼 흐릿하게 무너져 가는 암담함에 간신히 두 다리로 버티며 마음을 다잡았다.

'진정하자. 안정을 찾아야 한다. 안정을…….'

부들부들 떨리는 손으로 가슴 옷자락을 꾹 그러쥔 휘연은 고개를 숙이고 가쁜 숨을 내쉬었다. 성급하게 숨을 들이쉬고 내쉬는 가녀린 몸이 애처롭게 흔들렸다.

살기 위해 간절하게 몸부림치듯이 답답한 마음에 가슴을 두드려 보고, 손마디가 하얗게 불거지도록 주먹을 꽉 쥐어도 보았다. 그러나 좀처럼 마음의 갈피를 잡지 못한 곧은 눈동자가 한순간 멍하니 풀어졌다.

마치 짓누르는 무게를 이기지 못해 산산이 부서져 흩어지는 것같이. 작은 희망조차 품지 못하는 참담한 현실에 허공을 부유하는 흐릿한 눈은 물기 하나 없이 지독하게 메말라 있었다.

잦은 호흡 끝에 찌르는 듯한 통증이 다시 가슴을 스쳤다. 괜찮다. 이 정도는 얼마든지 참을 수 있었다. 어차피 정해져 있는 끝을 향해 가는 것을. 모든 것이 끝나면 이 고통 또한 사라질 것이다.

설사 이보다 더한 고통이 찾아온다고 해도 결코 표현해서는 안 된다는 걸 알기에 휘연이 자신을 다독이며 나지막이 가쁜 호흡을 가다듬을 때였다. 등 뒤에서 미세한 인기척이 들리고 유한이 모습을 드러냈다.

"마마, 밤이 늦었사옵니다. 그만 안으로 드시지요."

"……유한, 잠시만 더 있겠습니다."

"주군은 무사하십니다. 전쟁도 끝났고, 이젠 그 무엇도 주군을 위협하지 못할 것입니다. 헌데……."

어찌해서 이렇듯 위태로워 보이는지, 메말라 허공을 헤매는 망연한 눈빛에 유한은 묻고 싶은 말을 끝내 묻지 못하고 말을 삼켰다. 열흘 전 전쟁이 끝나 출발한다는 환백의 서신을 받은 후부터였다.

낮에는 아소와 무영에게 학문과 의술을 가르치고, 황후로서의 일에 몰두하며 잠시의 여유도 주지 않고 바쁘게 시간을 보냈다. 그리고 밤에는 어김없이 잠들지 못하고 하염없이 하늘만 올려다본다.

여유라고 해 봐야 이틀에 한 번꼴로 유자운을 찾아가 담소를 나누는 게 전부일 정도로, 마치 무언가에 쫓기는 듯 초조하게 자신을 몰아가는 휘연을 볼 때면 팽팽하게 당겨진 활시위를 보는 것처럼 불안한 것이다.

'무엇입니까. 대체 무엇이 마마를 그렇듯 몰아가는 것이옵니까.'

허공을 좇는 듯한 공허한 눈동자에 유한은 소리 없는 물음을 던졌다. 깨어질 듯한 그 연약함이 버거워 차마 입 밖에 꺼내지 못하는 의문이 답답한 듯 유한은 휘연의 위태로운 뒷모습만을 응시했다.

안 그래도 가녀린 몸이 오늘따라 유난히 더 작아 보이는 건 기분 탓일까. 아니었다. 단순한 기우가 아니었다. 이상하리만치 불안하지 않은가.

처음에는 단순히 환백을 향한 걱정이라 생각했으나 그것이 아니었다. 지금의 휘연에게서는 마치 무언가를 상실한 듯한 비통함마저 느껴졌기 때문이다.

하루하루 시일이 지날수록 더 자신을 몰아붙이는 행동도 그렇거니와, 언뜻언뜻 비치는 표정 또한 예사롭지가 않을 정도로 확실히 요 며칠 휘연은 평소와 달랐다.

간혹 멍하게 있다가도 이내 괴로워했다. 또 어떤 때는 모든 것을 초월한 듯 허탈해 보여 한순간 홀연히 연기처럼 사라져 버릴 것 같았다.

언제 온전히 무너져도 괴이할 게 없을 정도로, 하루하루가 다르게 메말라 버석거리며 부서져 허물어질 것같이. 산산이

금이 간 균열이 눈앞에 선명하게 보이는 것 같았다.

이해할 수 없을 정도로 빠르게 심장이 뛰고, 살짝만 건드려도 깨어질 듯 위태로운 모습에 간담이 서늘해진 적이 한두 번이 아닌지라 유한은 긴장의 끈을 한시도 놓을 수가 없었다.

차라리 원인이라도 안다면 이렇듯 답답하지는 않을 것이다. 그렇다고 감히 모시는 주인의 사사로운 생각을 물을 수도 없어 애만 태우는 유한도 덩달아 초조한 듯 주먹을 꾹 쥐었다.

"내가 걱정을 끼쳤습니까?"

"……마마."

"괜찮습니다. 별일 아니니 걱정하지 마세요."

조용히 뒤돌아 미소 짓는 휘연을 보면서 유한은 알 수 없는 불안감을 애써 삼키고 조심스럽게 기색을 살폈다. 내색하지 않으려는 듯 달빛에 빛나는 단아한 미소는 한 치도 흐트러짐이 없었다.

아무런 걱정도, 어떠한 흔들림도 없다는 듯, 견고한 척 태연하게 금이 간 틈새를 가리고 휘몰아치는 격랑을 숨긴 채 팽팽하게 당겨진 긴장감을 한순간에 와해시킨다.

그러나 그 고집스러운 모습이 더 위태로워 보이게 한다는 걸 휘연은 모르고 있었다. 아니, 실제로 휘연의 변화를 알아차리는 이들은 극히 드물었다. 그만큼 휘연은 철저하게 감정을 숨겼다.

유심히 지켜보지 않으면 결코 알아차릴 수 없을 만큼 찰나에 지나지 않았지만, 모든 초점이 휘연에게만 쏠린 자신만은 알 수 있었다.

그래서일까. 다시 하늘을 올려다보는 휘연의 뒷모습을 바라보는 유한의 얼굴이 조금은 처연하게 굳어졌다.

명색이 가장 가까이에서 보필하는데도 자신이 조금의 의지조차 되지 못하는 것 같아 섭섭한 마음이기도 했다. 그러다가도 황급히 고개를 내저은 유한은 어찌할 바를 몰라 씁쓸한 듯이 한숨을 내쉬었다.

'대체 무엇이 문제란 말인가.'

모든 게 원만하게 흘러가고 있었다. 비록 가뭄은 계속되고 있어도 휘연이 내놓은 대책으로 큰 피해 없이 버티고 있었고, 돌림병도 초기에 잡았으며 전쟁 또한 대승을 거두어 환백도 무사히 귀환하는 중이다.

사사로이 권력을 남용하는 귀족들도 없어 황궁 또한 하루가 다르게 안정을 찾아가고 있었다. 이대로라면 걱정거리가 전혀 없는 것을. 헌데 이 불안감은 도대체 무엇이란 말인지.

유한이 망설인 끝에 더는 견디지 못하고 무례를 무릅쓰고라도 묻기 위해 휘연의 앞에 무릎을 꿇었을 때였다. 늦은 밤 다급하게 달려오는 기척에 두 사람이 동시에 시선을 돌렸다.

"마마! 황후마마!"

"함정당 내관이 아닌가?"

"예, 마마. 지금 비설 님께서 산기를 보이시옵니다."

내관의 보고에 휘연이 황급히 정원을 벗어나 함정당으로 향했다. 모든 준비를 완벽하게 해 놓았다고는 하나, 예정일에서 이레나 빠른 산기에 혹여 착오라도 있을세라 더 발길을 재촉했다.

비록 비설이 죄인의 처지라도 환백과 효헌을 제외한 첫 황족의 출산이라 소홀히 할 수 없었기 때문이다. 그렇게 휘연이 함정당으로 향할 때 흐릿하게 빛나던 천살성이 크게 흔들리고 있었다.

◈

전장을 떠나 약 보름 거리인 풍진(楓溱)을 단 열흘 만에 도착한 환백 일행의 움직임은 말 그대로 강행군이었다. 그도 그럴 것이, 지난 열흘간 사흘에 한 번씩 고작해야 두 시진의 휴식으로 이만큼이나 달려온 것이다.

물론, 순전히 환백의 고집 때문이었지만, 호위하는 묵가와 암영제, 그리고 서두르는 이유도 모르고 얼떨결에 동행하게 된 조관은 한마디로 죽을 맛이었다. 오죽했으면 엉덩이 감각까지 사라졌을까.

하물며 제아무리 일반적인 말보다 덩치가 큰 전투마라고 해도 장정들을 태우고 여기까지 달려온 말들은 무슨 죄인지. 그나마 이제 한계에 도달했는지 하얗게 거품까지 물고 비틀거리는 통에 교령이 보다 못해 말을 멈추었다.

"주군, 말이 지쳤습니다. 오늘은 이곳에서 하룻밤만이라도 쉬어 가시지요?"

"그렇게 하십시오. 이대로는 말이 중간에 쓰러질지도 모릅니다. 그렇게 되면 더 늦어지지 않겠습니까?"

교령의 말에 다급하게 거들고 나서는 묵혼과 그런 두 사람을 따라 간절한 표정으로 무언의 애원을 쏟아 내는 이들을 돌아보며 환백이 슬쩍 미간을 찌푸렸다. 마음에 안 들기는 하지만 솔직히 자신이 판단해도 무리기는 했다.

"쯧, 할 수 없지. 새벽에 출발한다."

"아! 곧 객잔을 잡겠습니다. 혜청! 당장 가서 별채를 통째로 빌리고 식사부터 준비해."

교령의 명을 받은 혜청이 기다렸다는 듯 말도 버리고 순식간에 사라지자, 그 뒤로 한결 여유를 되찾은 환백의 일행이 느긋하게 마을로 들어섰다. 황궁을 떠나오고 처음 갖는 여유로움이었다.

"전쟁이 끝난 지 얼마 안 됐는데도 사람들 표정이 밝습니다."

제법 큰 마을이라 그런지 왁자지껄한 거리를 돌아보며 조관이 신기한 듯 중얼거렸다. 오랜 가뭄과 더위로 인해 메마른 데다 흉흉한 전쟁의 여파가 가시지 않았음에도 사람들의 표정은 대체로 밝았기 때문이다.

그런 조관의 말에 환백이 기다렸다는 듯 대수롭지 않게 받아쳤다. 단지 여과 없이 헤벌쭉 풀어지는 그 얼굴에는 숨길 수 없는 뿌듯함이 고스란히 드러나 일행들은 슬며시 고개를 내저을 뿐이다.

"멍청한 놈. 현명한 황후가 있는데 당연한 거 아니냐."

"아, 예. 그러십니까."

이곳으로 오는 지난 열흘간 뼈저리게 느낀 사실이라고는 하나, 어떻게 된 게 모든 말이 황후의 자랑으로 끝나는지. 조관이 어이없는 얼굴로 떨떠름하게 대답하자 환백의 미간이 확 찌푸려졌다.

한 번도 휘연을 보지 못한 조관의 입장에서야 환백의 태도는 아무리 봐도 팔불출 그 이상은 아니었다. 하지만 순식간에 표정이 바뀌며 매섭게 꽂히는 살기에 어색하게 웃으며 몸을 사릴 수밖에 없었다.

말 한 마디 잘못했다가 무슨 꼴을 당할지 모르니 알아서 기자는 생각에서다. 그렇게 조관이 등 뒤로 흐르는 식은땀을 주체하지 못하고 간신히 객잔에 도착했을 때, 묵혼이 하늘을 올려다보며 휘파람을 불었다.

곧 머리 위에서 원을 그리며 날던 전서구 한 마리가 빠르게 하강하며 묵혼의 팔 위에 내려앉았다. 야만족의 경계로 보낸 궁병대와 기마군 30만을 이끄는 사천승에게서 온 전갈이었다.

"여유를 두고 흔적을 쫓아 닷새 후면 상진에 당도한다는 보고입니다. 처음 몇 번 마을에 모습을 드러낸 이후로는 일절 눈에 띄지 않게 움직인 것 같습니다."

그 외에도 몇 가지의 보고를 더 올리는 묵혼의 말을 들으며 환백이 가장 깨끗한 별채 한곳으로 들어서자, 조관을 포함한 두 사람을 제외하고는 묵가와 암영제가 불시에 모습을 감추고 흩어졌다.

총 여덟 채의 별채로는 인원을 다 수용하기도 부족했지만, 강행군을 해 오며 마음 편하게 두 다리 뻗고 잔 적이 없었던 이들에게는 오늘 하룻밤은 더할 나위 없는 휴식처가 될 것이었다.

그렇게 각자 푸짐한 식사를 끝내고 오랜만에 깊은 단잠에 빠져 있을 때, 환백은 창가에 앉아 술잔을 기울이며 고즈넉한 달빛에 취해 쉽사리 잠에 들지 못하고 있었다.

"무슨 생각을 그리하십니까?"

교령이 다가와 아직 마르지 않은 머릿결의 물기를 털어 주며 물었다. 그러다 곧 그 질문이 무색했던지 피식 웃는다.

"하긴, 누굴 생각하는지 뻔히 보이는 얼굴을 하고 계시는데. 또 황후마마 생각이시지요?"

"알면서 뭘 물어?"

"그러게 말입니다. 그래도 혹시나 나라 걱정을 하시나 해서 물었지요."

"쓸데없는 걱정은 안 한다."

"예, 예. 어련하시겠습니까."

명색이 황제면서 나라 걱정이 쓸데없다니. 교령이 헛웃음을 터트리자 환백이 어느새 초조한 얼굴로 중얼거렸다.

"달포는 더 걸릴 텐데. 쯧, 하루가 일 년 같군."

"걱정이 지나치십니다. 황후마마께서 약조하시지 않았습니까?"

"그래, 했지."

분명히 자신이 오기를 기다린다고 했다. 아무 데도 가지 않고 기다리겠다고. 헌데 왜 이리도 초조하고 불안한지. 환백의 표정이 묘하게 일그러지고 끝내 침울한 빛까지 띠자 교령이 나지막이 한숨을 내쉬었다.

"주군, 아시지 않습니까? 황후마마께서 표현은 안 하시지만 그 마음만은 거짓이 아니었습니다. 그러니 마음을 편하게 하십시오."

"그런가. 괜한 기우겠지?"

"예. 그러니 고집 그만 피우시고 이제 좀 쉬십시오. 이러다 황궁에 도착하기도 전에 쓰러지면 그게 무슨 미련한 짓이랍니까?"

제아무리 괴물 같은 체력을 가진 환백이라도 제대로 쉬지 못하고 잠조차 들지 못하면 몸이 상하기 마련이라 걱정을 담아 퉁명스럽게 다그치는 교령이었다. 그러자 환백이 피식 웃으며 고개를 끄덕였다.

교령의 말마따나 마지막 떠나올 때 휘연의 모습은 한 치도 거짓은 없었다. 지금 이리도 초조하고 불안한 것도 휘연을 오래도록 보지 못한 이유이리라 결론 내리고 환백이 조금은 편안해진 모습으로 자리에서 일어날 때였다.

"큭!"

"주군!"

순식간이었다. 조금 전의 여유로움이 거짓이었다는 듯 미처 허리를 곧게 펴기도 전에 갑작스럽게 찾아온 가슴 통증에 환백이 단말마의 비명과 함께 다리를 휘청이며 바닥에 주저앉았다.

날카로운 무언가가 심장을 비틀어 후벼 파는 듯 온몸을 엄습하는 격렬한 고통. 가슴을 들썩거릴수록 심장은 뜯겨 나가듯 아프고 숨조차 쉬기 힘든 듯 호흡이 거칠어지며 점차 가늘어졌다.

어찌해 볼 틈도 없이 잔뜩 웅크린 환백의 몸이 급격하게 떨려 오고, 뱃속을 휘저어 대는 구역질에 목구멍을 타고 비릿한 핏덩어리가 울컥 넘어와 턱을 붉게 적시며 흘러내렸다.

섬뜩할 정도로 날카로운 고통이 심장을 들쑤셔 대자 붉은 눈동자가 초점을 잡지 못한 채 정신없이 떨려 왔다. 그리고는 마치 불씨가 꺼져 가는 듯 빠르게 빛을 잃어 가고 있었다.

"큭! 끄아악—!"

"주군! 주군!! 묵혼—!"

급박한 상황에 교령이 새파랗게 질린 얼굴로 절박하게 소리를 지름과 동시에 문이 거칠게 열리고 묵혼을 위시한 모두가 방 안으로 뛰어들었다.

"뭐야, 무슨…… 주군! 의원! 당장 의원을 데려와! 빨리—!"

"주군! 정신 차리십시오! 주군!"

"젠장! 몸이 차갑고 호흡이 약해! 주군! 숨을, 숨을 쉬십시오!"

"크윽— 헉! 허억!"

필사적으로 온몸을 주무르며 몸이 식어 가는 걸 막는 두 사람의 노력에도 환백의 호흡이 끊어질 듯 가늘어지며 잔뜩 웅크린 몸은 점차 얼음장같이 차가워져 갔다. 그렇게 얼마간 숨 막히는 현상이 이어졌을까.

온몸을 칼로 난도질하는 것 같은 고통이 잦아들었을 때, 흐릿한 빛을 끝으로 환백은 아득하니 끝도 없는 어둠 속으로 빠져들었다. 고작해야 일각도 지나지 않은 짧은 찰나 동안 벌어진 일이었다.

◈

낮은 침음성을 끝으로 고요한 방 안에 정적이 감돌았다. 깊은 고요 속에 잠식된 것만 같은 날카로운 침묵은 결코 흐려지지도, 사라지지도 않으며 갈수록 더 무겁게 내려앉았다. 하지만 그것도 잠시였다.

날카롭게 안광을 번뜩이며 당장에라도 갈기갈기 찢어발길 듯 살기를 흘리는 매서운 눈초리에 늙은 의원의 몸이 압박을 이기지 못해 부들부들 떨리고, 부복한 그대로 고개조차 들어 올리지 못했다.

"이유를 모른다? 그게 의원이라는 놈이 할 법한 말이냐!"

"힉! 하, 하오나 현재로서는 아무 이상이 없습니다. 소, 소인의 목숨을 걸고 장담할 수 있습니다!"

"하! 장담? 오냐, 그리 장담하니 하찮은 네놈 목은 내가 직접 베어 주마!"

교령이 화를 참지 못해 검을 빼어 들자 묵혼이 나지막이 한숨을 내쉬고 막아섰다.

"그만해라. 주군의 허락 없이 피를 볼 생각이냐?"

"젠장!"

"여기에서 있었던 일은 모두 잊어라. 함부로 입을 놀렸다간 네놈뿐만 아니라 가족들까지 모조리 죽음을 면치 못할 것이다."

"예, 예!"

늙은 의원이 기다시피 황급히 방을 나가고, 다시금 무거운 침묵이 흘렀다. 더 이상 할 수 있는 것이 없었다. 갑작스럽게 고통을 호소하며 환백이 쓰러진 후 의원을 들인 게 벌써 몇 번째인지 샐 수도 없다.

의원들을 다그치고 채근했지만, 그들 역시 고개만 내저을 뿐 아무런 답도 내어 놓질 않았다. 아니, 답은 모두가 한결같았다. 아무런 이상도 없이 잠을 자고 있다는 것.

하지만 문제는 그렇게 환백이 쓰러진 지 사흘이 지났다는 점이다. 핏덩이를 쏟아 내고 고통을 호소했던 건 고사하고 아무런 이상이 없다면 어찌 깨어나지 못한단 말인가.

게다가 그때 이후로 가슴 위로 시커먼 혈관이 도드라진 모습도 이상하다. 정확히 심장 위로 도드라진 몇 줄기의 혈관은 한눈에 보기에도 기괴하게 뒤틀려 엉킨 모양새였기 때문이다.

단순하게 넘기기에는 무언가 불길하지 않은가. 설마 무슨 일이 생기려는 걸 암시하는 것은 아닌지. 이상하게 불안을 떨쳐 내지 못하던 묵혼은 문득 황궁을 떠나올 때 했던 휘연의 말이 떠올랐다.

'만약, 만약 폐하께 무슨 일이 생기게 되면, 묵가와 암영제를 제외하고는 다른 이들은 모르게 조용히 황궁으로 모셔 오셔야 합니다. 아무도 모르게요.'

단호한 말이었다. 마치 무언가를 알고 있다는 듯이. 그때는 향하는 곳이 전쟁터이니 걱정에서 하는 말이라 쉽게 생각했었다. 하지만 지금 생각해 보면 그리 단순한 문제는 아닌 것 같다.

무언가 뼈가 있는 느낌. 옆에서 지켜본 휘연은 말 한 마디를 허투루 내뱉는 성정이 아니지 않은가. 헌데도 자신을 따로 불러 그러한 부탁까지 했다. 그건 곧 이러한 일을 예상하고 있었던 것은 아닐까.

"설마, 그럴 리가."

자신이 생각해도 터무니없는 결론에 무심결에 입 밖으로 중얼거리던 묵혼이 의아한 얼굴로 쳐다보는 교령과 조관을 보고 별일 아니라는 듯 고개를 내저었다. 아직은 확실하지 않았다.

선불리 판단할 필요도 없고 우선은 환백이 깨어나는 것이 먼저였다. 그 이후 만약 이 같은 일이 또다시 생긴다면 휘연의 말대로 최대한 빨리 황궁에 도착해야 할 것이다.

설사 이 일을 예상했든 안 했든 적어도 의술을 아는 휘연이라면 무언가 조치를 취해 줄 것으로 생각했다. 그러니 지금은 환백이 깨어나기를 기다리는 수밖에는 달리 도리가 없었다.

그렇게 결론 내린 묵혼이 갑갑한 가슴 언저리를 쓸어내리며 환백이 누워 있는 침상으로 시선을 돌렸다. 환백은 숨조차 내쉬지 않는 듯 조금의 미동도 없이 창백한 것이 마치 사기인형 같았다.

◈

짙은 어둠. 단 한 줄기의 빛조차 보이지 않는 어둠 속에서 온몸을 옥죄어 오는 고통에 몸부림쳤다. 이리저리 뒤틀고 닥치는 대로 손톱으로 심장을 긁어 대도 사라지지 않는 고통.

몸이 지옥불에 태워지듯 뜨겁다. 뜨겁고 뜨거워서 몸 안에 흐르는 피가 모두 증발해 버릴 것만 같다. 눈을 뜨고 싶어도 보이는 건 새카만 어둠뿐. 몸을 움직이고 싶어도 손가락 하나 까딱할 수 없다.

벗어나려 발버둥 칠수록 어둠은 더 무겁게 짓눌러 온다. 이곳이 어디인지 인식하지 못한 채 환백은 벗어나기 위해 이를 악물고 필사적으로 걸음을 떼었다.

'이곳을 벗어나야 한다. 벗어나 황궁으로 가야 한다.'

이 지독한 꿈에서, 끔찍한 고통에서 벗어나지 못하고 무너진다면 두 번 다시 휘연을 보지 못할지도 모른다는 사실이 환백은 더 두려웠다.

눈에서 귀에서 코에서 입에서 심장에서 주르륵 미지근한 온기를 담은 무언가가 흘러내린다. 그것이 피라는 것을 환백은 한 치 앞도 구분하지 못하는 어둠 안에서도 인식할 수 있었다.

채 몇 발짝도 걷기 전에 고통에 움츠리고 비명을 지르며 온몸을 비틀었다. 그러다가 다시 일어나 걷고 다시 쓰러지기를 반복하면서도 환백은 멈추지 않고 하염없이 어둠 속을 걸었다.

하지만 걷고 또 걸어도 끝이 보이지 않았다. 손을 내밀어 어둠 속을 더듬거렸지만 만져지는 것 또한 없었다. 끈적이며 죄어 오는 암담한 절망이 환백을 서서히 덮쳐 왔다.

이제는 자기 자신이 진정 존재하는 것인지조차 혼란스러워 절로 비명 같은 외침이 터져 나왔다. 그것은 단 한 번도 직면한 적 없었던 상황에 빠져 버린 공포에 가까운 비명이었다.

'누구…… 누구라도 좋아. 나를 이곳에서 꺼내 줘! 황후가, 휘연이 기다리고 있단 말이다!'

환백은 처음으로 무력해지는 자신에 피눈물을 흘리며 소리쳤다. 누구에게 하는 소리인지도 인식하지 않았다. 이 어둠을 빠져나갈 수만 있다면 무엇이라도 할 수 있었다.

하지만 환백의 필사적인 외침은 공허하게 어둠 속으로 흩어질 뿐 무엇 하나 되돌아오지 않았다. 목이 쉬어 쇳소리가 날 때까지 몇 번이고 반복되는 외침에도 바뀌지 않은 어둠은 남은 의지조차 꺾어 버렸다.

그렇게 모든 희망을 잃어버린 듯 더 이상 일어서려는 시도조차 하지 않은 환백이 시커먼 어둠에 거부 없이 동화됐을 때였다. 무한한 어둠 속에서 환백은 거짓말처럼 흐릿한 시야로 희미한 빛을 보았다.

처음에는 자신을 우롱하는 환상이라 치부하고 쓴웃음을 베어 물고 눈을 감던 환백이 점차 밝아지며 다가오는 빛에 화들짝 놀라 벌떡 일어났다. 그 빛 속에서 누군가가 자신의 이름을 불렀다.

'폐하…… 환백 님.'

'휘연? 휘연, 그대인가? 휘연!'

되돌아오는 대답은 없었지만, 환상이 아니었다. 분명히 그리도 그리워하던 휘연의 목소리였다. 그 사실 하나만으로도 환백은 몸을 옥죄는 고통조차 잊고 그 빛만 보고 달렸다.

넘어지고 깨어지고 나뒹굴면서도 목소리에 이끌려 오직 그곳을 향해 한 걸음씩 나아갔다. 마침내 아득하게만 보였던 빛이 손에 닿을 무렵 환백이 벌떡 상체를 일으켰다.

"허억! 크—!"

"주군!"

"주군! 정신이 드십니까?! 주군!"

미동도 없이 죽은 듯이 누워 있던 환백이 깨어남과 동시에 세 사람이 반색하며 다가갔다. 그런 세 사람을 인식하지 못하는 듯 한참이나 몽롱한 시선을 두던 환백이 깊게 호흡을 내뱉었다.

정신을 차리려는 듯 고개를 내젓자 땀으로 흠뻑 젖은 머리카락이 얼굴 위로 엉겨 붙었다. 환백은 짜증스러운 얼굴로 머리카락을 떼어 내며 혼란스러운 듯 미간을 찌푸렸다.

꿈이 아니었다. 끝도 없는 어둠, 절망. 심장을 칼로 난도질하고 생으로 쥐어뜯는 듯한 고통이 떠오르고, 환백은 바르르 떨리는 자신의 몸이 선명하게 느껴졌다.

두려운 것이다. 지금껏 수도 없이 목숨의 위협을 받아 오면서도 단 한 번도 두려움을 느끼지 못했던 자신이다. 하물며 전쟁터 한가운데서도 자신이 죽을 거라는 생각조차 하지 않았다.

헌데 두렵다. 무한한 어둠 속에서 느껴졌던 그 암담한 절망이. 그 끔찍한 고통이. 어쩌면 두 번 다시 휘연을 볼 수 없을지도 모른다는 사실이.

너무도 뚜렷하게 박힌 정신과 몸에 남아 있었던 끔찍한 고통을 이겨 내기는 쉽지 않았다. 하지만 지금은 고통이 생소한 꿈이었던 듯 아무런 통증도 느껴지지 않았다.

숨을 깊게 들이켜며 이불을 힘껏 끌어 쥐었다. 아직 동이 트지도 않은 새벽녘이었다. 환백은 혼란에 젖은 얼굴로 머리를 쓸어 넘기며 잔뜩 갈라진 목으로 간신히 말했다.

"내가…… 살아 있나?"

"갑자기 쓰러지시고 사흘 만에 깨어나셨습니다."

"사흘?"

"예. 의원들이 몇 명이나 다녀갔는데도 아무 이상이 없다고만 해서 막연히 기다리던 중이었습니다."

그동안 있었던 일의 보고를 올리는 교령의 말을 묵묵히 듣고 있던 환백이 자신의 가슴팍을 내려다보며 살포시 미간을 찌푸린다 싶더니, 곧바로 자리를 털고 일어났다.

"황궁으로. 당장 출발한다."

"주군! 아직 움직이시면 안 됩니다. 만약 또 이런 일이 있으면……."

다급하게 환백을 막아서며 걱정스럽게 말끝을 흐리는 묵혼의 행동에 잠시 멈칫거린 환백이 무언가를 생각하는 듯 미간을 찌푸렸다. 갑자기 찾아온 끔찍한 고통, 의원들의 한결같은 대답.

그리고 그 생경한 어둠. 암습을 당한 것도 아닌 상황에서 아무리 생각해도 원인이 무엇인지조차 떠오르지 않았다. 그렇지만 묵혼의 말대로 또 이 같은 일이 일어나지 않을 거라는 보장도 없었다.

만약 또 일어난다면 자신은 어찌해야 하는가. 또다시 그 어둠 속에 혼자 갇혀 절망에 빠져야 하는가. 그 생각만으로도 소름이 돋고 치가 떨리는 느낌에 환백이 주먹을 불끈 끌어 쥐었다.

결론은 이미 나왔다. 설사 또다시 그런 일을 겪는다고 해도 이대로 있을 수는 없었기 때문이다. 아니, 오히려 더 빨리 황궁에 도착해 휘연을 봐야만 할 것 같았다.

그 암담한 절망 속에서 한 줄기 빛으로 다가왔던 휘연을. 반드시 그래야만 답을 알 수 있을 것만 같았다. 무언가 알 수 없는 불안감이 환백을 그리 몰아가고 있었다.

"출발한다."

"주군!"

"만약…… 내가 또 쓰러진다면 마차를 준비해라. 설사, 내가 죽어 가더라도 멈추지 말고 움직여."

환백의 단호한 명령에 더 이상 토를 달지 못하고 세 사람은 참담한 얼굴로 고개를 숙였다. 그들로서도 이곳에 있어 봐야 소용이 없다는 걸 알기에 막지 못하는 것이다.

단지 더는 같은 일이 일어나지 않기를 간곡히 바라는 수밖에 없었다. 그러나 모두의 우려는 한낱 기우가 아니었던 듯 진정한 악몽은 그날 저녁부터 시작이었다.

❖

한동안 조용하던 황궁이 비설의 출산으로 소란스러워졌다. 죄인 신분이라고는 하나 환백과 효헌을 제외한 황족이 모두 죽은 상황에서 황가의 새로운 핏줄이 태어남은 경사나 매한가지기 때문이다.

그러나 안타깝게도 기쁨은 오래가지 않았다. 사흘 전부터 산통을 겪기 시작하고, 근 하루하고도 반나절의 난산 끝에 태어난 아이는 모든 이들이 그렇게도 바라는 아들이 아닌 딸이었다.

그 사실에 실망한 효헌과 대소신료들과는 달리, 휘연은 가만히 미소 지으며 비설이 깨어나면 소식을 전하라 명을 내리고 아이를 안고 황후궁 안에 마련된 장소로 자리를 옮겼다.

새로 태어날 아이들을 위해 이미 유모와 모든 것을 갖춘 방이었다. 그렇게 황궁 안으로 수군거림과 아쉬움이 감돌 때, 해산을 하고 정신을 차리지 못하던 비설이 깨어나고 또 한 차례 소란이 일고 있었다.

"거짓말! 딸이라니. 황태자가 아니라니! 거짓말이다! 이년들! 네년들이 거짓을 고하는 것이지? 말해! 죽고 싶지 않으면 당장 사실대로 고하지 못할까!"

"후우, 딸이라고 몇 번을 말씀드렸지 않습니까?"

"거짓말하지 마라! 내가 하찮은 딸 같은 걸 낳을 리 없어! 데려와! 당장 내 아들을 데려오란 말이다!"

벌써 일각이 넘어섰다. 정신을 차리자마자 딸인지 아들인지부터 물었던 비설에게 딸이라는 말을 하자마자 닥치는 대로 집어 던지며 패악을 부리는 통에 내관들이 질린다는 얼굴로 외면했다.

결국, 참다못해 비설의 앙칼진 외침을 무시한 내관들이 방을 나서려고 할 때였다. 문이 벌컥 열리고 효헌과 병사들이 들이닥치자, 그제야 비설의 얼굴이 경악과 공포로 물들었다.

"무, 무슨 일이오! 이게 무슨 짓입니까, 왕야?!"

"몰라서 묻는가? 그대도 짐작하고 있을 터인데?"

효헌의 삐뚜름한 물음에 비설의 얼굴이 새하얗게 질렸다. 비설 또한 짐작하고 있었기 때문이다. 단지 그동안 당당할 수 있었던 건 아들을, 황태자를 낳을 거라는 자신감에서였다.

그러나 내관들의 말이 거짓이 아닌 진실이라면, 아들이 아닌 딸을 낳았다면 자신은 살아날 길이 없었다. 그러한 결론에 비설이 덜덜 떨리는 손으로 효헌의 바짓가랑이를 붙들고 애원을 쏟아 냈다.

"왕야, 살려 주십시오. 살려 주십시오! 비록 딸이라 하나 첫 황가의 핏줄을 낳았지 않습니까? 제발, 제발 목숨만이라도 살려 주십시오! 왕야, 제발."

"쯧, 추하군. 그리 목숨이 귀했다면 진작에 그 못된 성정을 고쳤어야지. 회임하고도 정신 못 차리고 패악을 부린 것을 잊었는가?"

"아, 안 돼. 안 돼! 이렇게 죽을 수는 없어! 마마를, 황후마마를 뵙게 해 주십시오! 이거 놔라! 이놈들! 감히 누구 몸에 손을 대는 것이냐?! 왕야! 황후마마를 뵈야 합니다! 제발, 황후마마를 뵙게 해 주십시오! 왕야!”

비설은 효헌에게서 떼어 내려는 병사들의 손을 쳐 내고 필사적으로 매달렸다. 다른 사람은 몰라도 휘연이라면 자신을 온전히 살려 줄 것이다. 자신이 살아날 길은 그것뿐이었다.

오직 살고자 하는 이념으로 비설은 회임을 하고도 온갖 독설을 퍼부으며 패악을 부렸다는 사실까지도 잊은 듯 휘연만을 찾았다. 그런 비설의 파렴치한 행태에 기가 막힌 듯 효헌의 얼굴이 와락 구겨졌다.

“재고할 가치도 없는 년이군. 뭣들 하느냐? 이년을 당장 끌어내라!”

“아, 안 돼! 놔라! 놔! 아악! 이럴 수는 없습니다, 왕야! 황후를, 내 앞에 황후를 데려오십시오!”

“시끄럽군. 입을 막아라.”

“꺄아악—! 저리 가! 저리…… 읍!”

눈에 핏발을 세우며 발광하고 울부짖고 닥치는 대로 손톱으로 병사들의 얼굴을 할퀴며 발악했지만, 사내들의 힘을 이겨 내지 못하고 끝내 입에 재갈이 물린 상태로 비설은 힘없이 끌려 나갔다.

수나라에서 세 번째로 권력의 중심이었던 우문세가의 딸로 태어나 호사를 누리며 허영과 사치에 빠져 자랐고 황제의 정식 부인인 황비의 자리까지 오른 여인.

천성이 이기적이고 교만하여 부모와 일가친척이 모두 죽은 후에도 황제의 핏줄을 회임한 덕분에 살아남았으나, 황태자를 낳을 거라는 근거 없는 자신감으로 온갖 패악을 일삼았다.

그러나 죄는 지은 대로 받는다고 했던가. 그녀의 꿈은 한낱 백일몽이었던 듯 이미 운명의 길은 정해져 있었고, 그 말로 또한 비참하기 이를 데가 없었다.

역사상 가장 강한 절대 권력을 가진 황제의 첫 아이를 낳았음에도 자식을 품에 한 번 안아보지도 못하고 그렇게 그녀는 며칠간 이어지는 끔찍한 고문 끝에 감옥 안에서 조용히 목숨을 잃었다.

❖

소현황녀(昭顯皇女) 화영(華英). 법도대로라면 역모죄에 속한 폐황비 혜원의 소생으로 황녀로서의 이름조차 받지 못하고 황궁에서 내치는 게 옳았으나, 황후인 휘연 덕분에 정식으로 황적에 입적했다.

그렇다고 이를 두고 논란이 전혀 없었던 것도 아니었다. 역모죄란 그만큼 대죄에 속했고, 제아무리 귀한 황가의 핏줄이라 해도 대를 이을 황자가 아닌 바에야 법도대로 처리하는 게 옳다는 주장이 나온 것이다.

하지만 논란은 며칠도 가지 않아 가라앉았다. 이 모든 걸 예상하고 미리 준비하고 있었던 휘연이 직접 나서 대소신료들을 설득하고, 효헌이 동조하고 나섬으로써 더 이상 법도를 따질 수도 없었기 때문이다.

무엇보다 환백의 사랑을 독차지하고 가뭄과 역병을 타개한 현명하고 어진 황후를 감히 거스르고 싶지 않은 이유이기도 했다.

그렇게 갓 태어난 황녀는 비참한 최후를 맞은 어미와는 다른 운명을 걷기 시작했다.

"사랑스럽구나. 참으로 예뻐."

가만히 아기를 품에 안고 내려다보는 휘연의 얼굴에 미소가 번졌다. 아직 며칠이 되지 않아 너무도 작은 아기는 실제로도 사랑스러웠다. 그런 휘연과 아기를 번갈아 보던 무영이 고개를 갸웃거렸다.

"어째, 황녀님이 꼭 황후마마를 닮으신 것 같사옵니다. 아소 형님이 보기에도 그렇지 않습니까?"

"그렇구나. 가만 보니 머리카락색도 그렇고, 이목구비도 마마를 닮으신 것 같네."

"그럴 리가 있느냐. 아기의 얼굴은 구분이 어려우니 그렇게 보이는 것이겠지."

"하오나 마마. 보십시오. 혜원께서는 밝은 갈색이온데 황녀님은 흑단 같은 검은색이 아닙니까?"

신기해하는 두 사람의 말에 휘연이 피식 웃었다. 밝은 갈색이면 어떻고 검은색이면 어떤가. 삭막한 황궁이 아기가 태어남으로 좀 더 밝아질 수 있다는 사실만으로도 축복이었다.

그래도 내심 자신을 닮았다는 말이 싫지 않은 듯 숱이 적은 아기의 검은 머리카락을 조심스럽게 쓰다듬는 휘연의 입가가 부드러운 호선을 그렸다.

하지만 그것도 잠시, 문득 떠오른 사실에 휘연의 미간이 살포시 찌푸려졌다. 황녀가 태어난 지 닷새나 지났음에도 아직 비설이 깨어났다는 연락이 없어서였다.

“함정당에서 소식은 없느냐?”

“예. 아직 깨어나지 못한 것 같사옵니다.”

“아무래도 난산이다 보니 내궁의가 따로 처방했을 것이옵니다. 곧 소식이 올 터이니 기다려 보시옵소서.”

아무리 난산이라 하나 벌써 닷새가 지났다. 헌데도 아직 깨어나지 않았다는 건 필시 무언가 잘못됐다는 것이다. 생각이 거기까지 이르자 휘연이 조심스럽게 아기를 유모에게 넘기고 자리에서 일어났다.

왜인지 불안했기 때문이다. 비설이 깨어나는 대로 알리라고 명을 따로 내렸기에 안일하게 생각하고 있었던 자신을 질책하며 휘연이 황급히 방을 나설 때였다. 그보다 앞서 효헌이 방 안으로 들어섰다.

“왕야?”

“불쑥 찾아와서 송구합니다. 하오나 더 이상 함정당에는 가실 필요 없습니다, 마마.”

갈 필요가 없다니? 그 좋지 않은 말에 휘연의 심장이 불길하게 반응하기 시작했다.

“그게…… 무슨 말씀이십니까?”

“명을 따르지 못했음을 용서하십시오, 마마.”

휘연은 순간 너무도 섬뜩해서 소름이 돋았다. 효헌의 난감한 기색이 뜻하는 바를 쉽게 짐작할 수 있어 가슴이 내려앉았다.

“설마, 아니지요? 왕야, 아니지요?”

"후우, 아시지 않습니까? 그녀는 대역 죄인입니다. 그리고 그녀에 한해서는 형님께서 직접 명을 내리셨습니다."

효헌의 말을 끝으로 정적이 흘렀다. 충격받아 그대로 얼어붙은 듯 언제나처럼 정제된 올곧은 눈동자가 짙은 아픔과 공허함을 담고 있지 않았다면, 숨을 쉬는지를 의심했을 정도로 휘연은 아무런 움직임도 보이지 않았다.

그렇게 짧은 찰나가 지났다. 안절부절못하던 효헌이 조심스럽게 한 발짝 다가서자 순간 경직된 휘연의 눈동자에 균열이 일고 이내 흐릿하게 변했다. 그 후, 휘연에게서 억지로 비집고 나온 듯한 억제된 목소리가 흘러나왔다.

"제게 약조하지 않았습니까? 그녀를 한 번 더 설득할 수 있게 기회를 주신다고 약조하지 않았습니까?"

효헌은 아무런 말도 하지 못하고 시선을 피했다. 분명히 자신이 그리 약조했었기 때문이다. 그때는 휘연을 안심시키기 위해 필요하다면 거짓 약조쯤이야 가볍게 생각한 것이다.

무엇보다 황궁을 떠나기 전 환백이 내렸던 명령은 절대적이었다. 그동안 비설의 만행을 알면서도 휘연 때문에 죽이지 못한 것이지만, 해산한 후에는 가장 잔인하고 처참하게 죽이라는 명령이었다.

자신 또한 비설의 파렴치한 행태에 걸맞은 죽음이라 생각했으나, 상대가 휘연이기에 효헌은 못내 미안한 듯 시선을 맞추지 못했다. 그런 효헌을 보며 휘연은 입술을 질끈 깨물었다.

"정무를 보셔야지요. 그만 돌아가십시오."

"……마마."

"왕야를 탓하려는 게 아닙니다. 그 또한 그녀의 운명인 것을 어찌하겠습니까."

운명이 그리 정해져 있었다면 효헌을 탓한들 무슨 소용일까. 오히려 막을 수 있다고 어리석게 자만하고 있었던 자신을 탓하는 게 더 맞는 이치라 휘연은 쓴웃음을 베어 물었다.

단지 끝내 눈에 밟히는 건 갓 태어난 어린 황녀였다. 무슨 죄가 그리도 무거워 어미의 품에 한 번도 안겨 보지도 못했는지, 그 기구한 운명에 휘연은 가슴이 아프게도 쓰려 왔다.

"미안하구나. 지켜 주지 못했어."

혹여 상처라도 입힐세라 조심스럽게 황녀를 안아 들고 나직하게 속삭이는 휘연의 목소리가 씁쓸함을 담고 흘러나왔다. 그런 휘연을 올려다보는 황녀의 검붉은 눈동자가 마치 말을 알아듣기라도 하는 듯 잘게 흔들렸다.

그럴 리가 없다는 걸 알면서도 그 묘한 떨림을 담은 눈동자에 시선을 맞춘 휘연이 물기가 차올라 흐릿한 눈을 가리려는 듯 가늘게 미소를 지었다. 바람 한 자락에도 바스러질 듯한 아련한 미소였다.

'너를 위해서 지키고자 했는데. 이 가여운 아이를 어찌하면 좋단 말인가.'

비록 황녀로 입적했다고는 하나 낳아 준 어미가 그리 떠나고, 아비에게까지 배척받는 처지라면 다른 사람의 행동도 불 보듯 뻔할 것이다. 과연 진심으로 위해 주는 사람이 있을지.

지탱해 주는 이도 없이 홀로 이 삭막한 황궁에서 자라나야 할 황녀의 앞길이 평탄하지만은 않을 것 같아 휘연은 가슴이 답답했다. 자신이라도 버텨 주고 싶으나, 그 또한 안 되는 걸 어찌할까.

하루가 다르게 천살성의 빛이 흐려지고 있는 지금, 어쩌면 달포도 남지 않은 시간이 함께 할 수 있는 전부인 것을. 또다시 슬그머니 고개를 쳐 드는 미련 같은 욕심에 휘연은 가만히 눈을 감았다.

그와 동시에 선명하게 떠오르는 환백의 모습이 순식간에 머릿속을 빼곡하게 채운다. 사소한 표정 하나부터 아프고 슬펐던 기억 모두가 마치 뇌리에 깊숙이 박힌 듯 잊히지 않았다.

첫 만남은 흉포한 살기를 흘리는 걸로 시작해 순응하고 받아들여야 한다는 걸 알면서도 경멸을 담은 비웃음이 돌아올 때면 가슴이 지독히도 아팠었다.

욕정에 탁하게 흐린 눈으로 매달리듯 안아 오던 그 격렬함에 정신없이 빠져들었고, 퉁명스럽다가도 눈치를 살피는 초조한 모습에 따뜻한 말 한 마디 해 주지 못한 것이 못내 마음에 걸린다.

그리고 단 한 마디를 듣고자 상처받고 어찌할 바를 몰라 아픈 눈을 하고 애원하던 모습은 이 육신의 생이 다하는 그날까지 잊지 못하고 앙금으로 남을 것이다.

'그러니 돌아오십시오. 들으셔야지요. 아무리 고통스러우셔도 참고 인내하셔야 합니다. 그래서 이곳으로, 제 곁으로 돌아오셔야지요. 마지막 제 말은 들으셔야지요.'

끝내 어찌하지 못한 마지막 욕심. 그것 하나만은 떨치지 못하는 휘연의 간절한 바람이었다.

❖

관도를 따라 새하얀 백마를 선두로 전투마들이 전속력으로 질주하고 있었다. 바로 환백의 일행이었다. 이대로 한 시진만 더 속력을 낸다면 큰 도읍지인 창주(滄州)에 도착할 수 있다.

이렇듯 서두르는 이유는 지난 열흘간 환백의 신상에 문제가 있었기 때문이다. 더 정확히는 열흘 전 이유도 없이 고통을 호소하며 사흘간 쓰러진 이후부터였다.

심장 위로 도드라진 기이한 혈관 외에는 아무런 이상이 없었던 몸에 안심한 것이 무색하게, 해가 지고 달이 뜨면 환백은 어김없이 밤새도록 끔찍한 고통에 시달린 것이다.

그리고 다음 날 해가 뜨면 고통은 거짓말처럼 말끔히 사라졌다. 그 기가 막힌 사실에 처음 며칠간은 상황 판단을 못 하고 허둥지둥거렸고, 자연히 황도로 향하는 일정 또한 늦어졌다.

그나마 처음처럼 며칠간 혼절하는 사태까지는 벌어지지 않았지만, 매일같이 끔찍한 고통을 겪어야 하는 환백이나 주군의 처절한 비명을 들으며 밤새도록 지켜 봐야 하는 이들의 심정은 말로 다할 수 없을 정도로 참담했다.

아무리 이름난 의원을 불러도 대답은 한결같았고, 손 한 번 써 보지 못하고 고스란히 지켜보며 하루하루가 다르게 메말라 공허하게 텅 비어 가는 눈을 똑바로 마주하는 것조차 죄스러울 지경이었다.

아마도 황궁으로 돌아가는 목표마저 없었다면 견디지도 못했으리라. 그만큼 환백이 겪는 고통은 지독했고, 끔찍했으며 처절했다. 그러나 고통이 사라지는 아침이면 절대 표현하지 않았다.

밤의 고통은 한낱 허망한 악몽에 지나지 않는다는 듯 아침이면 묵묵히 전속력으로 관도를 따라 움직이고, 밤이면 마을에 들러 잠시의 쉴 틈도 없이 마차로 이동했다.

쉬고 싶어도 혹여 도착하기도 전에 잘못될 것을 우려해 아무도 불평불만을 터트릴 수 없었다. 오직 황궁에 무사히 도착하는 것만이 목표인 것처럼 그렇게 강행군을 해 온 것이다.

"주군, 도착했습니다."

"다들 지쳤을 테니 오늘은 이곳에서 쉬어 간다."

서서히 기울어 가는 해를 바라보는 고요한 눈동자와 담담한 말투 이면에는 음습함이 있었다. 그 목소리에서 느껴지는 고통에 모두의 얼굴이 일그러졌으나, 누구 하나 입을 열지는 않았다.

그저 침묵하며 지켜볼 뿐. 애초에 할 수 있는 건 아무것도 없었다. 그렇게 며칠 만에 찾아온 휴식임에도 하나같이 긴장한 얼굴로 하늘만 힐끔거렸다. 조금이라도 더 해가 길어지기를. 지금 이 순간 모두가 같은 마음이리라.

그러나 그조차 부질없는 짓에 지나지 않는 것을. 객잔 하나를 통째로 빌려 눈앞에 진수성찬을 차려 두고도 누구 하나 선뜻 손을 대지 않았다. 그건 별채에 든 환백과 세 사람도 매한가지였다.

"주군, 조금이라도 드십시오. 며칠이나 제대로 식사를 하지 못하셨습니다."

"됐다. 보고부터 해."

매정할 정도로 단박에 거절하는 환백의 말에 교령이 나지막하게 한숨을 내쉬고 보고를 시작했다. 어차피 먹어 봐야 밤이면 핏덩이와 함께 토해 낼 것이라는 걸 알기에 더는 권하지 못하는 것이다.

"잔당들이 야만족의 경계 안으로 들어간 흔적을 확인하고 토벌을 시작했다고 합니다만, 아무래도 밀림이 방대하니 시일은 소요될 것으로 보고 있습니다."

"그리고 각 마을의 관아는 깨끗이 정리하고 비워 놓은 상태입니다. 또한……."

곳곳에서 올라오는 보고를 들으며 지시를 내리는 환백의 표정은 지극히 건조했다. 황궁에서 오는 서신을 직접 읽을 때 외에는 환백의 얼굴에서 표정이 사라진 지는 오래전 일이었다.

마치 모든 걸 받아들이고 담담하게 무언가를 준비하는 듯한 느낌. 그럴 때면 지켜보는 이들로서는 심장이 덜컥 내려앉는 불안감이 엄습해 왔지만, 결코 겉으로 내색할 수는 없는 노릇이었다.

그렇게 담담한 대화가 얼마나 이어졌을까. 계속해서 초조한 표정으로 창밖만을 힐끔거리던 조관의 미간이 일그러지고, 몇 번을 달싹거린 끝에 잔뜩 갈라진 목소리가 어눌하게 흘러나왔다.

"해가…… 지고 있습니다, 주군."

조관의 말에 어깨를 움찔거리는 두 사람과는 달리 환백은 여전히 무표정한 얼굴로 조용히 자리에서 일어났다.

"아무도 들어오지 마라."

세 사람의 참담하게 일그러진 얼굴을 아는지 모르는지, 환백은 단호하게 말을 내뱉고 굳은 얼굴로 침실로 들어갔다. 이제부터 새벽녘까지 오롯이 혼자만의 시간이었다.

비록 스스로 목숨을 포기하고 싶으리만치 끔찍한 시간이라 하나 어떻게든 혼자 겪어야 하는 것이다. 무엇 때문에 이런 고통을 겪어야 하는지, 그 연유가 무엇인지는 더 이상 중요하지 않았다.

그저 바라는 게 있다면 황궁에 돌아가 사랑하는 연인을 두 눈에 담을 때까지만 살아 있기를 원했다. 설사 그게 마지막이라 해도, 그리할 수만 있다면 환백은 제아무리 끔찍한 고통이라도 참을 수 있었다.

그러한 목표마저 없었다면 지금껏 어찌 견딜 수 있었을까. 문득 환백의 입술을 비집고 메마른 웃음소리가 새어 나오며 침상 위로 정좌하고 나서야 시야를 가리듯 눈을 감았다.

지쳐 있는 눈 위를 손으로 덮으며 긴장을 숨기지 못하고 몇 차례 나직하게 내뱉는 숨은 한숨 같기도 하고 신음 같기도 했다. 그렇게 찰나가 지났을 때였다.

순간 심장 위를 가로지르는 통증에 환백은 이를 악물고 주먹을 끌어 쥐었다. 이제 시작이다. 심장이 거칠게 날뛰기 시작하고 뒤틀린 속이 메슥거려 왔다.

손끝과 온몸이 가늘게 떨리며 마치 누군가가 뇌를 사정없이 후려치고 심장을 움켜쥔 채 터트릴 듯 주무르는 것 같아 숨을 내쉴 수가 없었다.

고통의 강도가 높아질수록 머릿속으로 요사스럽도록 음침한 웃음들이 퍼져 나가고, 찢어지는 비명이 피를 토하듯 쏟아져 나오며 환백의 얼굴이 하얗게 굳은 채 질려 가고 있었다.

'휘연. 휘연!'

두렵다. 이대로 마지막이 될 것 같아 환백은 두려웠다. 두 번 다시 휘연을 보지 못한다는 사실만으로도 심장까지 갈기갈기 찢겨 끝이 보이지 않는 심연의 나락으로 추락하는 것만 같았다.

그 암담한 절망에 빠지지 않기 위해, 아득해지는 정신을 붙들기 위해 환백은 필사적으로 휘연을 떠올리며 이를 악물었다. 세상 그 무엇보다 소중한 자신의 연인을. 운명으로 엮인 유일한 반려를.

포기할 수 없다. 그 사랑스러운 사람을 어찌 포기한단 말인가. 만날 수만 있다면 지옥불에 던져지는 고통이라도 능히 견디리라. 그래서 반드시 말해 줄 것이다.

그동안 무지로 죄를 짓고도 잘못도 빌지 않았던 어리석은 자신의 과오를. 앞뒤 분간 없이 사랑해 달라 생떼를 부린 멍청함을. 그리고 가슴 절절한 자신의 사랑을.

"크윽— 끄으윽!"

환백은 부들부들 떨리는 몸을 잔뜩 웅크린 채 피눈물을 흘리는 눈을 질끈 감았다. 밀려오는 것은 가슴을 짓이기는 듯한 그리움. 온몸을 엄습하는 끔찍한 고통조차 그리움을 밀어내지 못하리라.

'돌아가겠다! 기다려라, 휘연. 반드시, 반드시 너에게 돌아가겠다!'

◈

전쟁이 끝난 지도 달포가 넘어가자, 또 한 차례 천하가 경악했다. 죽음의 불모지, 야만족의 경계로 더 잘 알려진 방대한 밀림이 잿더미로 변한 것이다.

풀 한 포기조차 살아남지 못한 완전한 죽음의 땅으로. 그 일을 두고 천하가 술렁이며 대체로 쉬쉬하는 말은 두 종류였다.

혹자는 그곳에 괴물들이 살고 있어 친히 황제가 토벌한 것이라 하고, 혹자는 피에 미친 잔인한 황제에 대한 두려움이 그것이었다.

하지만 그 일도 다시 며칠이 지나지 않아 소리 없이 가라앉았다. 휘연이 미리 손을 써 나라 곳곳에 진상을 밝힌 벽보를 붙이게 한 것이다.

벽보엔, 전쟁이 끝나기도 전에 예, 후, 한의 왕자들과 귀족들이 자신들의 백성을 버리고 그곳으로 도망을 친 사실과 극독을 품은 동 · 식물, 식인의 풍습을 가진 야만족의 위험성에 관한 내용이 담겨 있었다.

그 때문에 부득이하게 야만족의 경계를 토벌한 것이라는 사실에 반신반의하며 두려움에 떨던 백성들은 오히려 황제를 환호하며 옹호하고 나섰고, 야만족과 백성들을 버리고 도망친 이들의 말로를 당연하게 받아들였다.

본시 배운 것이 없어 떠도는 소문 하나에도 휩쓸리기 쉬운 미천한 백성일수록 뚜렷한 답을 얻지 못하면 부화뇌동하기에 휘연의 조치는 적절하게 먹힌 것이다.

그렇게 환백은 천살성을 타고나 무수한 피를 뿌리고도 역사상 유례가 없는 절대적인 지지를 받을 수 있었다. 바야흐로 대륙 전체를 아우르는 절대 권력의 황제로서 공고히 한 것이다.

"후우, 이것으로 끝을 맺어 가는 것인가."

단 한 사람으로 인해 수십만이 죽어 나갔다. 그들이 뿌린 피가 대지를 붉게 적시고 절절한 고통을 담은 통곡 소리는 고스란히 하늘에 닿았으리라. 진정 이것이 천제께서 원하는 일인지.

제아무리 죄는 지은 대로 되돌려 받는다고는 하나, 그 대가가 너무도 크지 않은가. 지아비를 잃고 자식을 떠나보내고, 형제와 연인을 잃고도 가슴으로 스미어드는 첩첩한 한을 하소연할 곳도 없을 것이다.

그런 백성들에게 자신이 무엇을 해 줄 수 있을까. 아무것도 없었다. 고작해야 연명할 수 있는 물질적인 작은 도움 외에는 휘연이 해 줄 수 있는 건 아무것도 없었다.

아니, 오히려 뻔히 알면서도 그들의 눈과 귀를 가리고 오직 환백을 굳건하게 하는 일에만 매달렸다. 대륙 전체에 미치는 살기와 광기를 몇 마디의 말로 정당하게 포장한 것 또한 자신이지 않은가.

그리해 놓고 이제 와서 괴로워한들 무슨 소용일까. 이 또한 가식에 지나지 않는 일이라 휘연은 일그러진 얼굴로 쓴웃음을 베어 물었다. 대(大)를 위해 소(小)를 희생하는 것.

그러나 그것이 과연 옳은 것인가를 따지자면 결코 답을 내릴 수는 없으리라. 생명은 누구에게나 소중한 것이거늘, 제아무리 인과응보에 따른 천벌이라 하나 두 번 다시 겪고 싶지 않은 끔찍한 결과라는 건 바뀌지 않은 현실이었다.

그리고 자신이 마지막까지 짊어지고 가야 할 소임이자 업보의 무게라는 사실에 휘연은 차마 입 밖으로 내뱉지 못할 많은 말들을 짓눌린 탄식으로 쏟아 낼 수밖에 없었다.

"마마, 왕야께서 오신다고 기별이 왔사옵니다."

"알현실로 모셔라."

살짝 문이 닫히는 소리에 휘연이 처리 중이던 궁내부의 일을 잠시 미뤄 두고 살포시 미간을 찌푸리며 나지막이 한숨을 내쉬었다. 그런 휘연의 얼굴 위로 피로가 짙게 드리워져 있었다.

사실상 몸이 열 개라도 부족할 판이다. 황궁의 모든 내정을 보는 것만 해도 일이 산더미처럼 쌓인 데다 두 사람에게 의술과 학문을 가르치고 매일같이 황녀와 유자운을 찾아가는 것도 소홀히 하지 않았기 때문이다.

하다못해 내정 일을 도와줄 황비나 후궁이라도 있으면 모를까, 내관들로 하여금 6국을 두어 일을 담당하고는 있지만, 어차피 그조차도 자신의 최종 허락이 떨어져야만 하는 일이다.

그렇다 보니 현재 모든 업무를 휘연 혼자 감당해야 하는 것이다. 그러나 정작 문제는 앞으로다. 자신마저 떠난 후에는 어찌해야 할지.

답답하게 가슴을 짓누르는 막막함에 절로 무거운 한숨을 내쉬던 휘연은 문득 머릿속을 채우는 한 가지 사실에 쓰디쓴 웃음을 지었다.

'폐하께서 새로운 황후와 황비를 들이시면 되겠지만…… 사람 마음이라는 게 이리도 간사스럽구나.'

단순히 싫은 것인가. 그도 아니면 투기인가. 환백을 위해서는 그리하는 것이 마땅한 일이거늘, 어찌 이리도 주체할 수 없이 쓰라린 것인지. 휘연은 순식간에 떠오르는 환영에 곧 고개를 내저었다.

욕심은 금물이다. 어차피 자신의 운명은 정해져 있었고, 그 끝을 목전에 두고 있는 것을. 뻔한 결과 앞에 욕심이 다 무슨 소용인가. 그조차도 부질없는 짓이다.

아니, 오히려 수나라와 환백을 위해서라도 반드시 그리해야만 할 것이다. 무엇보다 황녀와 태어날 황태자를 든든히 지켜 주자면 그 길밖에는 없었다.

그리고 자신은 그 기반을 준비해야만 한다. 그런 생각 끝에 간신히 복잡한 머릿속을 정리하고 자리에서 일어나 집무실을 나가는 휘연의 미간에 깊게 골이 파였다.

하지만 그 모습도 오래지 않아, 효헌이 기다리고 있는 알현실에 도착하고는 무슨 일이 있었느냐는 듯 평온한 표정을 유지하고 있었다.

"늦었습니다. 오래 기다리셨습니까?"

"아닙니다. 저도 이제 막 당도한 참입니다."

"혹 폐하께 연락이 온 것입니까?"

그렇지 않다면 서로 바쁜 와중에 일부러 들르지는 않았을 것이라 당연하게 묻는 휘연의 말에 효헌의 어깨가 미세하게 움찔거렸다.

"예. 앞으로 이레 안에 도착할 수 있을 것 같다고 합니다."

평소라면 휘연이 묻기도 전에 이것저것 장황하게 말을 늘어놓고 대화를 이어 갔을 효헌이 대답만 하고 곧바로 입을 꾹 다물고, 초조한 기색으로 올곧게 부딪혀 오던 시선을 힐끔거리며 피했다.

마치 무슨 말을 어떻게 꺼내야 할지를 몰라 눈치를 살피는 모습에 휘연이 나지막이 한숨을 내쉬고 담담하게 말을 이었다. 그러나 효헌으로서는 결코 담담하게 들을 수 없는 말이었다.

"굳이 숨기시지 않으셔도 됩니다. 아마도 지금쯤이면 고통이 극에 달하셨겠지요."

"마마! 어찌 그걸……."

효헌은 경악했다. 자신도 오늘 서신을 받고서야 환백의 신상에 문제가 생겼다는 걸 알게 된 것이다. 그것도 평소와 같이 휘연의 걱정만을 담은 환백의 서신과 함께 비밀리에 동봉

한 교령의 서신을 받고서야 알게 된 사실이었다.

헌데 휘연은 어찌 알고 있단 말인가? 혹 교령이 자신에게 보내기 전에 따로 연락을 취한 것인가? 하지만 그렇다고 보기에는 휘연의 표정은 지나치게 담담하다.

게다가 휘연의 말은 단순히 연락을 받은 것 이상으로 무언가를 알고 있는 느낌이라 효헌은 몇 차례나 머뭇거린 끝에야 혼란을 감추지 못한 채 물었다.

"저기, 마마. 혹 따로 연락을 받으신 것입니까?"

"아닙니다. 그보다 왕야, 폐하께서 황궁에 도착하시는 날 본궁을 비워 주십시오."

"예? 본궁을 비워 달라니, 그게 무슨 말씀이신지."

의아하게 되묻는 효헌의 말에 휘연은 무언가를 생각하는 듯 창밖을 내다보며 미간을 찌푸리다가 이내 나직하게 한숨을 내쉬며 고개를 돌렸다.

"천살성을 아십니까?"

"천살성이라면, 전설의 살성이 아닙니까?"

"폐하께서는 천살성을 타고나셨습니다."

"그, 그게 무슨!"

휘연의 담담한 말에 효헌은 마치 못 들을 걸 들었다는 듯 벌떡 일어났다. 환백이 천살성이라니? 천살이라 하면 광기와 살기로 피를 뿌리고 재난을 부르는 흉성이 아닌가.

하물며 천살성은 전설 속에서나 존재하는 것이다. 비록 문헌에 천살성이 나타났다는 말은 있었지만, 사실로 보기에는 근거가 모자라 효헌은 대수롭지 않게 생각하고 있었다.

헌데 환백이 천자를 뜻하는 자미성도 아닌 천살성이라니? 그걸 어찌 믿으라는 것인지, 효헌이 말을 잇지 못하고 입술만 달싹거리자 휘연이 쓰게 웃으며 말을 이었다.

"천살성은 허구도, 전설도 아닙니다. 폐하로 인해 수십만이 죽어 나간 것도, 가뭄과 역병이 도는 것도 이미 오래전에 준비된 운명이지요."

효헌의 얼굴이 새하얗게 질렸다. 다른 사람은 몰라도 자신이 보고 겪은 휘연은 말 한 마디를 허투루 하지 않는다. 그렇다면 지금의 말 또한 사실이라는 것이 아닌가.

"끄응. 허면…… 지금 형님의 신상에 문제가 있는 것도 그 때문입니까?"

"예. 천살을 벗는 과정입니다. 자신의 의지가 아니라고는 하나 많은 살생을 했으니 그 고통을 겪는 것이고, 죽음으로 그 업을 완전히 끊어 낼 수 있습니다."

"주, 죽음이라니요? 설마, 형님이 죽는다는 말씀이십니까?"

말도 안 된다는 듯 하얗게 질린 얼굴로 묻는 효헌을 보며 휘연은 일그러지려는 얼굴을 곧게 폈다.

"놀라실 것 없습니다. 폐하께서는 온전히 천살에서 벗어나고도 무탈하실 것입니다. 그러니 지금부터 제가 하는 말을 새겨들으셔야 합니다."

휘연의 담담하면서도 단호한 말에 효헌이 여전히 질린 얼굴 그대로 얼떨결에 고개를 끄덕였다.

"먼저 천살에 대해서는 비밀로 해 주십시오. 그리고 폐하께서 도착하시기 한 시진 전에는 궁인들은 모두 처소에서 나오지 말라는 명을 내려놓는 게 좋겠습니다."

"궁인 전체를 말씀이십니까?"

"예. 쓸데없는 혼란을 막기 위함입니다. 그러자면 폐하의 귀환도 비밀로 하는 것이 좋겠지요."

"아! 그리하겠습니다."

효헌의 대답을 끝으로 휘연이 말을 멈추고 식어 버린 찻잔을 들어 올리자, 두 사람 사이로 어색한 침묵이 흘렀다. 하지만 그것도 잠시 다시 흘러나오는 휘연의 말에 효헌의 두 눈이 휘둥그레졌다.

"때가 되면 아시게 되겠지만, 폐하께서 안정을 찾으실 동안은 왕야께서 내정을 봐 주십시오."

"그게 무슨 말씀이십니까? 내정이라니요? 황후마마께서 계시는데 제가 내정을 보다니요. 말도 안 되는 일입니다. 부디 말씀을 거두어 주십시오."

"후, 왕야. 자세히 설명해 드릴 수 없으나 제가 믿고 부탁드릴 분은 왕야뿐이십니다. 그리해 주십시오."

"마마, 혹……."

황궁을 떠날 생각인지를 묻고 싶었으나 효헌은 휘연의 아픈 듯이 살짝 일그러진 얼굴에 차마 묻지 못하고 입을 다물었다. 자신이 생각하는 것은 결코 아닐 것이다.

천살을 타고난 환백도 무탈하다는데 휘연이 떠날 이유가 없지 않은가. 못내 불안감이 가시지는 않았지만, 효헌은 괜한 우려로 결론 내리고 가슴을 쓸어내렸다.

"그리고 왕야께서 황녀와 태자의 대부가 되어 두 사람을 지켜 주십시오."

"예? 대부요? 그거야 어렵지 않지만, 태자라니요? 아직 태어나지도 않은 아이가 태자라는 건 어찌 아십니까?"

"황룡이 찾아왔으니 그 운명이야 뻔하지 않습니까. 아마도 폐하를 똑 닮은 아이가 태어날 것입니다."

말끝에 부드러운 미소를 짓는 휘연을 효헌은 묘한 표정으로 바라봤다. 확실히 황룡을 품은 황태자가 태어난다는 건 수나라를 위해 다시없을 홍복이었다.

하지만 그전에 휘연은 이 모든 사실을 어찌 알고 있는지. 효헌은 휘연을 대하면 대할수록 알 수 없는 느낌에 기묘한 기분을 떨쳐 낼 수가 없었다.

그래서인지 가슴 한편에 밀어 넣었던 불안감이 다시 불거져 나오는 것 같아 효헌이 초조한 얼굴로 입술을 달싹거릴 때였다. 문밖에서 다급한 목소리가 들림과 동시에 문이 열렸다.

"마마! 황후마마! 함정당에서 연락이 왔사온데 산기가 있으시다고 하옵니다."

"왕야, 아무래도 저는 함정당에 가 봐야 할 것 같습니다."

"같이 가시지요. 황태자 탄생이 아닙니까."

"그리하십시오."

두 사람이 내관들을 대동하고 함정당에 도착했을 때는 이미 산통이 시작됐는지 산파와 내관들이 부산스럽게 움직이고 있었다. 그에 휘연 혼자만이 산실 안으로 들어갔다.

본시 함정당은 위치와 방위가 좋은 곳으로, 복잡하고 엄격한 기준에서 의식과 법도에 따랐다. 산실에는 24방위도를 해당 방위에 붙이고, 당일도(當日圖), 그리고 차지부(借地符)라는 부적을 붙였다.

산욕(産褥)은 매우 복잡한 절차에 따라 설정하며 주서(朱書)로 된 최산부(催産符)라는 일종의 부적을 태의안치(胎衣安置)할 곳의 벽에 붙이고 임부의 순산을 기원하였다.

이렇게 복잡하고 엄격하게 한 것은 궁중의 법도이기도 했지만, 태어날 아이와 임부의 순산을 기원하는 휘연의 정성이기도 했다.

"황후마마."

방 안으로 들어서는 휘연을 향해 모두가 일제히 고개를 숙이자, 휘연은 손을 들어 물리고 유자운의 곁으로 다가가 떨리는 손을 마주 잡았다.

"자렴, 괜찮으십니까?"

"마마…… 두렵습니다. 흐윽— 무섭습니다, 마마."

처음 느껴 보는 통증과 아이를 낳는 두려움에 어찌할 바를 몰라 울음을 터트리는 유자운의 모습에 휘연이 안쓰러운 듯 조심스럽게 땀에 젖은 머릿결을 쓰다듬었다.

"말씀드렸지요? 무사히 순산할 것입니다. 그러니 걱정하지 마세요."

"저도…… 행복할 수…… 있을까요? 진정으로……."

"예. 행복할 수 있습니다. 앞으로 자렴께는 좋은 일만 있을 테니 조금도 걱정하지 마세요."

단아한 미소와 함께 손을 꼭 잡으며 단호하지만 부드럽게 속삭이는 휘연에 유자운의 얼굴 위로 조금 전과는 다른 의미의 맑은 눈물이 쉼 없이 흘러내렸다.

무엇에 근거하는지는 모르나 휘연의 말을 유자운은 전적으로 믿었다. 그런 유자운의 눈물을 닦아 주며 몇 번이고 안심시켜 주던 휘연이 본격적인 산통이 오기 시작하자 산실을 나와 무사히 순산하기를 기다렸다.

그렇게 휘연과 효헌이 복잡다단한 표정으로 기다리기를 몇 시진. 우렁찬 아기의 울음소리가 들림과 동시에 두 사람의 얼굴에 화색이 감돌았다. 대륙을 일통한 수나라 황실의 황태자 탄생이었다.

◈

무경(武庚) 운룡(雲龍). 수나라의 황자 탄생을 두고 하루도 지나지 않아 황실은 크게 혼란스러웠다. 그 이유가 역모죄로 죽은 줄만 알았던 유자운의 배를 빌려 태어났다는 사실 때문이다.

유자운이 누구인가. 비록 비참한 말로를 맞았지만 오랜 세월 수나라 전체를 아울러 무소불위의 권력을 휘두른 유창운의 손녀가 아닌가. 결코, 우문성중과는 비교조차 되지 않는 것이다.

그 때문에 죽은 이후에도 그의 적은 차고도 넘쳤다. 지금도 유창운만 떠올리면 자다가도 벌떡 일어날 정도라는 이들이 태반이라, 이들의 분노와 적개심은 사실상 갓 태어난 아이의 앞날에 큰 우환이나 매한가지였다.

하물며 그 아이가 다음 대 황위에 오를 태자라 하면 자칫 분란으로 치달을 수도 있는 문제였다. 더구나 휘연만을 살뜰히 챙기는 환백이라면 더 이상 황자를 볼 수도 없는 처지가 아닌가.

그 사실에 대소신료들이 한마음으로 뜻을 모았다. 차마 황자에게 화살을 돌리지는 못하나, 우문비설이 그랬듯이 유자운의 처벌에는 강경하게 나온 것이다.

가장 큰 죄인 역모죄로 처단하는 것. 그 소식을 들은 휘연은 이미 예상했다는 듯 태연하게 대처했다. 그리고 그 대처 방법은 유자운이 난산으로 인해 사망했다는 소식이었다.

그러나 문제는 거기에서 끝나지 않았다. 본시 역모죄라 하면 그 시신조차 온전히 남기지 않는 법이고, 제아무리 황자를 낳았다고는 하나 유자운의 시신 또한 그리하는 것이 마땅하다고 주장하고 나선 것이다.

그에 눈살을 찌푸린 휘연이 다음 날 아침 대소신료들이 모두 모인 대전에 모습을 드러냈다. 생각지도 못한 휘연의 등장으로 경악한 대소신료들이 극상의 예를 갖추었고, 그런 그들을 내려다보며 휘연은 차분하게 말을 이었다.

"복은 깨끗하고 검소한 데서 생기고 덕은 몸을 낮추고 겸손한 데서 생기며, 도는 편안하고 고요한 데서 생기고 천명은 화창한 데서 생기며, 근심은 욕심이 많은 데서 생기고 재앙은 탐욕을 많이 내는 데서 생기며, 잘못은 경솔하고 교만한 데서 생기고 죄악은 어질지 못한 데서 생긴다고 했습니다."

휘연의 청아하면서도 차분한 목소리가 넓은 대전 안으로

조용히 울려 퍼졌다. 처음에는 무슨 상황인지를 몰라 어리둥절 서로 눈치만 살피던 이들이 시간이 흐를수록 고개를 들지 못하고 가만히 경청했다.

"눈을 경계하여 다른 사람의 잘못을 말하지 말고 군주를 높이 공경하고 부모에게 효도하며 모든 일은 순리로 오거든 물리치지 말고, 이미 지나갔거든 생각하지도 말라고 했습니다. 헌데, 나라를 이끌어 가야 할 대소신료들이 언제까지 과거에 얽매여 있을 생각입니까?"

"……."

"총명한 사람도 때로는 어리석을 때가 있듯이 남을 손상하면 그건 곧 자신의 허물이오, 권세에 의뢰함은 화가 서로 따른다 했습니다. 경계하는 것 또한 마음에 있는 것을, 분노와 오기에 마음을 흩트려 황실을 혼란스럽게 해서야 되겠습니까? 그것이 진정으로 이 황실과 수나라를 위하는 것인지를 묻는 것입니다."

휘연의 단호한 물음에는 그 어떤 질책도 들어 있지 않았지만, 누구 하나 반박하지 못하고 더욱 고개를 조아렸다. 그런 그들을 내려다보며 휘연이 나지막이 한숨을 내쉬고 담담하게 말을 이었다.

"사람의 마음이란 대해보다 넓다고 했습니다. 부디 그 마음에 탁한 어둠을 담는 어리석은 우를 범하지는 마세요. 처음에는 작은 씨앗이 점점 자라 어떤 결과를 불러올지 모르지 않습니까? 그리고 태어난 황자를 생각하세요. 그 아이가 자라 훗날 어미의 일을 알게 된다면 어찌 생각하겠습니까? 정녕 또 다른 우환거리를 심는 결과라는 걸 모르십니까?"

그 말대로였다. 일어나지도 않은 일에 대한 과한 우려도 아니었고, 아무리 죄인 신분이라 하나 태자에게는 생모가 되기에 비참한 죽음을 알게 된다면 결코 좋지만은 않으리라.

아니, 오히려 휘연의 말대로 또 다른 우환거리를 단단히 심어 놓는 결과나 매한가지였기에 아무런 대답도 하지 못하고 머리를 조아리는 신료들을 돌아보며 휘연이 자리에서 일어났다.

"천제의 축복을 받고 황룡을 품은 아이입니다. 앞으로 이 수나라를 더욱 강하게 키울 황자를 봐서라도 이번 일은 조용히 묻어 두었으면 합니다."

어느 누구도 반박하지 않았다. 감히 반박할 수 없다는 것이 더 맞는 말이겠으나, 되레 황룡을 품고 천제의 축복을 받았다는 말에 신료들은 고집을 피우던 게 언제였느냐는 듯 안색이 밝아졌다.

그런 그들의 모습에 효헌이 속으로 허허롭게 피식 웃을 때 휘연은 들어올 때와 마찬가지로 예를 받으며 조용히 물러났다. 그 이후로 일은 일사천리로 해결됐다.

표면상으로 유자운은 죽어 아무도 모르는 곳에 안장한 것으로 일이 마무리됐고, 이미 만반의 준비를 한 상황에서 환백의 사전 허락이 있었기에 손쉽게 황적에 이름을 올린 황자 운룡은 태어나자마자 수나라 황태자로서 자리매김할 수 있었다.

그렇게 한 차례의 혼란이 씻은 듯이 가라앉은 지 이레가 되었다. 모두가 은근히 들뜬 기분에 사로잡혀 있을 때 황후궁은 유독 조용했다. 그 이유는 휘연의 어두운 얼굴 때문이었다.

"조금 늦어지기는 했으나 밤에 도착한다고 하니 걱정하지 마십시오. 그리고 그때쯤에 말씀대로 본궁은 비워져 있을 것입니다."

휘연의 얼굴이 어두운 것은 그 이유 때문이 아니었으나, 걱정스럽게 안색을 살피는 효헌을 보며 휘연은 가만히 미소 지었다. 그제야 나지막하게 안도의 한숨을 내쉬던 효헌이 못다 한 말을 이었다.

"후문에 있는 쪽문 앞에 마차를 준비해 뒀습니다. 아무래도 변장을 한다고 해도 눈에 띄면 좋을 것이 없을 것 같아 그리했습니다."

"여러모로 신경 써 주셔서 감사합니다, 왕야."

"마마! 그, 그런 말씀 마십시오. 당연히 할 일을 한 것뿐입니다."

감사한 마음에 휘연이 고개를 숙이자 다급하게 손사래를 치며 효헌이 황급히 자리에서 일어났다. 황후에게 예를 받다니 말도 안 되는 일이라 놀란 것이다.

그런 효헌을 보며 부드럽게 웃던 휘연이 이내 살짝 얼굴을 굳히고 품 안에 있는 서찰을 꺼내 내밀었다. 서찰은 아소와 무영에 대한 것으로, 훗날 효헌에게 의탁하면 부탁한다는 내용이었다.

"이게 무엇입니까?"

"달리 부탁드릴 곳이 없어 또다시 왕야의 도움을 받아야 할 것 같습니다. 다만, 서찰의 내용은 오늘 말고 내일 봐 주십시오."

"내일 말입니까? 아, 예. 그리하겠습니다. 하면, 저는 이만 정무 때문에 가 봐야 할 것 같습니다. 나중 형님이 오시면 다시 뵙겠습니다."

효헌이 나가고 문이 닫히자마자 휘연은 울듯이 일그러진 얼굴을 두 손으로 덮었다. 그 상태로 한참이나 고개를 숙이고 있던 휘연이 어느새 표정을 갈무리하고 유한을 불렀다.

곧바로 모습을 드러내 한쪽 무릎을 꿇고 고개를 숙이는 유한을 보고 태후에게서 받은 함을 열어 보석 세 개를 꺼내 유한의 앞에 내밀었다.

"유한, 자렴을 쪽문까지 호위하고 무사히 떠나는 걸 지켜보세요. 그리고 이것을 환전해 여비로 준비해 주고 마차 한 대를 더 준비하세요. 화려하지 않고 흔한 마차면 될 것입니다."

휘연의 명을 가만히 듣고 있던 유한이 불안하게 흔들리는 눈을 하고 허락 없이 고개를 들어 올렸다. 주군 앞에서 취할 수 없는 불손한 행동이지만 유한은 불안했다.

지난날 휘연이 잠들지 못하고 하늘만 올려다보기 시작했을 때부터 들던 불안이 이제는 걷잡을 수 없이 커져 도저히 이대로 묵과하고 넘어갈 수가 없을 지경까지 온 것이다.

"마마, 감히 여쭙겠습니다. 황궁을…… 떠나실 생각이시옵니까?"

아니기를. 그것만은 아니기를 바라는 간절한 마음을 담은 유한의 물음에 휘연은 희미하게 웃으며 간결하게 대답했다.

"떠나야지요."

"연유가…… 무엇이옵니까?"

이미 어느 정도 예상하고 있었던 터라 유한은 생각보다 놀라지는 않았다. 그런데도 목이 짓눌린 듯 잔뜩 갈라진 목소리는 충격에서 헤어 나오지 못했다는 걸 드러내고 있었다.

그런 유한을 보며 휘연은 쓴웃음을 짓고 가만히 시선을 돌려 창밖을 응시했다. 가뭄의 막바지라 더위는 한층 기승을 부리는 탓에 숨이 막힐 듯한 열기가 훅 끼쳐 오는 듯했다.

"운명이란 참으로 모질지 않습니까. 인간의 의지로는 감히 대항할 수 없는 것이 운명이지요."

"신은 마마를 주군으로 모시는 걸 운명으로 알고 있습니다. 어디든, 마마께서 가시는 길이 어디든 따를 수 있도록 해주시옵소서."

떠나려는 연유가 무엇인지, 모진 운명이라는 것이 어떤 의미인지는 모르나 유한은 휘연을 결코 말릴 수 없다는 것을 알았다. 그리고 자신이 가야 할 방향도 정해진 것이다.

목숨을 바쳐 충성해야 할 주군이다. 그런 주인이 결정하고 또 다른 길을 가기를 원한다면 자신은 말없이 따르고 보필하는 것만이 당연한 일이라, 유한은 한 치도 물러서지 않고 단호하게 말했다.

그제야 시선을 돌린 휘연이 유한을 올곧게 바라보며 이내 나지막한 한숨과 함께 고개를 끄덕였다. 유한의 고집도 보통이 넘는지라 꺾을 수 없다는 걸 알기 때문이다.

게다가 무영의 가르침을 위해서라도 유한이 있어야 했기

에 휘연은 함께 하는 그날까지는 욕심을 부리자는 생각에 씁쓸하게 웃으며 자리에서 일어나 황후궁 안의 황태자가 있는 방으로 향했다.

그곳에는 해산 후부터 유자운이 같이 생활하고 있었다. 적어도 유자운이 황궁을 떠나기 전까지는 아기와 같이 생활할 수 있도록 한 휘연의 배려였다.

"마마."

"준비를 마쳤습니까?"

"예, 마마."

방 안으로 들어오는 휘연을 보며 유자운이 아기를 자리에 눕히고 깊숙이 예를 취했다. 그런 유자운은 일반 백성들이 입을 법한 평복에 아무런 화장기도 없는 순수한 모습이었다.

"자렴, 섭섭하시지요?"

"당치 않사옵니다, 마마."

곧바로 망설임 없이 답하는 유자운을 보며 휘연은 떨리는 손을 마주 잡았다. 그러자 애써 담담하려 노력하던 유자운의 두 눈에 이내 눈물이 가득 차올랐다. 그 모습에 휘연의 얼굴에도 안타까움이 드러났다.

어찌 섭섭하지 않겠는가. 버젓이 살아 있음에도 죽은 사람이 돼야 했고, 이제는 자식과도 생이별을 해야만 한다. 그것만으로도 억장이 무너질 것이기에 휘연은 한참이나 울음을 그치지 않은 유자운을 말없이 지켜보았다.

이 한 번으로 모든 시름을 덜 수는 없겠지만, 이왕이면 슬픔의 무게를 조금은 내려놓기를 바라는 마음에서다. 그렇게 얼마나 울었을까. 유자운이 간신히 눈물을 추스르고 휘연을 향해 극진한 예를 취했다.

"일어나세요, 자렴. 어찌 이러십니까."

"사람이 은혜에 보답할 줄 모르면 짐승과 다를 바가 없을 것이옵니다. 마마께서 소첩에게 베풀어 주신 하해와 같은 은덕을 어찌 다 갚을 수 있겠습니까. 그저 이후로는 모든 것을 잊고 죽은 듯이 조용히 살겠나이다."

애초부터 보답할 길은 없었다. 그저 자신이 할 수 있는 것은 이 황궁에 티끌만큼도 미련을 두지 않는 것뿐이었다.

비록 그 길이 자식마저 잊어야 하고, 사무친 그리움에 두고두고 아파한다고 해도 자신이 택할 수 있는 것은 그것이 전부였다. 그리고 그 길을 가는 것에 추호도 후회하지 않았다.

"자렴, 마음을 굳건히 하세요. 행복은 스스로 노력하는 자에게 찾아온다고 하지 않습니까. 이제 자유를 찾았으니, 모든 것을 스스로 개척하셔야 합니다."

"예. 그리할 것이옵니다. 노력하고 노력해서 후회 없는 삶을 살아 볼 생각이옵니다."

붉게 물든 눈을 하고도 미소를 잃지 않는 유자운을 향해 휘연도 부드럽게 미소 지었다. 그런 두 사람의 사이로 아기의 작은 칭얼거림이 들리고, 두 사람의 시선이 동시에 침상으로 옮겨 갔다.

검은 머리카락에 검은 눈동자인 황녀와는 달리, 환백을 꼭 빼닮은 순백의 머리카락에 붉은 눈동자. 아기 특유의 새하얗고 포동포동한 볼이 사랑스러워 두 사람의 얼굴 위로 온화한 미소가 맺혔다.

“정말 폐하와 똑 닮았습니다.”

“예, 마마. 신기할 정도로 닮았사옵니다.”

그래서 내심 조금은 섭섭한 마음도 있어 유자운은 씁쓸하게 웃으며 아기를 안아 들었다. 이제 떠나야 할 시간이다. 이렇게 아기를 안아 보는 것도 마지막이라 유자운의 얼굴이 침울하게 변했지만, 곧 내색하지 않고 표정을 갈무리했다.

가슴 아픈 이별은 짧을수록 좋다고 했든가. 앞으로 얼마나 많은 세월을 그리움에 허덕일지는 모르나 유자운은 마음을 단단히 먹고 조심스럽게 휘연에게로 아기를 넘겨 주었다.

“유한, 자렴을 마차까지 호위해 주세요.”

“예, 마마.”

유한이 모습을 드러내자 유자운이 아기를 한 번 바라보고 입술을 질끈 깨물었다. 그런 유자운을 보며 휘연이 행복을 상징하는 벽옥(碧玉)으로 만든 옥잠(玉簪) 한 쌍을 내밀었다.

“태후께서 주신 것입니다. 부족한 것 없이 갖추어져 있겠으나 이건 내 마음이니 받아 주세요.”

“마마.”

“건강을 최우선으로 하고, 좋은 것만 보고 좋은 마음만 품으세요. 그리하면 반드시 행복할 수 있을 것입니다.”

“예, 그리하겠습니다. 마마께서도 부디 강녕하시옵소서.”

또다시 흘러내리려는 눈물을 황급히 닦아 낸 유자운이 얼굴만 가리는 면사를 착용하고 방을 나섰다. 휘연이 해 줄 수 있는 일은 여기까지였다.

이제부터는 유자운 혼자서 헤쳐 나가야 할 것이다. 그래도 넓은 저택과 전답, 일하는 하인들까지 있어 현실적인 큰 어려움은 없을 것이라. 휘연은 나지막이 한숨을 내쉬며 아기를 내려다봤다.

아무것도 모르고 어느새 잠에 빠져들어 색색거리는 아기를 보며 휘연은 말로 다하지 못할 안쓰러운 마음에 눈물이 차올랐다. 각자 설 자리를 마련해 놓았지만, 과연 얼마나 도움이 될지.

식물이든 사람이든 사랑을 주지 않으면 메말라 버리는 게 자명한 일인 것을. 더 이상 아무런 도움도 주지 못하는 자신의 처지에 휘연은 못내 눈물을 삼키며 답답한 가슴을 안고 돌아서야 했다.

그대로 황태자를 유모에게 맡기고, 황녀가 있는 방에 들러 살펴본 후에야 황후궁으로 돌아간 휘연은 작게 심호흡을 하고 자신이 해야 할 마지막을 정리하기 시작했다.

그동안 환백을 위해 준비했던 옷가지 위에 자신이 직접 쓴 서책 두 권과 서찰을 올려놓은 휘연은 이내 목에 걸려 있는 증표인 월장석을 만지작거리며 입술을 질끈 깨물었다.

'이것만…… 이것만은 가져도 되지 않을까.'

부질없는 짓이라도 어쩔 수 없었다. 환백이 준 처음이자 마지막 증표가 아닌가. 다른 건 모두 포기하더라도 증표만은 간직하고 싶어 휘연은 마음을 다잡았다.

애써 스스로 질책하지 않으려고 목걸이를 옷 안으로 황급히 감추며 곧바로 아소와 무영을 제외한 황후궁에 있는 모든 궁인들을 불러 모아 명을 내렸다.

내일 아침까지 처소 밖으로 절대 나오지 말라는 명이었다. 이제 반 시진이면 해가 질 것이기에 휘연은 점차 초조해지는 기분을 떨치지 못하고 정원을 서성이고 있었다.

그렇게 얼마나 기다렸을까. 무거운 침묵이 감도는 가운데 이미 어둑해진 밤하늘만 올려다보던 휘연이 곧 모습을 드러내는 유한과 또 다른 인물에 눈을 질끈 감았다가 떴다.

"황후마마를 뵈옵니다."

"폐하께서는……."

목이 멘 듯 차마 뒷말을 잇지 못하는 휘연의 모습에 보고를 올리는 태명의 고개가 절로 숙여졌다.

"반 시진 안에 도착할 것이옵니다. 단지, 사흘 전부터 고통이 극심하시어 정신을 차리지 못하고 계시옵니다."

휘연은 눈을 질끈 감았다. 겨우 말로 전해 듣는 것임에도 이렇게나 동요하는 것을. 가슴 적시는 그 고통을 눈앞에서 어찌 지켜봐야 할지, 휘연은 참담함에 비명이 흘러나올 것 같은 심장을 움켜쥐고 힘겹게 말을 이었다.

"금장전으로…… 폐하의 침전으로 모셔 오세요. 그곳에서 기다리겠습니다."

"명 받자옵니다."

다시 태명이 어둠 속으로 모습을 감추고, 그제야 필사적으로 버티고 있던 휘연의 몸이 휘청거리자 유한이 재빨리 부축했다. 그 옆으로 두 사람의 걱정스러운 시선이 따라붙고 있었다.

"마마, 괜찮으시옵니까?"

"……괜찮습니다. 아소, 무영아."

"예, 마마."

"너희는 먼저 준비하고 있어라. 오래 걸리지 않을 것이야."

휘연이 유한만을 대동한 채 본궁 금장전으로 향했다. 아무리 본궁과 황후궁이 가깝다고는 해도 가는 데에만 느린 걸음으로는 근 한 식경이 걸릴 정도라, 비틀거리면서도 걷는 휘연의 걸음이 점차 빨라졌다.

초조했다. 환백에게 고통이 시작됐을 시기부터 흔들리던 천살성의 성좌가 사흘 전부터는 당장에라도 떨어져 내릴 듯 위태로웠기 때문이다. 혹여 만나기도 전에 잘못된다면 어찌 한단 말인가.

그래서 마지막으로 꼭 해야 할 말을 하지 못하게 된다면 아마도 휘연은 두고두고 후회할 것이다. 그리고 그 후회만을 남기지 않기 위해 휘연은 간절하게 빌고 또 빌었다.

'말씀드리겠습니다, 폐하. 그리도 기다리던 말을 해 드릴 테니, 조금만 더…… 조금만 더 버티셔야 합니다. 저를 보셔야지요. 그 정도 욕심은 제게도 자격이 있지 않습니까. 그러니 제발, 제발 버티셔야 합니다.'

마지막이지 않은가. 그러니 말해 줄 생각이다. 비록 그 말이 한순간에 흩어져 사라진다고 해도 휘연은 못내 가슴 안에 억눌러 놓은 말 한마디를 쏟아 내고 싶었다. 그것만이 휘연이 바라는 전부였고 마지막 작은 욕심이었다.

四章
낙화(落花)

늦은 밤, 텅 비어 있다시피 한 본궁 안은 쥐죽은 듯 침묵이 흐르는 가운데 깊숙한 곳에 위치한 금장전에서는 휘연을 위시한 효헌과 유한이 초조한 기색으로 문만을 응시하고 있었다.

그렇게 얼마나 기다렸는지 모른다. 마치 일수유가 억겁의 시간이 흐른 것 같이 느껴졌을 때 기척을 가장 빨리 느낀 유한이 황급히 문을 열자 두 사람도 자리에서 벌떡 일어났다.

그리고 얼마 지나지 않아 외문이 열리는 소리와 함께 몇 개의 문이 빠르게 열리고, 다급하게 침전 안으로 뛰어드는 인물들에 휘연은 짧게 숨을 들이켰다.

뛰어든 사람은 세 사람이었으나 휘연의 시선에 한가득 들어오는 이는 교령의 품에 안겨 힘겹게 숨을 헐떡이고 있는 초췌한 모습의 환백뿐이었다.

"……황후마마."

조심스럽게 환백을 침대에 눕히고 일제히 죄를 고하듯 바닥에 부복하는 이들을 지나쳐 휘연은 비틀거리며 걸음을 옮겼다. 한 걸음, 한 걸음 옮길 때마다 초조함은 배가 되고 불안은 커져만 간다.

시간이 없는데 어찌 이리도 발이 천근만근 무겁기만 한 것인지. 침상 가까이 다가가는 짧은 거리가 멀게만 느껴져 휘연은 입술에 피가 나도록 질끈 깨물고, 잠시 심호흡을 한 후에 다시 걸음을 옮겼다.

그리고 비로소 환백의 앞에 당도했을 때 휘연의 두 눈은 흥건히 젖어 사물을 구분하기조차 어려웠다. 닦고 또 닦아내도 마치 몸 안의 수분을 모조리 쏟아 내려는 듯 눈물은 멈추지 않고 흘러내렸다.

끝내 닦아 내는 것을 포기하고 천천히 손을 뻗어 흐릿한 시야로 보이는 초췌한 환백의 얼굴을 덜덜 떨리는 두 손으로 더듬던 휘연이, 콱 막혀 오는 목구멍을 뚫고 억지로 목소리를 끄집어내었다.

"……폐하…… 제 말이…… 들리십니까?"

휘연의 목소리를 들었을까. 그도 아니면 얼굴을 쓰다듬는 떨리는 손의 온기를 느꼈을까. 오랜 고통에 겨워 비명조차 지르지 못하고 간헐적인 숨만 힘겹게 헐떡이던 환백의 눈썹이 파르르 떨렸다.

그리고 곧 가느다랗게 떨리는 눈썹 사이로 탁하게 빛을 잃은 적안이 드러나고, 하염없이 눈물을 흘리며 목이 막힌 듯 입술만 달싹이는 휘연을 발견한 환백의 입가에 아스라이 미소가 어렸다.

"……휘……연……."

제대로 나오지도 않는 목소리로 힘겹게 자신을 부르는 환백의 손을 붙잡은 휘연이 입술을 깨물고 울음을 참았다. 이토록 힘겨운 환백의 마음을 더 무겁게 하고 싶지 않아서였다.

무엇보다 자신은 전해 줄 말이 있지 않은가. 마지막 모습만은 미소로 기억되고 싶건만, 어찌해서 목은 이다지도 콱 막히고 눈물은 멈추지 않는 것인지.

기회가 찾아와도 바보같이 말 한마디를 하지 못하는 자신을 탓하며 환백의 이마에 뺨을 비비는 휘연의 입에서 참아내지 못한 흐느낌이 기어코 새어 나왔다.

"으흑—"

자꾸만 감기려는 눈을 힘겹게 뜨면서 얼굴로 떨어지는 따스한 눈물이 너무나 안타깝게 느껴져 환백은 천천히 식어 가는 힘없는 손을 들어 눈물을 닦아 주기 위해 허우적거렸다.

하지만 힘 하나 들어가지 않은 손은 끝내 휘연의 얼굴에 닿지도 못하고 힘없이 떨어져 내렸다. 그 순간 환백의 두 눈에 눈물이 한가득 차올라 정처 없이 흘러내렸다.

그런 환백의 흐릿한 눈동자에 안타까움, 후회, 절망이 차례로 스치고 지나갔다. 죽기 전에 단 한 번이라도 사랑하는 연인을 보기 위해 지옥 같은 고통을 견딘 자신이 원망스럽다.

이리 아픈 모습을 보고자 견딘 것이 아니었는데. 연인의 눈물을 닦아 줄 힘조차 없으면서 무엇을 보이고자 견디었단 말인가. 자신은 왜 이다지도 이기적인지.

어리석은 자신을 질책하던 환백은 곧 숨이 차오름과 동시에 빠르게 시야가 점멸하는 걸 느끼고 소리조차 들리지 않는 암흑 속에서 본능적으로 깨달았다. 자신의 마지막이 다가왔다는 것을.

이제 두 번 다시는 사랑스러운 연인을 보지 못한다는 사실에 환백의 두 눈은 감기기 전까지 끊임없이 눈물을 쏟아 내며 끊어질 듯 힘겹게 한 마디, 한 마디를 토해 냈다.

"……휘연…… 헉…… 용서를…… 미안…… 허억…… 미안…… 울지…… 마……."

힘에 겨워 잔뜩 갈라진 목소리를 끝으로 곱게 눈을 내리감은 환백의 입술이 조용히 닫혀 들었다. 손안의 온기가 아지랑이처럼 빠져나가는 것 같아 휘연의 몸이 움찔 떨렸다.

"폐……하?"

"……."

'왜, 왜 대답을 안 하십니까? 제가 부르지 않습니까? 대답해 보세요. 잠시면 되는데, 어찌 이러십니까. 제게 어찌 이리도 야박하십니까.'

자꾸만 차가워지는 몸을 꼭 붙들고 온기를 나눠 주려는 듯 휘연은 계속해서 창백한 얼굴을 쓰다듬고 몇 번이고 입을 맞추었다. 헌데도 눈을 뜨지 않는다. 휘연은 발밑이 꺼지는 듯한 아득함에 숨을 멈추었다.

사무쳐 오는 참담함. 아직 말도 못 했는데. 힘없이 늘어진 환백의 머리를 감싸 안고 뺨을 비비는 휘연의 눈물이 더 이상 말이 없는 환백의 창백한 얼굴을 타고 소리 없이 흘러내렸다.

'바보같이, 바보같이. 단 한 마디만 하면 되었는데. 그저 한마디만. 많은 욕심을 부린 것도 아닌데, 그 작은 욕심조차 허락하지 않으시는 것입니까.'

누구를 원망할까. 이 또한 운명이라면 순응해야 한다는 걸 알면서도 휘연은 심장이 먹먹해 바보같이 후회만 되씹었다.

"……은애……하였습니다."

이리도 쉬운 말을 왜 못 했을까.

'듣고 계십니까? 은애하였습니다. 제가 환백 님을 은애하였습니다. 이 말을…… 꼭 해 드리고 싶었습니다.'

그리고 조금도 원망하지 않는다. 자신을 죽이려고 할 때에도 두려웠을망정 원망하지는 않았다. 원망하려고 해도 타고난 운명이 각박하고 모질어 차마 그리할 수도 없었다.

언제나 애정을 갈구하는 그 눈을 모르는 척 담담하게 흘릴 때면 속으로 얼마나 많은 눈물을 쏟아 냈는지 모른다. 할 수만 있다면 그 상처받은 모습을 보듬어 안아 주고 싶었다.

하지만 끝끝내 그리하지 못했다. 자신에게는 너무나 큰 욕심인 것을. 모든 것을 알기에 표현할 수 없었고 더더욱 감추려고 노력했었다. 설사 속이 썩어 문드러져 가더라도 그리할 수밖에 없었다.

'폐하, 당신은 모르시겠지요. 아니, 끝까지 모르셔야 합니다. 그리고 저를 원망하십시오. 모질고 독하다, 생각하십시오. 그리해서…… 잊으셔야 합니다. 과거로 돌릴 인연에 얽매이지 말고, 새로운 인연만을 생각하셔야 합니다.'

한 번 끊어진 인연은 다시 이어지지 않는다.

'나와 당신에게 허락된 인연도 여기까지겠지요.'

여기까지다. 자신이 해야 할 소임은 여기까지였다. 못내 떨치지 못한 미련도, 가슴에 떠안고 가야 할 상처도, 이미 끊어진 인연인 것을 아무리 후회한들 부질없는 짓이지 않은가.

이제 자신이 할 일은 아무것도 없었다. 그저 흐르는 대로 떠다니다가 그 끝에 도달하면 미련 없이 멈추면 그만이다. 그것이 정해진 길이었고, 앞으로 얼마 남지 않은 삶의 연장이었다.

헌데 어째서, 어찌 이리도 가슴이 찢어질 듯이 아프고 눈물이 멈추지 않는 것인지. 휘연은 작은 흐느낌조차 입 밖으로 내뱉지 못한 채 지칠 때까지 울고 또 울었다.

그런 휘연을 지켜보는 이들 또한 매한가지였다. 환백의 죽음은 이들에게도 충격이었으나 닿은 것만으로도 연기처럼 손안에서 사라질 것 같은 휘연의 모습에 차마 소리조차 내지 못하는 것이다.

그렇게 바닥으로 고여 작게 파문을 만드는 눈물을 제외하고는 금장전 안은 오랫동안 억눌린 침묵만이 흘렀다. 그리고 언제까지고 이어질 것 같은 침묵은 휘연이 휘청거리며 몸을 일으켰을 때야 깨어졌다.

"모두…… 물러나세요."

잔뜩 쉬어 갈라진 휘연의 목소리에 멈칫거린 이들이 조용히 침전 밖으로 물러나고, 조심스럽게 문이 닫혔다. 그제야 호흡을 가다듬던 휘연이 스르르 눈을 감았다가 뜨고 환백의 상의를 벗겨 냈다.

세 겹의 얇은 비단이 사라지고 드러나는 가슴팍에 휘연의 얼굴이 다시 울듯이 일그러졌다. 하지만 입술을 질끈 깨물고 눈물을 참은 휘연이 흉물스럽게 심장 위로 도드라져 수십 갈래로 엉킨 혈관 위로 가만히 손을 얹고 눈을 감았다.

'천제께서 주신 빛이고 제 생명입니다. 부디 헛되이 하지 마시고 만백성을 위하시옵소서. 그리고 두 아이와 당신의 행복을 기원하겠나이다.'

조금의 거짓도 없이. 간절한 염원을 담아 휘연이 가만히 눈을 감고 심장 위로 올린 두 손에 기운을 집중했다. 그와 동시에 서서히 맞닿은 손바닥에 빛이 맴돌기 시작하고, 점차 방 전체로 넓게 퍼져 나기가 시작했다.

그 빛은 따사로웠고 장엄했으며 결코 낯설지 않은 것이었다. 그리고 코끝을 간질이는 향기에 휘연이 눈을 떴을 때는 청금석 눈동자에 남청색 도복을 입고 푸른 여의건을 두른 익숙한 모습을 볼 수 있었다.

"다시 뵙습니다, 도재."

『기다리고 있었습니다, 휘연 님. 오르시지요.』

도재가 부드러운 미소와 함께 살짝 한 발짝 옆으로 비켜서자 화사하고 단아한 모양새의 이름 모를 꽃밭 사이로 익숙한 돌계단이 모습을 드러냈다.

'마음의 길이라 했든가. 바라건대, 부디 이 길에 모든 시름

을 내려놓고 싶구나.'

더불어 어깨 위에 짊어진 무겁디무거운 운명마저도 오늘을 마지막으로 모두 내려놓게 된다는 생각에 휘연은 홀가분하기보다는 아련한 마음이 먼저 들어 쓴웃음을 지었다.

처음에는 그리도 버거워 벗어나고 싶어 하더니, 이제는 그마저도 아쉬워하는 것인가. 결코 길지 않은 사이 참으로 많은 일이 있었고 많은 것이 변한 것이리라.

그리고 이제는 그 모든 것을 내려놓아야 할 시기인 것을. 부디 그리되기를, 애써 마음을 가라앉히려는 듯 가만히 눈을 감았다가 뜨고 천천히 계단을 밟았다.

서두르지 않고 하나하나 계단을 밟고 올라가며 무겁게 짓눌렀던 무게를 하나씩 줄여 간다. 질기디질긴 미련도 못내 가슴 한편에 똬리를 튼 아쉬움도, 그동안 힘들었노라 내색하지 못했던 원망도.

한 사람을 만나 두려워하고 초조해하고 아파하며 가슴 절절히 사랑하고 마지막 미련한 후회에 이르기까지. 소용돌이치던 감정들이 잔잔해지는 걸 느끼며 그렇게 휘연은 끝이 보이지 않는 계단을 한없이 오르고 또 올랐다.

그런 휘연을 누구도 방해하지 않았다. 도재는 그저 말없이 휘연을 따라 걸었고, 한 시진이 흘렀는지, 몇 시진이 흘렀는지도 모르는 채로 휘연은 마음속에 일말의 파문도 느껴지지 않았을 때야 계단을 벗어났다.

"만물의 주인이신 천제를 뵈옵니다."

익숙한 공간에 들어서자 휘연은 망설임 없이 천제를 향해 극진한 예를 다했다. 그런 휘연을 보며 천제는 같은 질문을 던졌고, 대답 또한 같았다.

『마음은 편해졌느냐?』

"예. 한결 시름을 덜었습니다."

이번에는 지난번과는 비교조차 되지 않은 무게를 덜어 낸 덕분에 휘연의 안색은 평온했다. 그러나 그 마음의 잔재마저 온전히 씻어 내지는 못했던 듯 올곧은 눈동자는 잘게 떨리고 있었다.

『네가 할 일은 모두 마쳤다. 너는 본시 선도(仙道)에 들 아이, 이제 너의 자리로 돌아오너라.』

"천제시여, 제 미욱한 솜씨나마 남은 시간을 어려운 이들의 도움이 되고자 합니다. 그때까지는, 그들의 곁에 남고 싶습니다."

『용모가 추하게 변해 이젠 너를 아무도 받들지 않을 것인데도?』

천제의 물음에 휘연의 얼굴에 미소가 감돌았다. 모든 것을 초월하는 미소였다. 또한, 모든 것을 포용하는 미소였다.

"이 나라가 평안하고 만백성이 시름을 덜었습니다. 그것이면 족하옵니다."

『그 녀석과의 인연도 다하였다. 그런데도 남을 것이냐?』

"예. 비록 그분과의 인연은 다하였으나 제가 할 일은 남아있습니다. 부디, 그 일을 할 수 있게 해 주시옵소서."

『그래 봐야 얼마 되지도 않는 것을, 뭐하러 고생을 자처하는지.』

휘연이 고집을 피울 거라는 생각은 하지 못했던 듯 짐짓 퉁명스럽게 중얼거리는 천제의 말에 휘연은 가만히 미소 지었고, 도재는 살포시 미간을 찌푸리며 고개를 돌렸다.

그렇게 찰나간 뜻하지 않은 침묵이 흘렀다. 천제가 나지막한 한숨을 내쉬며 다시 입을 열었다. 마치 들어주기 싫은 것을 마지못해 들어주는 듯한 표정이었다.

『할 수 없지. 너도 알고 있겠지만, 인간으로서 수명은 두 해도 채 안 남았다. 이미 너에게 남은 수명이란 의미가 없으니 그보다 더 짧을 수도 있고.』

『정확히는 일 년 육 개월이지요.』

엄연히 몇 개월의 차이가 있는 것을. 딱 잘라 정정하는 도재를 매섭게 노려보던 천제가 이내 헛기침을 하며 다시 말을 이었다.

『네가 그리도 원하니 다시 보내는 주겠다만, 혹 바라는 것이 있느냐?』

"……그분에게…… 제 수명이 다한 연후에 폐하께 새로운 인연을 내려 주십시오. 이번에는 종생을 함께할 인연을 이어 주십시오."

말을 마치고 휘연은 가슴을 가로지르는 통증에 쓰디쓴 웃음을 지었다. 차마 자신이 살아 있는 동안에 환백이 새로운 인연을 맞이하는 걸 볼 수가 없었기 때문이다.

이기적이라 해도 좋았다. 적어도 자신이 살아 있는 동안은 조금은 기억해 주기를 바라는 욕심이었다. 그런 휘연을 도재가 안쓰럽게 바라보고 천제가 고개를 끄덕였다.

『그리하마. 비록 짧다 하나 남은 시간은 이제 오롯이 너만의 시간이다. 후회 없이 보내고, 돌아올 때는 남은 감정마저 모두 털어 내고 오너라.』

"예. 그리하겠나이다."

휘연의 대답을 끝으로 풍광은 순식간에 바뀌었다. 그와 동시에 침전 안 가득 퍼져 있던 따사로운 빛무리도 차츰 줄어들며 환백의 몸 안으로 모조리 흡수되고 있었다.

그렇게 빛이 모두 사라졌을 때 휘연이 환백의 심장 위에 올려놓은 두 손을 때어 내자 흉물스럽게 도드라져 수십 갈래로 얽혀 있던 혈관들은 모두 사라지고 없었다.

그리고 차갑게 식어 창백하게 질려 있던 피부가 온기를 띠고, 고통이 말끔하게 사라져 혈색이 돌아온 환백의 안색이 깊은 잠에라도 빠진 듯 편안하게 보였다.

그런 환백의 얼굴을 아련하게 쓰다듬은 휘연이 새털 같은 입맞춤을 남기며 천천히 몸을 일으켜 두 손을 가지런히 모으고 정성스레 마지막 배례를 올렸다.

'명이 다하는 그 순간까지 폐하를 가슴에 담고 있겠나이다. 부디, 간절히 바라옵건대 만백성을 위하는 성황이 되시옵소서.'

천천히 몸을 일으킨 휘연은 다시 차오르는 눈물을 훔치고 나지막하게 호흡을 가다듬고야 환백의 침전을 나왔다. 그런 휘연을 보며 효헌을 위시한 네 사람이 다급하게 다가왔다.

모두의 얼굴에는 숨길 수 없는 기대가 어려 있었다. 무슨 일이 있었는지는 모르나 침전 안에서 흘러나오는 장엄한 휘광에 넋을 빼기는 했지만 동시에 혹시나 하는 희망도 품은 것이다.

"황후마마, 어찌 되었습니까? 형님은, 폐하께서는 무사하십니까?"

"예. 늦어도 하루 안에 깨어나실 것입니다."

휘연의 말에 모두의 안색이 단박에 밝아졌다. 그건 모습을 감추고 있던 묵가와 암영제도 매한가지로, 그들의 얼굴에는 기쁨과 함께 의문이 떠올랐지만 차마 휘연에게 묻지는 못했다.

"폐하의 곁을 지켜 주세요. 그리고 왕야, 뒤를 부탁드립니다."

"아, 예. 걱정하지 마십시오."

왜인지 개운치 않은 휘연의 말에 효헌의 안색이 살짝 굳었다. 그렇다고 지친 표정으로 고개를 돌리는 휘연을 더 붙잡고 물어볼 수도 없는 노릇이라 효헌은 애써 드는 불안감을 머릿속에서 지웠다.

지금은 환백이 다시 살아난 걸 확인하는 게 우선이라 효헌은 지체 없이 침전 안으로 뛰어들었다. 그렇게 휘연이 본궁을 뒤로하고 무거운 발걸음을 옮겨 황후궁 침전 안으로 들어섰을 때였다.

수수한 차림의 평복을 갈아입고 기다리던 두 사람이 이내 두 눈을 부릅뜨며 주저앉았다. 그런 두 사람과 뻣뻣하게 굳어 경악한 유한의 입에서 비명 같은 목소리가 터져 나온 것도 순간이었다.

"마마!"

휘연은 변해 가는 자신의 몸을 내려다보며 터져 나오려는 침음성을 힘겹게 목 안으로 삼켰다. 이미 오롯이 꿈에서 보았던 자신의 모습이고 수도 없이 각오했던 일이지 않은가.

이제 와서 새삼스러울 것도 없건만, 무슨 미련이 남아 심장이 이리도 지끈거리는지. 휘연은 천천히 손을 뻗어 길게 늘어진 자신의 머리카락을 들어 올렸다.

마치 서리가 내린 듯 새하얗게 세어 버린 머리. 더 이상 흑단 같은 머릿결은 남아 있지 않았다. 검고 고운 눈썹도 마찬가지. 저절로 탄성이 나올 만큼 유혹적인 붉은 입술은 색이 빠진 듯 주름이 졌다.

섬섬옥수라 할 정도로 곱던 손은 마치 생기가 빠져나가는 듯 탁해져 거죽만 남은 채 마디가 불거졌고, 눈처럼 새하얗고 비단처럼 부드러웠던 살결은 자글자글한 주름과 죽음을 알리는 검버섯으로 뒤덮여 있었다.

오직 변하지 않는 것은 흑백의 조화를 이룬 올곧은 눈동자뿐. 휘연은 간헐적으로 떨리는 손을 소맷자락 안으로 감추며 경악한 채 울음을 터트리는 세 사람을 돌아봤다.

"마마, 이게 무슨 일입니까. 이게 무슨…… 흐으윽."

"……놀랄 것 없으니 목소리를 낮춰라."

묘한 울림이 있어 마음을 편케 하던 청아한 목소리마저 사라졌는가. 애써 내색하지 않으려 담담하게 말을 이었지만, 휘연은 가슴 한구석에 구멍이 뚫린 듯한 느낌을 받았다. 그것은 온전히 느껴보는 공허였다.

'이것으로 되었다.'

❖

잔잔한 수면 아래 잠긴 것같이 몸을 감싸는 안락함은 환백에게 그윽한 고요와 안식을 주었다. 이게 얼마만의 편안함인지 이젠 기억을 떠올리려 해도 생각이 나지 않는다.

언제부터인가 끊임없이 엄습해 오던 처절한 고통. 마치 온몸의 뼈란 뼈는 생으로 뒤틀리고 거대한 손이 머릿속을 움켜쥐고 마구잡이로 휘젓는 것 같았다.

당장에라도 터져 버릴 듯 거칠게 요동치는 심장을 뾰족하게 날이 선 무언가가 깊게 들쑤신다. 한 번, 두 번, 세 번. 붉은 선혈이 줄기줄기 터져 나와 완전히 바싹 마를 때까지.

몇 번이고 날카롭게 파고드는 고통은 끔찍했다. 그리고도 마치 수천 마리의 벌레가 온몸을 갉아 먹는 듯한 그 섬뜩한 감각은 소름이 돋아 견딜 수가 없었다.

그럼에도 해가 떠오르면 살아 있는 것에 안도하고, 해가 지기 시작하면 짐승처럼 절규해야 했던 시간. 환백에게 그 시간은 지독하게 아팠고 끔찍하도록 처절했으며 암담한 절망에 빠져야 했던 지옥이었다.

그럴 때마다 벗어나고자 얼마나 미친 듯이 발버둥을 쳤던가. 그것들이 너무도 견디기가 힘이 들어 차라리 죽어 고통이 사라지기를 바랐을 정도로 지쳐만 갔다.

하지만 그때마다 자신을 붙들고 놓지 않는 것은 단 한 사람을 향한 그리움이었다. 눈만 감아도 선명하게 떠오르는 모습. 잡으려고 손을 뻗으면 사라지고, 손을 감추면 다시 모습을 드러낸다.

혹시나 하는 희망을 품다가도 역시나 하는 절망을 끝없이 반복하며 금방이라도 손에 잡힐 듯한, 하지만 결코 잡히지 않는 그리운 그 모습이 완전히 사라져 버릴 때면 불안과 초조로 미쳐 버릴 것만 같다.

미쳐 버리지 않기 위해. 잡힐 듯 말 듯 한 초조함에 입이 바싹바싹 말라 가면서도 손을 뻗고 감추기를 반복했다. 어떻게든 닿고 싶어서. 단단히 잡아 품 안에 안아야지만 고통이 사라질 것 같았다.

그런데도 매번 허무하게 손가락 사이로 빠져나가는 허상에 얼마나 괴로워했던가. 깊고 깊은 절망감의 무게에 추하게 매달리고 비명을 지르며, 아무리 발악해도 소용이 없었다.

오히려 그럴수록 떠오르는 기억들은 고통을 더 끔찍하게 만든 대신 독기를 품게 했다. 결코 되돌릴 수 없는 과오. 괴롭고 고통스러운 그 그리움과 후회들.

'아무리 후회하고 또 후회해도 소용없겠지.'

어리석었다. 치가 떨리도록 이기적이다. 어찌 지나쳤단 말인가. 아무것도 몰랐다는 것은 한낱 변명에 지나지 않는다. 알면서도 묻어 두고 자신의 감정에만 급급했었다.

처음부터 이유도 없이 경멸하고 죽이려고까지 했으면서 단순히 흘러간 과거로 치부해 버렸다. 원망하지 않으니 그냥 넘어가도 된다고 안일하게 생각했었다.

그러나 사실은 두려웠다. 미움받는 것이 두렵고 원망하고 눈앞에서 돌아서는 것이 두려워 더 숨기고자 했다. 숨길 수만 있다면 꼭꼭 숨겨 내색하지 않으려고 했다.

'그래놓고는 어리석게 사랑해 달라 생떼를 부렸지.'

이 얼마나 바보 같은 짓인가. 용서를 구하는 것이 무에 어렵다고. 눈앞에 뻔히 보이는 것을. 눈만 감아도 생생하게 떠오르는 그 상처를 숨기려고 아등바등 발악한 꼴이다.

어찌 이리도 뻔뻔한지. 참으로 후안무치하고 염치가 없는 작태를 돌이켜 볼 때면 환백은 자기 자신에게 치가 떨릴 지경이었다. 그래서 더더욱 죽을 수가 없었다.

단 한 번이라도 용서를 구하고자, 단 한 번이라도 그리운 연인의 얼굴을 보고자 하루의 반을 공포에 떨며 인간이 견딜 수 없는 그 끔찍한 지옥을 참아 낸 것이다.

그런데 그 결과가 무엇인가. 그조차도 욕심이었고 한낱 이기심에 지나지 않았다. 단 한 번도 행복하게 해 주지 못했으면서, 마지막에 마지막까지 힘들게 했다.

'바보같이 후회만 남는가. 내가…… 내가 참으로 어리석었다.'

이제는 그 어떤 말도 소용없는 것을. 볼을 타고 흘러내리는 눈물에 조금 전의 안락함이 거짓말처럼 사라지고, 더 이상 뛰지 않는 심장 위로 아스라이 고통이 퍼져 간다.

마치 아직은 살아 있다고 육체가 알리는 것같이. 피식 자조적인 웃음이 흘러나왔다. 분명히 자신은 죽었을 터인데 눈물이라니. 결국, 죽음도 안식이 아니었던가.

어쩌면 죽음조차 고통의 연속일지도 모른다는 생각에 쓴웃음을 지을 때, 귓가로 아련한 목소리가 들리는 것 같아 환백의 감긴 두 눈이 번쩍 떠졌다.

하지만 보이는 것은 검디검은 어둠뿐. 눈앞에 들어 올린 손조차 보이지 않고 지금 자신이 누워 있는 곳이 허공인지 바닥인지도 구분하지 못할 정도다.

이젠 익숙하게까지 느껴지는 곳. 또다시 어둠 속에서 헤매라는 것인가. 아니, 이젠 그리하지 않을 것이다. 그때는 어떻게든 살고자 하는 의지라도 있었으나 이미 죽은 몸으로 헤맨들 무슨 소용이겠는가.

모두 부질없는 짓이라 잠시 커다랗게 떠졌던 환백의 눈은 다시 고요히 감겼다. 그때 또다시 들려오는 목소리. 이번에는 조금 전보다 더 선명하게.

잊으려야 잊을 수도 없는 묘한 울림을 담은 그 목소리에 환백이 화들짝 놀라 몸을 일으켰다. 역시나 보이는 건 어둠뿐. 그런데도 환백의 얼굴에는 숨길 수 없는 기대감이 어려 있었다.

'폐하.'

'휘……연? 휘연 그대인가? 정녕 그대인가?'

한낱 그리움이 만들어 낸 환상이었던 듯 돌아오는 대답은 없었다. 하지만 이 어둠 속에서 환백은 그 환상의 끝자락을 결코 놓치고 싶지 않았다. 아스라이 퍼지던 고통이 거짓말처럼 사라진다.

'휘연, 가지 마라. 한낱 허상이라도 좋아. 매일같이 꿈을 꾸었다. 내 생애 가장 행복한 꿈을……. 내가 사랑을 속삭이면, 그대가 사랑스럽게 웃으며 화답해 오는 꿈을.'

감히 욕심내어서는 안 되는 꿈을 매일같이 꾸었다. 만나기만 한다면 그동안 저지른 잘못에 용서를 빌고, 무릎을 꿇고 애원을 해서라도 온전히 사랑해 달라 청을 하려고 했었다.

원망해도 좋으니 자신의 곁에만 있어 달라 매달릴 생각이었다. 헌데 결과는 어떠한가. 제대로 용서를 빌기는커녕 마지막까지 눈물에 젖은 모습만 봐야 했다.

'내 욕심으로, 그대에게 참으로 못할 짓만 한 것 같아.'

이제 와서 후회해 본들 무슨 소용인가. 자조적인 웃음이 새어 나왔다. 하지만 동시에 뜨거운 것이 볼을 타고 흘러내렸다. 후회한다. 후회한다. 죄책감과 후회에 짓눌려 환백은 숨쉬기도 버거웠다.

'이미 늦어 버렸지. 휘연, 나라는 인간은 이리도 한심하다.'

'기다리겠습니다. 환백 님이 돌아오시는 날을 기다리겠습니다.'

'그래. 그대는 기다린다고 했지. 그리고 그 약속을 지켜 주었지.'

못내 떨어지지 않는 발길을 돌려야 했던 그때, 눈물에 젖은 단아한 미소로 배웅하던 휘연의 모습이 아련하게 피어오른다. 두 번 다시는 볼 수 없는 모습에 애가 타서 손을 뻗었다.

또다시 만지는 걸 허용하지 않는다는 듯 안개처럼 흐트러지는 모습에 입술을 깨물고 손을 거둬들인다. 그리고 다시 나타나면 멈칫멈칫 주저하며 손을 뻗고 다시 감추기를 반복한다.

이것이 죽음으로 얻은 죄의 대가라면, 끔찍한 고통 속에서도 놓지 못했던 그리움이 죽어서도 받아야 할 죗값이라면. 이 온전한 암흑 속에서 살아가는 것도 결코 나쁘지는 않으리라.

지금 자신에게 가장 두려운 것은 그리움이 아닌 망각(忘却). 비록 느끼고 안아볼 수는 없어도 눈앞에 환상으로나마 그리운 연인이 존재한다는 사실에 환백은 이 어둠이 두렵지 않았다.

그래서인지 어느새 환백의 입가에 부드러운 미소가 지어질 때였다. 일렁이는 빛처럼 가만히 서서 환백만을 바라보던 휘연의 형상이 한순간에 몸을 돌려 어딘가로 걸어가자 환백도 덩달아 벌떡 일어났다.

'가지 마라, 휘연! 어디 가는 것이냐? 휘연! 나를 혼자 두지 마라. 제발, 기다려!'

점점 멀어지는 환상의 끝자락을 잡고자 환백은 한 치 앞도 구분하지 못하는 어둠 속을 미친 듯이 달렸다. 잡을 만하면 멀어지고, 가까이 다가갔다 싶으면 한순간에 저만치 멀어지는 모습에 환백의 얼굴이 울듯이 일그러졌다.

그런데도 포기할 수 없었다. 그리움이 만들어 낸 환상이라 해도 그것마저 놓치면 이 어둠 속에 온전히 혼자 남아야 할 것이 두려워 환백은 필사적으로 달렸다. 그렇게 얼마나 달렸는지 모른다.

다리에 감각마저 사라지고 온몸이 땀에 흥건하게 젖어 축축 늘어지려는 몸으로 다급하게 눈앞에 멈춰 선 휘연을 끌어안았을 때였다. 순식간에 어둠이 사라지고 시야로 파고드는 강렬한 빛에 환백이 눈을 질끈 감았다.

하지만 그것도 잠시, 온몸을 감싸는 따사로움과 향긋한 꽃향기에 다시 번쩍 눈을 떴을 때, 어느새 모습을 드러낸 도재가 입가에 미소를 띠며 환백을 맞이하고 있었다.

『오셨습니까, 황제시여. 천제께서 기다리고 계십니다.』

"천제? 그대는 누구지?"

『천제를 모시는 도재라 합니다. 위로 오르시지요.』

도재가 살짝 몸을 비켜서고 눈앞에 반듯하게 깎아 놓은 돌계단이 보이자 환백은 일말의 망설임도 없이 성큼 계단을 밟았다. 그리고 환백이 계단을 벗어난 건 순식간이었다.

『허허, 특이한 놈이군.』

지금껏 계단을 오른 사람은 몇 되지 않았지만, 밟자마자 벗어난 사람 또한 환백이 처음이라 천제의 얼굴에 찰나간 황당한 빛이 어렸다.

그런 천제의 앞에 성큼 다가와 양해도 구하지 않고 당당하게 자리에 앉는 환백의 모습은 어둠 속을 오랫동안 헤맨 탓인지 엉망으로 흐트러져 있었다.

『쯧쯧, 꼴이 말이 아니구나.』

"당신이, 천제요?"

『말본새 하고는. 쯧, 건방진 놈.』

달라도 어찌 이리도 다른 것인지. 낮게 혀를 차며 고개를 내젓는 천제를 보며 환백은 나직하게 코웃음을 치고 눈앞에 놓인 찻잔을 들어 올렸다. 무엇 때문에 자신이 이곳에 왔는지는 모르나 필시 이유가 있으리라.

설사 없다고 해도 자신이 죽고 난 후에 휘연의 상황만은 알아볼 수 있을 거라는 생각에 환백은 천제가 먼저 말을 꺼내기를 기다렸다. 그러나 곧바로 흘러나오는 천제의 말에 환백은 결코 태연할 수 없었다.

『왜 이곳에 왔는지 모를 테지. 이제는 모든 업이 사라졌으니 너 또한 알아야 할 터, 너는 내 피로 태어난 광기의 검. 즉, 너는 천살의 운명을 타고났다.』

"천……살? 설마, 전설상의 그 천살성을 말하는 거요?"

『그렇다. 인간들이 지은 죄가 오래도록 쌓이고 쌓여 세상이 혼탁하고 악취가 넘치니, 내 보다 못해 너를 보낸 것이다.』

"하, 남의 운명을 그리 마음대로 농락했단 말이오?"

『농락은 무슨. 네놈 하나에 얼마나 공을 들였는데 하는 말하고는. 쯧, 그리고 어차피 내가 아니면 한낱 감정도 없는 검으로 남았을 놈이 무에 그리 불만이냐? 다시 살게 해 준 것만으로도 고맙게 여겨라.』

대수롭지 않다는 듯 당당하게 답하는 천제를 보며 환백의 얼굴이 일그러졌다. 태어난 그 순간부터 부모가 있어도 혼자였고, 하루에도 수도 없이 목숨이 경각에 처해야 했으며 감정이라고는 전혀 없이 자랐다.

살아남고자 발악한 과거를 되돌려 보면 이가 갈리고 치가 떨리건만, 그 모든 게 타고난 운명 때문이라니. 게다가 그리 만든 장본인의 뻔뻔한 행태에 환백의 두 눈이 시뻘건 화기를 담고 붉게 타올랐다.

마치 당장에라도 덤벼들듯 으르릉거리는 환백을 보며 도재가 나지막이 한숨을 내쉬고, 천제가 작게 헛기침을 하며 슬며시 고개를 돌렸다. 그리고는 재빨리 화제를 돌리는 천제의 말에 환백의 기색이 단박에 변할 수밖에 없었다.

『그래서 내 휘연 그 아이를 보내 주지 않았느냐.』

"……휘연."

『그래. 그 아이는 오로지 너를 위해서 존재했지. 본시 그 아이는 내 생명과 빛으로 태어나 이곳 선도에 들 아이였으나, 내 너의 천살의 업을 벗기고자 그 아이를 너에게 보낸 것이다.』

단 한 번도 생각지도 못한 말에 환백은 굳은 그대로 아무런 말도 하지 못했다. 그런 환백의 머릿속으로 휘연과의 첫 만남부터 마지막까지 빠르게 스치고 지나갔다.

'그랬든가. 휘연이 나를 위해 존재했던가. 헌데 나는……무슨 짓을 한 거지?'

처음 만난 그 순간부터 핍박하였다. 사내라는 이유로, 하등의 도움도 되지 않는다는 이유로 자신의 곁에 당당히 서 있어야 할 이를 바닥으로 끌어내려 경멸하고 씻지 못할 모욕을 주며 죽이려고 했었다.

시도 때도 없이 살기가 치밀어 오를 때면 그 살기를 온전히 휘연에게 풀었다. 돌아서면 자신조차 의아했음에도 또 그게 당연하다 여겼다. 그래 놓고는 어찌했는가.

혼란을 헤아려 볼 생각조차 하지 않고 상처 주는 걸로도 모자라 폭력을 서슴지 않았다. 힘으로 억압하고 강제로 취하며 막상 혼란이 사랑이라는 걸 깨달았을 때는 과거를 되돌아볼 여유 따위는 없었다.

그저 도망칠 것이 두려워 곁에 붙들고 있는 것만이 능사라 여겼다. 그리고 애원했다. 그 품으로 따뜻하게 감싸 주기를 바라고, 나를 향해 미소 짓고 뻔뻔스럽게 사랑해 주기를 바랐었다.

온전히 자신만을 보기를 원했고, 그것이 당연하다 여겼다. 어찌 그리도 어리석었는지, 그 치 떨리는 뻔뻔한 행태를 운명 때문이라 탓할 수도 없지 않은가.

타고난 운명이 어찌 됐든 오롯이 자신만을 위해 존재했던 휘연을 상처 입히고 극한까지 몰아간 것은 바로 자신이다. 그 어떤 이유로도 변명이 되지 않는 것이다.

목이 메고 마치 수십 개의 침이 박힌 것처럼 따끔거린다. 미안하다. 잘못했다. 어리석어 옳고 그름도 구분하지 못했다. 목까지 차오른 말은 상대를 잃고 정처 없이 맴돌 뿐이다.

"휘연은…… 알고 있었소?"

이미 답은 나온 것을. 그럼에도 환백은 묻지 않을 수 없었다.

『알고 있었다. 애초부터 그 아이는 너의 곁에서 천살의 살기를 누르고, 그 천살을 벗겨 내는 것이 소임이었다. 그리고 그 아이의 소임은 여기까지지.』

"그게…… 무슨 말이오? 여기까지라니?"

『천살이 벗겨졌으니 그 아이와 너의 인연도 다했다는 말이다.』

이것이었는가. 휘연을 볼 때면 그토록 불안했던 이유가.

"그럴…… 수 없소. 누구 마음대로 인연이 다해? 한 번 운명으로 엮었으면 끝까지 함께해야 하는 거 아니요!"

『말했지 않느냐? 그 아이는 선도에 들 아이다. 고집 피운다고 한 번 벗어난 인연을 되돌릴 수는 없지. 그러니 괜한 고집 그만 피우고 내려가서 황제 노릇이나 제대로 해라. 그 아이도 그걸 원했고.』

"……휘연이…… 원했다고?"

『너에게 종생을 함께할 인연을 내려 달라더군.』

어차피 시일이 지나면 해결될 일이라 죽었던 환백이 어찌해서 살아남았는지, 그 일로 휘연이 치른 희생에 대해서는 입을 다무는 걸 선택한 천제였다.

말해 봐야 돌아올 반응이 쉽사리 짐작되기 때문이다. 지금도 험악한 살기를 담아 노려보는 환백을 굳이 들쑤셔 충격을 얹어 줄 필요는 없지 않은가.

그렇다고 기껏 공들여 키워 놓고 다시 뒤틀어 놓을 수도 없는 노릇이라 천제가 쓰게 웃으며 난감한 듯 고개를 돌려 버렸다.

천제라고 마음이 편한 것은 아니었다. 두 사람 다 자신의 생명과 피에서 태어난 존재였으니 그만큼 특별한 것이다. 하지만 어쩌겠는가.

모든 인연과 수명이 다해 이곳 선도에 든다면 모를까. 이미 인계에서의 두 사람 운명은 정해져 있었고 그 결말 또한 벗어날 수 없었다.

만약 그러한 운명을 다시 뒤틀게 된다면 주변에 얽힌 수많은 운명들 또한 뒤틀리게 된다. 기껏 바로잡은 흐름이 다시 혼란에 휩싸이게 된다는 뜻이다.

'후우, 그럴 수는 없지. 헌데…… 쯧, 마음이 편하지만은 않구나.'

혼자만의 생각 끝에 고개를 설레설레 내젓는 천제를 향해 부득부득 이를 갈던 환백이 한참만에야 힘없이 고개를 떨구었다. 천제의 말을 모두 받아들이고 이대로 휘연을 포기한 것이 아니었다.

어찌 포기한단 말인가. 단 하나의 사랑이었고 운명이었으며 영원을 맹세하고 싶은 유일한 반려였다. 그러한 연인을 포기하고 어찌 살아가겠는가. 그때는 살아도 살아 있다고 볼 수 없을 것이다.

까맣게 타들어 간 마음과 감정을 잃고 미쳐 버리게 될 것이 분명한 것을. 휘연이 옆에 없다는 사실 하나만으로도 끔찍하다는 듯 진저리를 치며 가슴에서부터 올라오는 고통에 환백은 눈을 감았다.

인연이 다했다면 어떻게든 다시 이어 붙여서라도 되찾으면 그만이다. 설사 그 대가로 황위를 포기하고 목숨을 포기하는 한이 있더라도 환백은 천제가 농락하는 대로 움직일 생각이 전혀 없었다.

단지 자신을 위해 새로운 인연을 내려 달라 말한 휘연을 생각하자니 가슴이 쓰리다 못해 목 안에서부터 뜨거운 것이 울컥 치미는 기분이라 환백은 잠시간 호흡이 여유롭지 않았다.

억눌린 듯 숨을 쉬기 힘든 가슴을 힘주어 누르며 환백은 떨리는 숨을 애써 목 안으로 삼켰다. 못다 넘긴 씁쓸함이 입 안에 맴돌고, 호흡을 가다듬던 환백이 잔뜩 갈라진 목소리를 억지로 끄집어냈다.

"하나만 묻겠소. 천살을 벗은 지금, 내 운명은 여전히 당신 손에 있는 거요?"

『아니다. 이제부터는 너의 운명에 개입하지 않을 것이다.』

이곳에 와서 가장 만족스러운 대답에 환백은 망설임 없이 자리를 털고 일어났다. 더는 이곳에서 지체할 이유가 없었기 때문이다. 그런 환백의 얼굴 위로 조금 전과는 다른, 비장한 각오라도 한 듯 단호함이 서려 있었다.

"그 약속 반드시 지키시오."

『만약, 그 아이를 붙들 생각이라면 포기하는 게 더 빠를 것이야. 그 무엇으로도 어긋난 인연을 되돌릴 수는 없는 법이다.』

미련 없이 몸을 돌리던 환백은 곧 발걸음을 잡아채는 천제의 말에 입가를 비틀어 올렸다.

"방금 한 약속도 잊은 거요? 이후로는 내 운명에 왈가왈부하지 마시오. 큭, 되돌릴 수 없다고 했소? 과연 그 말이 맞는지 어디 한번 해 봅시다."

『끄응, 도대체 어쩔 생각이냐?』

"다시 인연을 되돌리든가. 그도 아니면 미치든가 죽든가. 셋 중의 하나겠지. 아아, 정 안 되면 완전히 미쳐서 닥치는 대로 다 죽여 버려도 괜찮겠군."

이 무슨 말도 안 되는 소린지. 대수롭지 않다는 듯 붉은 눈을 번뜩이며 하는 말에 천제의 반듯한 미간에 깊게 골이 파였다. 갑자기 골치가 지끈거렸다.

『이놈이 진정 미친 것도 아니고 기껏 살려 놨더니 한다는 말이 그것뿐이냐?』

“어차피 나를 살린 것도 내가 필요해서가 아니오? 아마도 내가 잘못되면 골치 아픈 것도 한둘이 아닐 테지.”

이미 그 정도는 충분히 예상했다는 듯 삐뚜름하게 웃음을 걸치고 태연하게 중얼거리는 환백을 보며 도재는 웃는 듯 마는 듯 묘하게 찌푸린 얼굴로 고개를 돌렸고, 천제는 입을 꾹 다물었다.

사실이 그렇기에 괘씸하기는 해도 딱히 반박할 말이 없는 것이다. 그런 천제를 향해 환백은 언제 웃었느냐는 듯 순식간에 웃음을 감추고 감정 하나 내비치지 않은 시린 표정으로 입을 열었다.

“똑똑히 지켜보시오. 당신이 농락한 운명, 내 반드시 되돌려 보이겠소. 아니, 그리되기를 바라야 할 거요. 내가 진정으로 미쳐 당신이 아끼는 세상을 쑥대밭으로 만드는 꼴을 보기 싫으면.”

五章

그리움

휘연이 황궁을 소리 소문 없이 떠나고 환백이 깊은 잠에 빠져 있을 때, 오래도록 이어지던 극심한 가뭄 끝에 말라 버린 대륙 전체로 단비가 쏟아져 내리며 재난이 끝이 났음을 알렸다.

바닥을 보일 정도로 메말랐던 대류하가 며칠간 이어지는 빗줄기에 서서히 채워져 가고, 메마르다 못해 흉하게 쩍쩍 갈라졌던 대지가 어느새 제 모습을 갖추었다.

백성들은 환호하고, 한 걸음만 걸어도 숨 막힐 듯 훅 끼쳐 오던 혹독한 늦더위도 한풀 꺾여 그렇게 세상이 생기를 되찾아 가고 있었다. 고작해야 이레 만에 찾아온 변화였다.

하지만 연일 웃음이 끊이지 않는 세상과는 달리 황궁 안은 지독히도 조용했다. 그 이유는 며칠이나 황후궁에서 꼼짝달싹도 하지 않는 환백 때문이었다.

엿새 전, 천제를 만나고 돌아와 깨어났을 때 기쁨과 후회, 자책감에 어우러진 효헌이 상황을 미처 설명하기도 전에 환백은 무작정 황후궁으로 달려갔다. 그것은 본능이고 예감이었다.

휘연은 이미 떠나고 없을 거라는 사실. 천제와의 대화에서 이미 그 사실을 알면서도 환백은 혹시나 하는 마음에 황후궁에 도착했지만 이내 침통한 표정으로 주저앉을 수밖에 없었다.

텅 비어 있는 침전 안은 사람이 살았다는 것조차 의문이 들만치 온기라고는 전혀 없었다. 애초에 휘연의 존재 자체가 거짓이었다는 듯, 고작 하루 만에 느낄 수 있는 상실감 따위가 아니었다.

막연히 상상했던 것과는 비교도 안 되게 막상 눈앞에서 확인한 휘연의 부재가 불러온 것은 공포였다. 그리고 공포는 시간이 흐르자 더 이상 어찌할 수 없는 절망으로 변하기까지 결코 오래 걸리지 않았다.

심장이 산산조각이 나는 것만 같이 아프고 아파서, 지독하게 고통스러워 미쳐 버릴 것만 같아서 환백은 주저앉은 채 부들부들 떨리는 몸으로 짐승같이 처절한 울음을 터트렸다.

미쳐 날뛰는 심기를 다스리지 못해 몇 번이고 피가 역류해 울컥 토해질 때까지, 환백은 비명을 지르며 뼈가 드러날 정도로 해져 바닥을 온통 피로 물들일 때까지 미친 듯이 바닥을 주먹으로 쳐 댔다.

마치 통증조차 느끼지 못하는 것처럼 환백이 내지르는 울부짖음은 한동안 멈추지 않았다. 너무나 처참한 광경이었지만 효헌과 세 사람도 환백의 절규에 몸이 묶인 듯 말리거나 진정시킨다는 생각을 하지 못했다.

아니, 손가락 하나 까딱할 수 없었다는 게 더 맞는 말일 것이다. 환백에게서 전해지는 고통이 너무도 생생해 그 처절함에 압도당해 움직일 수 없었기 때문이다.

그렇게 환백은 몇 시진을 정신이 나가 버린 듯 같은 행동만 반복했다. 목이 쉬어 더 이상 어떠한 말도 나오지 않을 때까지. 몸 안의 수분과 피가 모조리 빠져나간 듯 하얗게 질렸을 때야 환백이 정신을 잃으며 최악의 상황은 끝이 나는 것 같았다.

하지만 고작 반나절도 지나지 않아 깨어난 환백의 태도에 효헌을 위시해 노심초사하던 이들은 또 다른 의미로 당황해야 했다. 처음에 보였던 반응과는 극히 반대로 환백은 아무런 행동도 하지 않은 것이다.

대신 며칠 동안 물은 고사하고 먹지도, 자지도 않으며 황후궁에서 벗어나지도 않았다. 입에 거미줄이라도 친 듯 말 한 마디 하지 않았고 하루 종일 하는 것이라고는 휘연이 남긴 서책 두 권과 서찰을 보는 게 전부였다.

그 바람에 지금 환백의 몸은 최악으로 치닫고 있었다. 황궁으로 돌아올 때도 고통 때문에 제대로 먹지 못한 데다 깨어나고도 물 한 모금 입에 대지 않고 있으니, 이대로 죽는다고 해도 이상할 게 없을 정도로 메말라 갔기 때문이다.

사실상 일반적인 상식으로도 이만큼 버틴다는 것 자체가 말도 안 되는 것이다. 제아무리 평범을 넘어 괴력 같은 힘을 소유한 환백이라 해도 한계라는 게 있는 법이지 않은가.

가만히 지켜봤다가는 무슨 상황이 벌어질지 몰라 초조하게 발만 동동 구르던 효헌이 보다 못해 허락도 받지 않고 침전 안으로 뛰어들고 말았다. 그리고 효헌은 또 한 번 놀랄 수밖에 없었다.

"경계로 갔던 기마군은 회군 중인가?"

"예, 예?"

"정신 차려라. 회군 중인지 물었다."

"아, 예! 아마도 넉넉잡아 보름 후면 도착할 것입니다. 헌데……."

괜찮은지를 묻고자 했던 효헌은 말끝을 어눌하게 흐리며 곧 입을 다물었다. 분명히 몸은 상할 대로 상해 뼈밖에 남지 않을 정도였지만, 똑바로 시선을 맞춰 오는 눈동자는 탁하지 않았기 때문이다.

지난 며칠간 환백은 마치 흐릿한 안갯속을 헤매는 것처럼 탁하게 물든 눈으로 멍하게 있었다. 헌데 지금은 너무 또렷하지 않은가. 그건 곧 정신이 맑게 개었다는 걸 의미하는 것이지만 효헌은 묘한 위화감에 문득 소름이 끼쳤다.

환백이 정신을 차렸다면 그보다 더 다행스러운 일은 없었지만, 어쩐지 맞물려 들어가지 않는 미묘한 느낌을 떨칠 수가 없어 효헌은 힐끔 눈치를 살피며 조심스럽게 입을 열었다.

"저기, 형님? 뭘 좀 드셔야지요?"

"……그래야지. 알아서 시키고, 밖에 세 놈도 불러."

묘한 기분은 나중 문제고 환백의 대답에 효헌이 반색을 하며 자리에서 벌떡 일어나 내관들에게 이것저것 시키는 동안, 내내 문밖을 지키던 묵혼과 교령, 조관이 들어서며 한쪽 무릎을 꿇었다.

그런 세 사람의 얼굴 또한 환백만큼이나 초췌하게 말라 있었다. 항상 환백의 바로 옆에서 지켰던 두 사람조차 그동안은 방 안으로 들어오지 못한 탓에 안절부절못하며 덩달아 음식도 입에 대지 않은 탓이다.

"조관, 너는 황궁에 남아 금위위의 임무를 익혀라. 그리고 묵혼, 교령."

"하명하십시오, 주군."

"……찾아라."

단 한 마디였지만 환백의 명령이 무얼 뜻하는지 알기에 두 사람은 말없이 고개를 숙였다. 그렇게 잠시간 침묵하던 환백이 다시 말을 이었다.

"묵가와 암영제를 모두 풀어 비밀리에 진행하되, 황후 혼자 있지 않을 것이다. 시관 둘과 유한을 염두에 두고 찾아라. 만약 찾는다면 선불리 움직이지 말고 보고부터 해."

"존명!"

두 사람이 순식간에 모습을 감추자 조관도 조용히 안도하며 물러나고, 걱정스럽게 바라보는 효헌만이 남았다. 잠시 후 내관이 들어오며 환백은 며칠 만에 겨우 물로 갈증을 해

소하고 미죽을 먹었다.

그 덕분에 시장기가 가신 환백의 표정이 훨씬 더 편안하게 풀리자, 나지막하게 안도하던 효헌이 그제야 환백의 손에서 한시도 떠나지 않은 서책 두 권에 시선을 두었다.

"형님, 그 서책은 무엇입니까?"

"볼 테냐?"

"예? 저기, 소제가 봐도 되는 것입니까?"

세상에 다시없을 보물이라도 되는 듯 한시도 품에서 떼지 않고 끌어안고 있을 때는 언제고 이렇게 순순히 보여 준단 말인가? 생각지도 못한 말에 의외라는 듯 두 눈이 휘둥그레지며 묻는 효헌을 보며 피식 웃은 환백이 서책 두 권을 내밀었다.

그걸 공손히 받은 효헌이 힐끔 눈치를 살피며 그중 한 권을 펼쳐 들고 얼마 지나지 않아 나지막하게 탄성을 내질렀다. 그동안 호협에게서 배운 약초학을 휘연이 직접 집필해 놓은 것이었다.

사실상 효헌이 놀란 이유는 따로 있었다. 약초라는 것들이 흔히 알고 있는 잡초라는 사실과 그에 따른 효능에 적잖이 당황한 것이다. 눈만 돌리면 보이는 흔한 잡초에 이런 효능이 있다니.

그뿐만 아니라 그 약초를 채취하는 시간부터 환단을 제조하는 방법, 그 마음가짐과 올바른 행동에 대해서도 상세하게 쓰여 있었고, 그에 따른 효능의 차이점에는 효헌도 혀를 내두를 정도였다.

그저 가격이 비싸고 귀한 것만이 좋은 약재라고 생각했던 자신이 부끄러울 정도로, 서책에는 값을 치르지 않고도 쉽게 구할 수 있는 약초와 그를 다루는 것에도 정성과 마음이 담겨야 한다는 가르침이 담겨 있었다.

"정말…… 대단하다고밖에는 볼 수 없군요."

"소월황후의 이름으로 필사해 각 마을 빈민촌에 나눠 줘라. 아마 휘연도 그걸 원할 테지."

"아! 그리하겠습니다."

효헌은 단박에 수긍했다. 필시 휘연이라면 백성을 먼저 생각할 것이 뻔하기 때문이다. 어쩌면 이 책을 남긴 것도 그런 이유일지도 모르겠다는 생각에 효헌이 고개를 끄덕이고 이내 또 다른 서책을 펼쳐 들었다.

[무릇 흥하고 쇠함과 이루고 이루지 못함은 풍륜(風倫)과 같은 것이라. 백성은 나라의 근본이니 백성 없는 나라 없고 나라는 군주의 근본이니 나라 없는 군주도 없음이니, 군주는 나라를 다스림에 백성들을 양육함이 근본이요, 진정한 군주는 헐벗고 굶주린 백성의 어려움을 덜어 주지 못하면 함께 나누어 겪기라도 해야 함을 잊지 말고, 힘없는 백성들에게서 이로움을 취하지 말 것이며 해서는 안 될 짓을 범하는 무도한 이들은 신분 고하를 막론하고 엄히 다스리는 것 또한 백성들을 편안케 하는 길이니…….]

[천하를 경영하는 것은 정녕코 어려운 일이라 했으니, 잘못되었다고 생각한 것이 좋은 결과를 가져올 때가 있고, 심혈

을 기울인 것이 오히려 세상을 망칠 수도 있음이라. 확고한 뜻을 두었다면 천하를 생각할 때 먼저 생명을 귀히 여겨야 함이니…….]

[효는 사람의 근본이라, 사람을 등용하는 방법이 기예(技藝)만을 의지하면 비록 그런 인재는 얻을 수는 있으나 마음을 얻지는 못하기도 하며, 사람을 등용함이 바르게 갖추어지면 비록 혹간 재능이 부족한 이들이 있어도 능히 마음을 얻는 까닭에 충성을 덤으로 얻을 수 있음이라. 효성과 청렴함으로 사람을 등용하면 비록 재주는 서툴러도 반드시 이를 수 있으며, 단지 재주만을 취한다면 비록 능란하여도 많은 실패가 있게 될 것이니, 사람을 택함에 반드시 그 행실을 보고 나서야 재주를 물어야 가장 현명한 사람을 얻을 수 있음이다.]

서책 한 권이 약초학으로 빼곡하게 채워져 있었다면 다른 한 권은 환백도, 효헌도 익히 아는 내용이었다. 그러나 배웠을 뿐 권력의 정점이라는 게 그렇듯이 결코 배운 대로 흘러가지 않는 법이다.

설사 그 배움이 가장 기본이 되어야 하는 중요한 것임에도 간과하고 넘어가는 일이 태반이었다. 그렇다 보니 서책은 처음을 돌아보고 되새겨 보게 하는 의미가 담겨 있었다.

“처음 뵀을 때부터 느낀 것이지만, 알면 알수록 그 깊이를 헤아릴 수 없는 분이십니다.”

가만히 책자를 덮으며 묘한 얼굴로 혼잣말처럼 중얼거리는 효헌의 말에 환백은 아련한 눈을 하고 창밖으로 고개를 돌렸다. 그런 환백을 보다가 효헌은 다시 말을 이었다.

"지금 생각해 보면 무언가 이상했습니다. 형님이 천살성이라는 것도, 그 때문에 고통받는 것도. 또 운룡이 태어나기도 전에 아신 것도 그렇고, 내정 일을 맡긴 것까지. 마치 모든 것을 알고 미리 준비를 하신 듯합니다."

아무리 생각해도 이상한 일이 한둘이 아니었다. 무엇보다 경악한 건 분명히 죽은 환백을 되살린 게 휘연이라는 점이다. 신이 아닌 이상은 인간이 어찌 생사를 좌우할 수 있단 말인가.

그런데도 불가능한 일을 휘연은 버젓이 해냈다. 효헌 자신도 눈앞에서 환백이 죽는 걸 직접 확인하지 않았다면 절대 믿을 수 없는 일이었다. 그 사실을 누가 믿을 수 있을까.

하물며 모든 것을 알고 있는 듯한 태도나 갑자기 사라진 휘연을 생각하자면 결론은 하나밖에 없다는 사실에 효헌은 차마 입 밖에 내뱉지 못하고 소리 없는 침음성을 삼켰다.

그때 느꼈던 불안감을 가벼이 여기지만 않았다면 미리 막을 수도 있었을 것을. 이 모든 게 자신의 탓인 것 같아 효헌은 심한 자책으로 괴로워했다. 그런 효헌의 마음을 안다는 듯 환백이 창밖에 시선을 둔 채로 담담하게 입을 열었다.

"알았더라도 막지 못했을 테니 너무 마음 쓰지 마라."

"예? 그게 무슨……."

알아들을 수 없는 말에 효헌이 되물었지만 환백은 살짝 주먹을 끌어 쥐었을 뿐 대답할 의사가 없다는 듯 침묵했다. 엄연히 따지자면 이 모든 게 자신 때문이라 환백은 누구에게도 책임을 묻지 않은 것이다.

아니, 물을 수가 없었다. 무슨 자격으로 묻는단 말인가. 운명의 중심에 있으면서도 그조차 알지 못하고 자만하며, 오롯이 자신을 위해 모든 고통을 감내하고 희생한 휘연을 핍박해 몰아붙였다.

제아무리 운명 때문이라 하나 환백은 그런 자신을 용서할 수가 없었다. 그래서 하루에도 몇 번이고 정처 없이 미쳐 날뛸 것 같은 마음을 휘연이 남긴 서찰을 읽고 또 읽어 가슴 깊이 새기며 참고 또 참은 것이다.

휘연이 바라는 것이기에. 그 바람을 무시하고 또다시 실망을 안기고 싶지 않았다. 상처만 안고 떠났을 휘연을 찾아갈 자격을 얻기 위해서라도, 운명을 되돌리기 위해서라도 냉정하게 자신을 다스려야 했다.

그럼에도 지독하게 파고드는 상처는 육체의 고통과는 비교조차 되지 않은 절망이었다. 너무나 괴로워서 숨을 쉴 수도, 이 괴로움에서 달아날 수도 없어 호흡도, 심장의 고동도 모두 멈춰 버린 듯했다.

떠오르는 것이라고는 눈물에 젖은 휘연의 얼굴. 찢어져 피를 흘리는 상처투성이의 여린 몸. 필사적으로 참아 내려는 휘연의 물기로 가득했던 눈동자가 이젠 찢길 곳도 없는 가슴을 더욱 날카롭게 후벼 파낸다.

'이건, 그대가 주는 벌이겠지.'

하지만 짐작이나 했을까.

'휘연, 그대가 없는 이곳은…… 내게 더없이 참담한 지옥

이다.'

그런 지옥에서 홀로 살아가라 하는가. 다른 인연을 맺고 태연히 살아가라 하는가.

'그리할 수 없다. 아무리 그대가 원하는 일이라 해도, 세상을 다 뒤져서라도 그대를 찾을 것이다.'

그러기 위해 환백은 지난 며칠간 자신을 되돌아보고 휘연이 받았을 상처를 가슴 깊이 각인시켰다. 무너지려는 정신을 억지로 끌어 올리고 앞뒤분간 없이 날뛰려는 육체를 가라앉혔다.

[부디 간절하게 청하옵건대, 백성을 살피는 현명하고 어진 성황이 되시옵소서.]

'그리하겠다. 그대가 원하는 것이니 내 반드시 약조하겠다. 그러니 기다려라. 내가 찾으러 갈 때까지, 설사 죽음이라도 그대에게 가는 날 막진 못할 것이다.'

오로지 사랑하는 연인을 되찾겠다는 일념은 그렇게 무섭게 타올랐다. 그리고 그것은 달콤한 사랑을 넘어서 지독한 광기마저 닮은 독점욕과 집착이었다.

❖

휘연이 조용히 황궁을 떠난 지 달포, 어느새 여름이 물러가고 소절이 왔는지 서늘한 바람이 불었다. 그동안 대륙에도 많은 변화가 있었다. 그리고 그 변화에 휘연은 울 듯한 얼굴로 미소 지었다.

먼저 야만족의 경계로 떠났던 기마군이 모두 회군하며 속국이었던 예, 후, 한의 흔적이 완전히 사라지고, 정식으로 수나라에 귀속됨으로 새로운 정책이 내려졌다.

전쟁의 피해가 극심한 곳은 세금을 조정하거나 감면해 그 혜택을 누리게 했고, 각 마을 관아에 차곡차곡 거둬들인 곡식은 다시 고스란히 풀려나가 백성들에게 되돌아갔다.

그러면서도 환백은 새로이 받아들인 백성들을 업신여기지 않고 신분 고하를 막론하고 배움의 길을 열어 주었으며, 그들을 이끌 귀족들에게 세를 쥐여 주되 그 힘을 견제함에도 확실한 법규를 내세웠다.

그로 인해 황제에 대한 공포와 차마 입 밖에 꺼내지 못한 두려움에 찬 원망은 어느새 사라지고, 강력하고 현명한 절대군주에 대한 환호만이 대륙 전체로 퍼져 나가고 있었다.

배불리 먹을 수만 있다면 그 안에서 희망을 찾는 백성들의 모습을 단적으로 보여 주는 예였다. 거기에 정식으로 황태자와 황녀의 존재를 알림으로 자칫 위태로울 수도 있었던 두 아이에 대한 배려도 잊지 않았다.

그렇게 환백이 휘연이 남긴 안배를 하나하나 실행해 가는 동안, 휘연은 환백의 군이 스치고 지나가 황폐함만이 남은 마을에 짧게는 이틀에서 길게는 닷새까지 머물러 병자들을 돌보고 두 사람을 가르치는 일에 여념이 없었다.

"그동안 약초를 비롯해 기초를 다졌으니 다음 마을부터는 직접 병자를 보고 실전을 익히도록 하고. 그전에 의원에게 제일 중요한 게 무엇이라 생각하느냐?”

“단연 침술이 아닙니까?”

무영의 씩씩한 대답에 휘연이 작게 웃자 아소가 조용히 답했다.

“마음입니다.”

“어찌 그리 생각하느냐?”

“진심으로 병자를 위하고 불쌍하게 여기어 온 정성을 다하는 간절한 그 마음이 가장 중요하고 우선이라 생각합니다.”

차분하게 답하는 아소의 말에 휘연이 만족스러운 듯 미소를 드리우고 고개를 끄덕였다.

“그렇지. 그러나 그전에 의원은 필사(必死)를 근본으로 삼아야 할 것이다.”

“예? 의원은 사람을 살리는 일을 하지 않습니까? 헌데 어찌해서 죽음을 염두에 두어야 하는 것입니까?”

“정해진 천명이 있지 않으냐. 하늘 아래 죽지 않는 사람은 없는 법, 타고난 수명을 살도록 돕는 게 의원이다.”

제아무리 고명한 의술을 지닌 의원이라 해도 수명이 다한 이를 살릴 수는 없다. 다만 그 타고난 수명을 다하지 못하고 고통에 시달리는 이들을 위해 의술을 펼치는 것이 의원이라 배웠다.

휘연은 조곤조곤 설명을 늘어놓으며 호협의 가르침을 다시 한 번 되새기며 살포시 미간을 찌푸렸다. 그런 휘연의 얼굴 위로 짙은 아픔이 드러났지만, 찰나도 지나지 않아 안색을 바로 했다.

“하면, 의원이 가장 금기해야 할 것은 무엇이냐?”

“자만입니다. 의원은 병을 보고 최선을 다할 것이나, 그 병을 고칠 수 있다고 장담해서는 아니 됩니다.”

“제대로 알고 있구나. 무릇 생명을 다루는 의술은 고통받는 자에게는 희망이나, 의원의 길은 결코 쉬운 길이 아닌 만큼 배움 또한 무궁무진하다. 그러니 한 번 이 길을 들어섰다면 헛되고 큰 것을 바라서는 아니 되고, 교만해져 자신이 지닌 재주를 영달을 위한 도구로 사용해서는 아니 될 것이다. 또한, 재주가 뛰어날수록 더더욱 몸을 낮추어 재주의 삼 푼을 숨겨야 한다.”

“어찌 그렇습니까? 재주가 뛰어나면 그 재주를 더 보여야 할 것이 아닙니까?”

의아한 듯 고개를 갸웃거리며 묻는 무영의 머리를 쓰다듬으며 휘연이 조용히 설명을 곁들였다.

“낭중지추(囊中之錐)라, 인간 세상에 살아가다 보면 때론 재주가 뛰어난 게 근심과 재앙의 원인이 될 수도 있기 때문이다.”

“아! 시기와 질투의 대상이 될 수도 있다는 것입니까?”

“그렇지. 사람의 몸은 의술과 약으로 치유할 수 있고, 세상에 임하는 데 있어서는 의(義)와 협(俠), 효(孝)가 근본임을 명심하고, 너희가 의원의 길을 걷고 무인의 길을 걷는다 해도 마음은 늘 크게 가지고 자만하지 말 것이며 생명을 가장 귀히 여겨야 한다.”

"명심하겠습니다."

이후로도 휘연의 목소리는 한참이나 이어졌다. 간혹 쉬어 버린 목을 물로 축이고 힘에 부치는 듯 흐트러지려는 몸을 추슬러 가면서, 휘연은 단 하나라도 더 가르치기 위해 필사적이었다.

그런 휘연을 겉으로는 담담한 척 바라보며 두 사람은 눈물을 보이지 않으려고 입안 여린 살을 질끈 깨물었다. 그저 지켜보는 것만이 전부기에 내색할 수 없었기 때문이다.

그렇게 세 사람이 마을과는 외따로 떨어진 좁고 허름한 집에서 조용히 대화를 이어 갈 때, 문밖에서 작은 기척이 들리고 유한이 방 안으로 들어왔다.

"다녀왔습니다."

"고생했습니다. 그럼 밤도 늦었고 하니 오늘은 이 정도로 하고 너희는 그만 가서 쉬도록 해라."

두 사람이 이부자리를 곱게 펴 놓고 방을 나가자, 그제야 유한이 품에서 대모(玳瑁)로 된 작은 원통 두 개를 꺼내 내밀었다. 이 마을에 도착한 닷새 전 특별히 두 사람을 위해 제작한 침통이었다.

표면은 풀꽃 무늬 화초문(花草文)과 수복강녕(壽福康寧)의 글귀가 음각으로 새겨져 있었고, 내부는 종류에 따라 침을 구분하여 넣을 수 있도록 크고 작은 홈이 패어 있었다.

"원하던 모양대로 잘 만든 것 같군요. 유한 덕분에 시름을 한결 덜고는 있지만, 매번 고생만 시켜서 미안합니다."

"마땅히 제가 할 일을 한 것입니다. 부디 말씀을 거두어 주십시오."

고개를 깊이 숙이며 한 치의 망설임도 없이 대답하는 유한을 휘연은 미안하고 안쓰러운 눈으로 바라봤다. 어찌 당연하다 하겠는가. 자신을 따르지 않았다면 지금쯤 환백의 곁에서 편히 생활했을 사람이다.

하물며 무인으로서 뛰어남이 남다름에도 그 재주를 펼치지 못하고 야밤을 틈타 헐벗은 백성들에게 곡식을 나눠 주는 일을 하는지라 휘연으로서는 감사하면서도 더 마음이 쓰이는 것이다.

그렇다고 이제 와서 돌아가라 한들 돌아갈 유한도 아닌지라 휘연은 더 말을 잇지 못하고 나지막이 한숨을 내쉬었다. 지금의 체력으로 버틸 수 있는 것도 한계가 있어 시일을 따져 보아도 고작해야 일 년 남짓인 것을.

그사이 천하를 돌아볼 수 있을지. 또 자신이 떠난 후에 세 사람이 받을 고통을 생각하자면 마음을 무겁게 짓눌러 오는 것 같아 휘연은 하루도 마음 편히 잠들 수가 없었다.

무엇보다 한시도 머릿속에서 떠나지 않는 환백의 상처받은 모습은, 제아무리 굳건히 마음먹은 휘연이라도 결코 견딜 수 없는 아픔이었다. 그래서인가 어느새 눈시울이 붉어지려 하자 휘연이 서둘러 자리에서 일어났다.

"마마, 밤이 늦었습니다."

"잠시…… 바람만 쐬겠습니다. 유한은 먼저 건너가 쉬세요."

자신이 잠들지 않는 이상은 유한 또한 쉬지 못한다는 걸 알면서도 휘연은 차마 답답한 마음을 가눌 수가 없어 방을 나와 까만 밤하늘을 올려다봤다. 그와 동시에 휘연의 두 눈에서 맑은 눈물이 주름진 볼을 따라 쉼 없이 흘러내렸다.

공허하게 비어 있는 자리. 하늘이 열리고 다시 천기를 읽을 수 있게 됐을 때, 이미 호협을 가리키던 성좌는 떨어지고 없었기 때문이다. 그런데도 그동안은 마음 놓고 울지도 못했다. 이런 불효가 또 있을까.

'기회가 된다면…… 무원촌으로 돌아가겠습니다. 아버님 곁으로, 그곳에 제 육신을 묻겠습니다. 용서하십시오. 끝까지 불효만 저지르는 소자를 용서하십시오.'

❖

고된 정무를 마치고 나면 황후궁으로 향하는 게 환백의 일과로, 여전히 밤이면 잠들지 못하고 있었지만 달포 전에 비해 얼굴은 살이 빠져 날카로워지기는 했으나 한결 성숙해진 모습을 하고 있었다.

그동안 몸을 단련해 체력을 기르는 일에 소홀히 하지 않은 것도 오로지 휘연을 찾겠다는 일념 때문이었다. 그런 환백의 모습에서 달라진 건 비단 외향만이 아니었다.

풍기는 분위기가 달라져 존재하는 것만으로도 주변을 압도하리만치 무게감이 실렸으며 표정 또한 완전히 사라졌다. 마치 희로애락(喜怒哀樂) 자체를 모르는 것처럼.

환백은 감정을 잃어버렸다. 즐거운 것도, 아름다운 것도,

슬픈 것도, 분노하는 것도. 무딜 대로 무뎌져 모든 것이 무감하게만 느껴졌다.

오직 표정을 드러낼 때는 황후궁 침전 안에 홀로 있을 때로, 오늘도 어김없이 황후궁에 들어서며 신음을 삼키듯 휘연의 이름을 어물거리던 환백이 화급히 침전 안으로 뛰어 들어갔다.

넓은 처소의 입구에 매달린 섬세한 옥주렴은 변함이 없이 어둠 속에서도 영롱한 빛을 내고 있었다. 시일로 따지면 길지 않은 달포였지만 매번 들어올 때마다 환백은 휘연의 부재를 뼈저리게 느꼈다.

텅 비어 공허한 공간에서 필사적으로 아련한 추억을 상기하며 빠져들듯이. 주렴을 걷고 조심스럽게 걸음을 떼어 놓는 환백의 눈에서 조용히 눈물 한 줄기가 떨어져 내렸다.

'휘연, 다녀왔다. 오늘도 열심히 일했으니, 칭찬해 주어야지?'

많은 것을 바라지 않는다. 그저 환영으로나마 볼 수 있기를. 당장에라도 휘연의 그림자가 비쳐들 듯한 은은한 옥색의 장막으로 둘러싸인 침상에 앉아서 환백은 조심스러운 손길로 금침을 쓸어내렸다.

혹여 체향이라도 남아 있지 않을지, 금침을 끌어당겨 얼굴을 묻은 환백의 입에서 소리 죽인 흐느낌이 흘러나왔다. 단아한 얼굴로 다정하게 지어 주던 미소와 마음을 편하게 가라앉히는 울림을 담은 청아한 목소리.

땀에 젖어 쾌감에 물들어 가는 유혹적인 열락. 가늘지만 강한 팔로 자신에게 매달려 안겨 오던 그 품의 온기에 대한 견딜 수 없는 그리움이 환백을 서서히 질식시키고 있었다.

'한심하다고 해도 어쩔 수가 없다. 오늘만, 오늘만 울겠다.'

아련한 손길로 하염없이 금침 자락을 쓰다듬는다. 마치 휘연을 품에 안듯이. 금침에 얼굴을 묻고 이제는 사라져 버린 휘연의 온기를 느끼려 안간힘을 쓰는 환백의 가슴은 검게 타들어 가고 있었다.

물밀 듯이 밀려오는 기억에 휘연을 떠올릴수록 환백의 눈에 처절한 비탄과 안타까움이 물들고, 주체할 수 없는 나지막한 울음소리가 정신없이 그의 입에서 흘러나왔다.

어찌 견디었을까. 타고난 기구한 운명으로 저질러야 했던 살생의 업보들을 그 작은 어깨에 대신 짊어지고 홀로 감내하고 고통에 몸부림쳤을 휘연의 상처가 보이는 것 같아 환백은 못내 서글펐다.

그럼에도 원망 한 번 하지 않았다. 하소연하지도 못하고 속으로만 끙끙 앓았을 휘연을 사정없이 몰아붙이고 상처를 준 자신이 증오스러워 환백은 견딜 수가 없었다.

'차라리…… 원망을 하지 그랬느냐. 어찌 이리 야박하냐고, 아무것도 모르면서 미쳐 날뛰는 나를, 미워하고 죽도록 증오했어야지. 어찌 그리도 참기만 한 것이냐.'

수천 번, 수만 번 갈기갈기 찢어졌을 여린 가슴으로 어찌 견디었는지. 손톱이 생살에 박혀 들어 혈흔이 비칠 정도로 주먹을 끌어 쥔 환백의 입에서 상처 입은 맹수의 신음과도 같은 울부짖음이 나직이 흘러나왔다.

❖

휘연은 잠결에 이상한 느낌을 받았다. 누군가의 흐느낌 소리. 짐승의 울부짖음이 이러할까. 가슴이 저미도록 서럽게 우는 그 사람이 누군지는 알 수 없었지만, 휘연은 그 울음소리가 낯설지 않다는 걸 알았다.

그 울음소리에 절절히 밴 고독과 절망과 처절한 고통이 잊으려야 잊을 수 없는 한 사람을 떠올리게 했기 때문이다. 그걸 깨닫는 순간 머릿속을 강타하듯 울리는 피를 토해 내는 것 같은 처절한 외침.

'휘연——!'

휘연은 경기라도 하는 듯 화들짝 놀라 자리에서 벌떡 일어났다. 머릿속을 강타한 그 처절하고 무시무시한 비명이 아직도 머릿속을 울리는 것 같아 온몸이 덜덜 떨렸다.

그 비명에 담긴 말로 다하지 못할 끔찍한 고통이라니. 휘연의 두 눈에서 억제할 수 없는 눈물이 쏟아져 내렸다. 환백의 상처와 고통을 온몸과 영혼으로 느끼며 그렇게 휘연은 어둠에 잠식되어 갔다.

소리를 내지 않기 위해 질끈 깨문 입술에서 핏줄기가 흘러내리는 것도 모르는 채로 휘연은 밤이 새도록 목에 걸린 월장석 목걸이를 움켜쥐고 괴로움에 허덕여야 했다.

그리고 아침나절이면 언제 괴로워했느냐는 듯 휘연은 일

절 내색하지 않았다. 그러한 일이 휘연에게는 일상이었기에 지켜보는 세 사람도 알면서 차마 내색하지 못하는 것이다.

그렇게 황궁을 떠나온 지 어느덧 다섯 달이 훌쩍 넘어가며 시린 겨울이 찾아왔다. 여느 때처럼 마을에서 외따로 떨어져 비어 있는 허름한 집에서 밤을 지새우고, 아침이면 약초와 만두를 넣고 끓인 탕으로 배를 채운 일행이 다시 다음 마을을 향해 집을 나섰다.

밤사이 온 세상을 하얗게 물들인 눈. 겨울 산의 새하얀 풍경은 절로 감탄을 자아낼 정도였지만, 시일이 촉박한 휘연으로서는 난감하기가 이를 데가 없어 나지막이 한숨을 내쉬고 발목까지 빠지는 눈길을 헤쳐 나갈 때였다.

좁은 길을 빠져나와 겨우 마차를 세워 놓은 곳까지 당도했던 휘연 일행은 누군가 다가오고 있다는 유한의 말에 걸음을 멈추었다. 그리고 곧 헐떡이며 모습을 드러내는 한 사람에 세 사람의 눈이 휘둥그레졌다.

"이보시오! 잠시만 말씀 좀……. 아! 내종관님! 내종관님, 내시관님이 맞으시지요?!"

오랜만에 보는 모습이라 많이 변해 있었지만 아소와 무영을 알아보고 더할 나위 없이 반색을 하며 다가온 사내는 바로 휘연이 황후 후보로 떠나올 때 연환궁까지 같이했던 황궁 태복 진충이었다.

뜻하지 않은 사람의 등장에 휘연이 나직하게 한숨을 내쉰 것과는 달리 적잖이 당황한 두 사람이 어찌할 바를 모를 때 진충이 정신없이 두리번거렸다. 아마도 휘연을 찾는 것이리라.

"나리께서 예까지 어찌 오셨습니까?"

"아! 그것이 소문을 듣고 혹시나 해서 찾아왔습니다."

소문이라니? 의아함이 묻어나는 일행을 보며 진충이 두리번거리던 시선을 거두고 차분하게 설명했다.

"무상으로 병자를 돌보며 천하를 도는 의성(醫聖)에 대한 소문입니다. 거기에 흔한 잡초가 약초로 쓰인다는 말에 황후마마가 떠올랐지요."

"그런 소문이 돌고 있단 말입니까?"

"예. 지금 나라 안에 소문이 파다합니다. 저도 석 달 전 처음 듣고 찾아 나선 것인데, 저야 황후마마와 다녀 본 경험도 있고 소문을 듣고 뒤를 좇다 보니 어느 정도 경로를 알 수 있어 이리 쉽게 찾을 수 있었습니다."

석 달을 허비했다면 쉽게 찾았다 할 수는 없었지만, 일정한 길을 따라 움직인 게 아닌 들쑥날쑥 무작정 마을을 찾아다닌 휘연의 이동 경로를 보자면 결코 길다고 할 수도 없었다. 단지, 일까지 내팽개치고 찾아왔다는 사실에 일행은 당황함을 감추지 못했다.

"대체, 일은 어쩌시고 찾아 나선 것입니까?"

"그러다 못 만나면 어쩌려고요?"

"하하, 그것이…… 느낌이 꼭 황후마마 같아서 말입니다. 도저히 걱정도 되고 눈으로 확인하지 않으면 안심이 안 될 것 같아서……."

막연히 느낌만 믿고 찾아 나선 것이지만, 자신이 생각해도 대책 없이 보일 거라는 사실에 머쓱한 듯 뒷머리를 긁적이는 진충을 보며 휘연은 나지막이 한숨을 내쉬었다.

"사실 황궁에서도 갑자기 사라지신 황후마마 때문이 말들이 많았습니다. 게다가 황제 폐하께서 근 열흘이나 황후궁을 안 나오셔서 별의별 말이 다 돌았지요."

"열흘……이나?"

놀란 듯한 휘연의 물음에 진충의 시선이 휘연에게로 향하고, 왜인지 모를 느낌에 움찔거리다가 이내 공손하게 태도를 바로 하며 답했다.

"예. 들리는 말로는 침수도 드시지 않고, 물 한 모금도 드시지 않으셨다고 합니다. 그게 사실인지는 모르나 다시 정무에 나오신 폐하의 모습은 멀리서 봬도 안타까울 정도로 많이 상하신 모습이셨습니다."

"그래서요. 황궁 분위기는 어떻습니까?"

"말도 마십시오. 폐하께서 황후마마의 부재는 요양 때문이라 일축하시고, 함부로 입에 올리는 자는 엄벌에 처하신다고 하시어서 소문은 가라앉았지만, 그때 이후로 밤이면 황후궁을 찾는 것 외에는 하루 종일 꼼짝도 안 하시고 일만 하십니다. 그 때문에 황궁 분위기가 가라앉은 건 말할 것도 없고, 흡사 무슨 일이 생길 것 같아 다들 노심초사하고 있지요."

진충의 말이 이어질수록 휘연은 감정을 주체할 수가 없어 슬며시 고개를 돌리고 하늘을 올려다봤다. 눈물이 쏟아질 것 같았다. 환백이 겪고 있는 고통이, 그 절절한 고독과 상처가 배가 되어 휘연에게로 되돌아오고 있었다.

"헌데, 마마께서는요? 마차에 계십니까?"

마차를 힐끔 돌아보며 기대 섞인 시선으로 물어오는 진충의 말에 두 사람이 난감한 듯 머뭇거리다가 한숨을 내쉬며 휘연을 돌아봤다. 그제야 진충도 휘연을 바라보고 이내 서서히 커지는 두 눈에 경악을 담았다.

"서, 설마. 마마…… 황후마마시옵니까?"

누구에게도 대답이 돌아오지 않았지만, 침묵은 곧 대답을 들은 것이나 매한가지라 진충은 벌어지는 입을 다물지 못했다. 그런 진충의 두 눈에 울컥 눈물이 차오르고, 눈이 소복이 쌓인 바닥에 무릎을 꿇고 머리를 조아렸다.

"마마…… 신, 진충…… 황후마마를 뵈옵니다. 미거한 신이…… 불충을 저질렀나이다. 벌하여 주시옵소서."

울음을 감추지 못하고 어눌하게 말을 이어 가는 진충을 내려다보며 휘연이 나직하게 한숨을 내쉬고 손을 내밀었다. 그 주름진 손에 진충의 울음소리가 더욱 커지고 한동안 멈추지 않고 흘러나왔다.

"그만 일어나세요. 오랜만에 보면서 울고만 있을 생각입니까?"

"마마, 어찌…… 어찌해서……."

무엇으로도 설명할 수 없는 휘연의 변화에 진충은 뒷말을 잇지 못했다. 어찌 이리도 변했는지, 그 단아한 아름다움은 어디 갔으며 마음을 울리는 그 청아한 목소리는 어디로 사라졌는지.

어쩌다 존귀한 황후인 휘연이 이런 모습으로 천하를 떠도는 것인지. 목구멍까지 울컥울컥 치밀어 오르는 의문은 차고 넘쳤지만, 차마 주제넘은 짓은 할 수 없어 묻지 못한 것이다.

"그리됐습니다. 그보다 진 태복, 예까지 찾아온 마음은 알겠으나 그만 황궁으로 돌아가세요. 나를 따라 봐야 고생밖에 더하겠습니까."

"마마, 신은 황궁을 떠날 때부터 마마를 따르고자 각오를 하고 왔사옵니다. 부디 내치지 마시옵고 신을 받아 주시옵소서."

"후우, 고된 길이 될 것입니다. 그래도 괜찮겠습니까?"

"아! 마마를 다시 모실 수 있는 것만으로도 더할 나위 없는 영광이옵니다."

진충의 확고한 대답에 휘연이 마지못해 허락하자, 이로써 일행은 한 사람이 더 늘어나 다섯이 되었다. 평소 같으면 마차를 모는 동안은 유한이 모습을 드러냈겠지만, 진충이 마부석에 앉고부터는 완전히 모습을 감추었다.

특별히 바뀌는 것 없이 휘연 일행이 눈길을 헤쳐 다음 마을로 이동하고, 언제나처럼 빈민촌의 다 쓰러져 가는 집에서 병자를 돌보는 동안 유한은 상단을 찾아 패물을 돈으로 바꾸며 마차를 끌고 쌀을 비롯한 곡식을 사들였다.

딱히 처음과 변한 것은 없었다. 단지, 이제는 의원으로서 당당히 병자를 보는 아소와 무영이었고, 진충이 오면서 병자들을 챙기고 약초를 채집하는 일이 한결 편해져 일을 덜었다는 것만이 달랐다.

그렇게 휘연 일행이 일정한 목적지도 없이 천하를 떠돌며 병자와 백성을 살피는 동안 의성에 대한 소문은 사람들의 입을 통해 꼬리에 꼬리를 물고 나라 곳곳으로 퍼져 나가고 있었다.

◈

집무실 창가에 우두커니 선 채로 환백은 굳은 듯 움직이지 않았다. 다 죽어 가며 황궁에 돌아왔을 때가 여름이었는데, 어느새 세상을 온통 하얗게 뒤덮는 겨울이다.

열린 창으로 스며드는 시리디시린 찬바람에 환백은 가만히 눈을 감았다. 곧바로 찾을 수 있을 거라는 예상과는 달리 휘연이 떠난 지 벌써 반년이나 흘렀다.

그리고 자신은 서서히 말라 가고 있었다. 그걸 다 어찌 표현할 수 있을까. 미칠 것 같은 시간이었다. 지난 반년간, 용케 미치지 않고 버텨 왔다. 아니 이미 미친 건지도 모른다.

추적과 암습, 호위에 있어서는 누구도 따를 수 없는 능력을 갖춘 묵가와 암영제를 모두 풀었음에도 어디로 사라졌는지 머리카락 하나 찾을 수 없었다.

어디로 간 걸까. 대체 어디로 갔기에 이렇게나 완벽하게 사라진 것인가. 불안하다. 혹시 이 추운 날씨에 몸이 상하지나 않았는지, 만에 하나 잘못되지나 않았는지.

하루하루 시일이 흐를수록 불안감은 커져만 간다. 그럼에도 아무것도 할 수 없는 자신이 원망스러워 환백은 수없이 후회하고 또 후회하며 간절하게 바랄 수밖에 없었다.

원망해도 좋고 저주를 퍼부어도 좋으니 제발 무사한 모습을 보여 주기를. 불안한 마음에 깊이 아로새겨진 깊은 상처가 기다렸다는 듯 다시 그 흉물스러운 입구를 쩍 벌려 온다.

가슴이 찢기고 숨이 막혀 오는 것만 같아 환백은 자신도 모르게 깊은 호흡을 반복했다. 마음이 조금만 흐트러져도 고통스러운 듯한 신음이 입술 사이로 삐져나왔다.

'휘연, 제발. 제발 무사해라.'

미치도록 보고 싶고 또 그만큼 자신은 그리움에 죽어 가고 있다는 걸 휘연은 짐작이나 할까. 휘연을 떠올리고 상상하는 것만으로도 죽을 것처럼 아프고 아리다는 것을.

그러면서도 보고 싶은 모순적인 감정과 휘연이 자신을 원망하지나 않을까 하는 두려움과 공포. 그럼에도 포기할 수 없는 끔찍한 집착에 확실히 자신은 서서히 미쳐 가고 있다.

그렇게 하루에도 몇 번씩 엄습해 오는 절망에 빠져 허우적거리며 나락으로 곤두박질치면서도 이렇듯 겉으로나마 멀쩡하게 버티는 것은 휘연과의 약조 때문.

[본시 인연이란 어디로 흐를지 모르는 법이옵니다. 옭아맬 인연이 있다면 떠나보내야 할 인연 또한 있는 법이라 하였으니, 부디 흘러간 인연에 연연하지 마시옵고 바라옵건대 잊으시옵소서.]

휘연은 잊어 달라 했지만 잊을 수 있을 리가 없다. 눈을 감아도 귀를 막아도 이렇듯 선명하게 떠오르는 것을. 자신을 위해 모든 걸 희생한 어리석은 그 사람을 어찌 잊는단 말인가.

하물며 영원을 함께하고 싶은 연인이다. 설사 떠나보내야 할 인연이라 해도 어떻게든 다시 옭아매면 될 것이고, 피와 살로도 안 된다면 심장에 잊지 못하게 새겨서라도 인연을 되돌릴 것이다.

[부디 간절하게 청하옵건대, 백성을 살피는 현명하고 어진 성황이 되시옵소서.]

몇 줄 되지 않는 서찰 어디에도 마지막까지 그 마음 한 자락 드러내지 않은 휘연이 못내 섭섭하면서도 그리할 수밖에 없는 처지를 알기에 환백은 심장이 죄어 왔다.

"어디 있는 것이냐. 지금, 무얼 하고 있어."

아련하게 시린 허공을 바라보는 환백의 입가로 잔뜩 억눌려 갈라진 목소리가 힘겹게 흘러나왔다. 어지러이 섞인 감정의 파편이 눈가에 맺혀 들었다가 이내 뚜렷해지고, 소리 없이 얼굴선을 따라 떨어져 내렸다.

턱에 맺힌 물줄기가 채 떨어지기도 전에 환백은 손으로 얼굴을 훔쳐내어 버렸다. 그리고 손이 쓸고 지나간 뒤의 얼굴은 어느새 한없이 무겁고 차가우며 무감정한 표정으로 바뀌어 있었다.

"종고사(鐘鼓司)에 연통을 넣어 가장 실력 좋은 화공을 불러라."

"명 받자옵니다."

시종장이 조용히 환백의 명을 전달하고 반 시진이 흘러서야 화공이 그림을 그릴 수 있도록 만반의 준비를 갖춘 채 집무실로 들었다.

"내가 묘사한 대로 그려야 하느니……."

환백은 가만히 눈을 감고 한시도 머릿속에서 떠나지 않는 휘연의 모습을 차근차근 되새기며 입 밖으로 꺼냈다. 낮게 갈라져 만 가지의 슬픔과 고통을 담은 목소리로.

때론 안타까움과 사랑스러움을 담아 그렇게 환백의 입을 통해서 흘러나온 휘연의 단아한 모습은 그대로 반 시진이 흘러 고스란히 화폭에 담겼다.

봉황과 모란이 새겨진 금잠으로 윤기 나는 흑단 빛의 머릿결을 반을 틀어 올리고 반듯한 이마와 넓은 양미간, 가지런하고 깨끗한 눈썹, 흑백이 조화를 이룬 올곧은 눈동자가 한눈에 시선을 사로잡는다.

곧은 콧날과 탐스럽고 윤택한 붉은 입술이 당장에라도 속삭일 듯하고, 길게 뻗은 목선을 지나 단아한 옷차림을 하고 곧은 자세로 앉아 있는 모습에 환백의 입에서 작은 탄식이 흘러나왔다.

"……휘연."

그리운 얼굴. 한시도 잊을 수 없었던 아프고 애틋한 그 얼굴이 화폭 안에서 자신을 또렷하게 응시하고 있었다.

'보고 싶다, 휘연. 그대에게 하고 싶은 말이 많은데, 왜 내 앞에 없느냐. 돌아와라, 제발. 내가 미쳐 버리기 전에…… 제발 돌아와라, 휘연.'

마치 눈앞에 휘연이 있는 것처럼, 홀린 듯 멍하니 화폭만을 바라보던 환백의 일그러진 얼굴 위로 차마 참아 내지 못한 눈물이 흘러내렸다.

그런 환백의 입에서 소리 죽인 흐느낌이 흘러나오고, 얼굴을 덮어 가린 손가락이 쉴 새 없이 젖어 가고 있었다.

◈

여전히 화려하고 웅장한 곳이건만, 한 사람의 부재가 황궁조차 잠들게 한 것인가. 황궁에 감도는 공기가 새삼 낯설어 효헌은 잠시 바쁜 걸음을 멈추고 천천히 주위의 익숙한 경관을 둘러보았다.

휘연이 황궁을 떠난 지 7개월. 그사이 계절이 달라졌을 뿐 무엇 하나 변한 것이 없었지만, 살갗에 와 닿는 공기는 너무도 날카로웠다. 그리고 갈수록 그 날카로움에 무게를 더해 가는 중이다.

이대로 숨이 막혀 죽어도 전혀 이상하지 않을 정도로. 수많은 사람들이 살아가는 이 황궁이 어쩌다 이렇게나 적막하게만 느껴지게 됐는지. 나지막하게 한숨을 내쉰 효헌이 지친 듯 눈을 감았다.

'왕야, 뒤를 부탁드립니다.'

"후우, 그리 말씀하셔도 제가 뭘 해야 할지 모르겠습니다. 그저, 마마가 야속합니다. 어찌 그리 매정하게 떠나신 것입니까?"

답답한 마음에 돌아오지 않을 물음을 던지는 효헌의 눈가가 시큰해졌다. 이리될 줄 알았다면 좀 더 주의를 기울일 것을. 가벼이 여긴 대가를 지금에야 치르는 것인가.

환백은 자신의 탓이 아니라고 했지만, 불안감을 눈치챘으면서도 가벼이 여기고 끝내 휘연이 떠나도록 방조한 것 같아 죄책감에 시달리던 효헌은 말처럼 그리 쉽게 받아들일 수가 없었다.

게다가 마음에 걸리는 것은 휘연이 자신에게 남긴 서찰이다. 내용으로는 딱히 문제 될 건 없었지만, 굳이 자신의 수족인 두 사람의 안위를 부탁할 이유가 없지 않은가.

작정하고 떠나보낼 생각이라면 모르겠지만, 오롯이 휘연만을 모셔 온 두 사람도 어리기는 하나 명리나 좇아 주인의 곁을 떠날 성격도 아니었다. 그렇다면 왜?

무엇 때문에 안위를 부탁한 것인가. 하물며 오래 걸리지 않는다고 했다. 그 말이 뜻하는 게 정확하게 무엇인지는 모르나 아무리 생각해도 불안한 결론밖에는 나오지 않는다.

그 시기가 언제인지는 몰라도 때가 되면 두 사람을 자신에게 보내고 휘연은 또 어딘가로 떠날 거라는 것. 왜 그리하는지 그 이유는 몰라도 효헌은 어림짐작만으로도 불안하고 초조했다.

"대체, 무슨 생각이십니까."

가슴은 갑갑하고 정신은 산란해 뱃속부터 꽉 막힌 듯한 숨을 깊게 내쉬며 중얼거리는 효헌의 입가로 쓰디쓴 웃음이 흘러나왔다. 지금에 와서 그런 게 다 무슨 소용인가.

이곳 황궁에 반드시 있어야 할 사람은 말없이 사라지고, 그 한 사람만을 그리워하는 이곳 주인은 하루가 다르게 마른 고목처럼 버석거리며 메말라 가고 있다.

대신들과 정무를 볼 때 외에는 하루 종일 입 한 번 벙긋하지 않는 건 고사하고, 먹는 것조차 그저 의무적으로 먹을 뿐 인간이 표현하는 최소한의 표정조차 사라져 버렸다.

그런 모습이 과연 살아 있다고 할 수 있을까. 겉으로 보이는 게 전부가 아니듯이 저러다 한순간에 와르르 무너질 것 같아 효헌은 못내 두려웠다.

그렇다고 자신이 무언가를 해 줄 수도 없는 것을. 아무런 도움도 주지 못하는 자신에게 한탄하며 효헌은 내키지 않는 걸음을 다시 내디뎠다.

그렇게 효헌이 어지러운 머릿속을 애써 비워 내고 내정을 볼 때 이용하는 개인 집무실로 향하던 중 작게 속닥거리는 말소리에 발길을 멈췄다.

"그 흔해 빠진 잡초로 병을 치료한다는 소문이 사실이었어?"

"그렇다니까 그러네. 못 고치는 병이 없다더군. 솔직히 황후마마께서 쓰신 서책에도 쓰여 있지 않은가? 잡초라고 다 같은 잡초가 아니라니까. 게다가 그 제자들의 솜씨도 신기에 가깝다는구먼."

"허어, 대단하군. 내가 듣기로는 아직은 어린 제자들이라고 하던데."

"그러니까 신통방통하지 않은가. 게다가 더 신기한 건, 의성이 다녀간 후로는 귀신이 곡할 노릇인지 밤사이 빈민촌 집집에 곡식 한 자루가 있었다고 하더군."

천하를 떠돌며 빈민촌의 병자를 무상으로 돌보는 의성에 대해서라면 효헌도 들은 바가 있었다. 지금 수나라 전체에 퍼졌다고 해도 과언이 아니기 때문이다.

그러나 그것보다 그들이 주고받는 이야기 속에서 효헌은 문득 묘한 느낌을 받았다. 무엇인가가 뒷덜미를 잡아채는 감각에 효헌이 모퉁이를 돌아 대화를 나누는 시관들 앞에 모습을 드러냈다.

"흡! 왕야를 뵈옵니다."

"좀 더 상세히 말해 보라."

"예? 무엇을…… 말씀하시는 것이온지."

"쯧, 의성의 외모는 어떠며, 그 제자들과 일행은 몇인지 상세히 말해 보라는 말이다."

초조한 듯 다그치는 효헌의 말에 고개를 갸웃거리던 시관이 슬그머니 눈치를 보며 입을 열었다.

"소인들도 상세히는 모르옵니다. 다만, 소문으로는 의성이라는 분은 연세가 지긋하시고……."

"지긋하다고?"

"예? 아, 예. 그렇게 들었습니다. 그리고 제자들은 어린 나이라고 했고, 일행은 세 명이라 들었습니다만."

"세 명이라니? 저, 저는 네 명으로 들었습니다."

"이 사람이 세 명이라니까."

"일행 중에 마차를 모는 건장한 청년도 있다고 들었네. 그러니 네 명이지.”

시관들이 힐끔 눈치를 살피며 서로 자기의 말이 맞는다는 듯 작게 투닥거리는데도 효헌은 무언가 골똘히 생각하는 듯 아무런 반응조차 하지 않았다. 그러다가 이내 황급히 발길을 돌렸다.

혹시나 휘연이 아닐지 기대를 품고 물어본 질문이었다. 그도 그럴 것이 휘연의 의술은 궁의도 인정할 정도였고, 무엇보다 잡초를 약초로 사용한다는 건 휘연 외에는 없었기 때문이다.

하물며 일행의 수나 그 제자들을 보더라도 두 사람을 쉽게 떠올릴 수 있는 데다 휘연이 사라지고 의성이 나타난 그 시기도 비슷하다. 과연 이걸 우연이라 할 수 있을까.

“우연이라기에는, 뭔가가 걸려.”

문제는 의성의 나이다. 휘연이 하루아침에 늙는다는 것은 말도 안 되는 일이고, 설사 노인처럼 변복하고 다닌다고 해도 한두 사람 본 것도 아닐 텐데 그중 아무도 알아보지 못했다는 건 더 말이 되지 않는다.

그런데도 모두 당연하게 받아들인다는 것은 의성의 모습이 보이는 외관 그대로라는 말이 된다. 생각이 거기까지 미치자 바쁘게 움직이던 효헌의 발이 멈칫거렸다.

지금까지 묵가와 암영제가 휘연을 찾고 있음에도 그 종적조차 찾을 수 없었다. 그 때문에 지금 환백의 상태는 최악으로 치닫고 있지 않은가.

살짝만 건드려도 어떤 반응을 보일지 모르는 이때에 과연 확신도 하지 못한 말을 꺼내도 될는지, 괜한 기대로 절망만 더 키우는 것은 아닐지 효헌은 망설여졌다.

"끄응, 어쩐다."

한참이나 끙끙거리며 정신없이 서성이던 효헌이 결정을 내렸는지 비장한 얼굴로 발걸음을 빨리했다. 무작정 손 놓고 기다리는 것보다는 작은 희망이라도 품는 게 좋겠다는 판단에서다.

무엇보다 효헌은 자신의 느낌을 믿고 싶었다. 아니, 그렇게라도 해서 휘연을 찾고 싶은 마음이기에 단 하나라도 의심이 들면 놓치고 싶지 않은 것이다.

그렇게 효헌이 애써 복잡한 마음을 정리하고 환백의 집무실 앞에 도착했을 때야 나지막이 호흡을 가다듬고 숨소리조차 들리지 않는 집무실 안으로 들어갔다.

여느 때와 마찬가지로 탁자 위로 잔뜩 쌓인 일을 처리하던 환백이 고개를 들고 효헌을 바라보았다. 그 지독히도 표정 없는 얼굴에 효헌은 흘러나오려는 침음성을 힘겹게 목 안으로 삼켰다.

"형님, 드릴 말씀이 있습니다. 혹 항간에 소문으로 떠도는 의성에 대해 들어 보셨습니까?"

"못 들었다."

이미 예상했던 대답에 효헌이 미미하게 고개를 끄덕이고 재빨리 머릿속으로 할 말을 정리했다.

"그 의성이라는 분이 일행을 이끌고 천하를 돌며 빈민촌 백성들을 무상으로 치료해 주고 있다는 소문입니다. 헌데 특이한 점은…… 마마께서 서책에 쓴 것처럼 잡초를 약초로 사용하고 있다고 합니다."

잠시 말을 멈추고 힐끔 눈치를 살피던 효헌은 무표정이 완벽하게 깨져 오로지 한 가지만을 담고 있는 얼굴에 자신도 모르게 마른침을 꿀꺽 삼켰다.

"자세히……."

"그게, 처음 소문이 퍼지기 시작한 게 몇 개월 전부터입니다. 의성이라는 분과 어린 제자 둘, 마차를 모는 건장한 청년 한 명으로 이루어진 일행이라고 하는데, 청년에 대해서는 확실하지 않습니다만."

"휘연의 일행일 수도 있다는 말이군."

"예. 제 생각으로는 가능성이 높습니다. 먼저 마마가 사라지시고 의성이 나타난 시기도 비슷하거니와 잡초를 약초로 사용한 예가 없었지 않습니까? 또 그 제자들의 연령이 두 사람과 비슷합니다. 마차를 모는 청년에 대해서 확실하지 않은 건 유한이라면 쉽게 이해됩니다만, 그럼에도 확신하지 못하는 이유는……."

차마 기대가 무너질 것이 두려워 어눌하게 말끝을 흐리던 효헌이 초조함이 묻어나는 환백의 표정에 나직하게 호흡을 가다듬고 말을 이었다.

"후우, 다른 정황은 확실한 것 같은데, 그 의성이라는 분이 마마가 아닌 것 같습니다."

"그게…… 무슨 말이지?"

"연세가 지긋한 노인이라고 합니다."

충격이라도 받은 건 아닌지 걱정했던 것과는 달리 환백의 표정 위로 한순간에 복잡함이 스치고 지나갔지만, 그건 잠시에 지나지 않았다. 오히려 초조함까지도 사라진 듯 무섭도록 침착했다.

"저기, 형님? 괜찮으십니까?"

"……효헌, 정무는 네가 봐야겠다."

"그거야 어렵지 않지만. 형님, 설마. 황궁을 나가실 생각이십니까?"

갑자기 이게 무슨 상황인지, 물음에도 대답조차 하지 않고 빠르게 서찰 두 장을 써 각각 전서구 두 마리에 묶어 날려 보내는 환백의 행동에 고개를 갸웃거린 것도 잠시, 미련 없이 집무실을 나가려는 환백을 보며 효헌은 당황한 마음에 황급히 앞을 가로막았다.

"비켜라."

"형님! 잠시만 진정해 보십시오. 우선 확인을 해 보고 가도 늦지 않습니다."

"휘연이다."

단호한 대답에 할 말을 잃고 멍하니 입만 달싹거리는 효헌을 보며 환백이 쓴웃음 끝에 말을 이었다.

"심장이 멈췄던 나를 휘연이 살린 걸 잊었나?"

"아! 그건 그렇지만, 그래도 이번에는 사정이 다르니 확인부터 하는 게."

"상식적으로는 불가능해도 휘연이라면 가능하다. 아마도…… 나를 살리느라 또 희생을 치른 것이겠지."

희생이라니? 도무지 알아들을 수 없는 말에 효헌이 뭐라 반박조차 못 한 사이, 어느새 집무실을 나간 환백은 조관을 불러 여장을 갖추고 곧바로 황궁을 떠났다.

조금의 망설임도 없는 그 행동은 확신이 담겨 있었다. 그렇게 갑작스럽게 환백이 황궁을 떠난 탓에 모든 일을 떠안게 된 효헌은 복잡미묘한 얼굴로 한동안 진득한 한숨만을 쏟아내야 했다.

◈

몰아치는 칼바람에 문짝이 덜컹거리는 요란한 소리를 들었을까. 동이 터 오르는 새벽녘이 되어서야 온몸이 식은땀으로 흠뻑 젖은 채 휘연의 감긴 두 눈이 몇 차례 파르르 떨리다가 열렸다.

몽롱한 정신으로 눈을 깜빡이던 휘연이 잔뜩 웅크린 모습으로 좁은 방 안에서 잠든 세 사람을 보며 찰나간 미간을 찌푸리다가 곧 시선을 맞춰 오는 유한의 모습에 조용히 미소 지었다.

그런 휘연의 미소가 오늘따라 더 힘이 없어 보였는지 유한의 얼굴이 울듯이 일그러졌다. 안 그래도 쇠약한 몸이 힘든 여정과 한겨울의 한파를 이기지 못하고 결국 쓰러지며 지난 사흘간 고열에 시달렸기 때문이다.

“괜찮으십니까?”

“오늘은 한결 편안합니다. 그러니 걱정하지 마세요.”

눈에 띄게 야윈 얼굴로 고집스레 미소 짓는 휘연을 내려다 보며 유한은 차마 더 이상 말을 잇지 못했다. 젊은 사람도 견디기 힘든 여정을 노인의 몸을 한 휘연이 괜찮을 리가 없는 것을.

어찌 이리도 고집을 피우는 것인지. 지난 사흘간 시도 때도 없이 심장이 덜컥 내려앉을 정도로, 휘연이 혹여 잘못될 것 같아 네 사람은 얼마나 노심초사했는지 모른다.

아니, 이대로 계속 여정을 이어 간다면 실제로 최악의 상황이 찾아올지도 모르는 일이기에 유한은 눈앞이 암담해지는 것 같아 핏줄이 불거지도록 주먹을 끌어 쥐었다.

그런 유한의 심정을 짐작한 듯 휘연이 나지막이 한숨을 내쉬고 힘겹게 몸을 일으켰다. 그제야 화들짝 놀라 고개를 들어 올리고 화급히 다가오는 유한의 흔들리는 눈빛에 휘연이 쓴웃음을 지었다.

"내가 고집을 피우고 있다는 거 알고 있습니다. 아마도 여기서 더 무리하면, 어쩌면 두 번 다시 일어나지 못할지도 모르지요."

대수로운 일도 아니라는 듯 담담하게 하는 말에 유한의 눈동자가 정처 없이 흔들렸다. 그 불안한 눈빛을 애써 피하지 않으며 휘연은 차분하게 말을 이었다.

"그래도 마지막까지 최선을 다하고 싶습니다. 후회하고 싶지 않아요."

"신은…… 마마께서 무슨 생각을 하시는지 모르겠습니다. 막을 수 없다는 것도 알고 있습니다. 하지만…… 이대로는 불안해서 견딜 수가 없습니다. 그러니 하다못해 겨울이라도 지나면, 그때는…….”

평소답지 않게 초조한 듯 빠르게 말을 쏟아 내다가도 끝내 말끝을 흐리며 고개를 푹 숙이는 유한의 모습에 휘연은 가만히 눈을 감고 나지막이 호흡을 가다듬었다.

“유한, 내겐 시간이 별로 없습니다.”

“그게…… 무슨…….”

“열 달 남짓이 내게 남은 시간의 전부입니다.”

어쩌면 그보다 더 빨라질 수도 있었으나 휘연은 굳이 그 말을 꺼내지 않았다. 그런 휘연의 말뜻을 알아들은 유한은 쇠망치로 뒤통수를 얻어맞는 것 같은 충격을 받았다.

한 번도 생각하지 않은 건 아니었다. 아니, 겉으로 보기에도 족히 칠순은 넘어 보이는 모습이라 항상 불안감에 시달렸기에 최악을 생각하지 않을 수가 없었다.

그럼에도 생각하는 것과 직접 듣게 되는 것은 엄연한 차이가 있어 큰 충격에 넋이 나간 유한의 멍한 눈동자가 천천히 휘연을 응시했다.

하지만 찰나도 지나지 않아 두 눈 가득 흥건하게 고인 물기가 후두두 떨어져 내리기 시작하고 유한은 처음으로 숨김없이 오열을 터트렸다.

그리고 며칠 만에 간호하다 겨우 웅크린 채 잠들었던 세 사람도 어느새 깨어 있었는지 몸이 잘게 떨리고 있었다.

❖

암영제와 묵가가 휘연을 뒤쫓고 있는 사이, 환백은 조관을 대동하고 가장 빠른 길을 통해 과거 예나라 땅이었던 도난(都蘭)을 향해 거침없이 움직였다.

닷새 전 교령이 보낸 서찰로 도난에서 의성이 다녀간 흔적을 찾았다는 보고를 받은 것이다. 그동안 경로를 따져 보아도 그 인근에서 멀리 벗어나지는 않았을 거라는 건 충분히 짐작할 수 있었다.

벗어나 봐야 열흘 거리일 테지만, 문제는 아무리 서두른다고 해도 자신과의 거리가 보름은 족히 걸린다는 사실에 환백은 이 넓은 땅덩어리가 원망스러워 초조한 듯 입술을 질끈 깨물었다.

"주군, 말이 지쳤습니다. 잠시 쉬시지요."

"젠장."

"너무 조급해하지 마십시오. 이대로만 가면 시일을 단축할 수 있을 것입니다."

조관의 말대로였다. 휘연이 움직이는 방향은 일정한 경로가 없었고, 한 곳에서 최소 며칠을 머무르게 되면 그사이 얼마든지 단축할 수 있었기 때문이다.

환백 또한 그 사실을 알고 있음에도 쉽사리 마음을 놓을 수가 없었다. 노인의 모습을 하고 있다지 않은가. 여전히 의성이 휘연이라는 건 추호도 의심하지 않는다.

아니, 시일이 지날수록 환백은 더더욱 확신을 하고 있었다. 평범한 인간이 아닌 휘연이기에, 죽었던 자신을 되살리기 위해 자신의 젊음과 수명을 바쳤으리라.

어렵지 않게 짐작되는 진실에 환백은 눈을 질끈 감고 입안의 여린 살을 깨물었다. 그런 환백의 머릿속으로 휘연의 모습들이 빠르게 스치고 지나갔다.

하루하루 미쳐 가는 정신으로 필사적으로 버티려고 빠져나올 수 없는 늪에서 허우적거렸다. 견뎌낼 수 없는 끊임없는 그리움과 후회 속에서 수도 없이 떠올렸던 모습.

'휘연, 그대는…… 알고 있었겠지. 그래서…….'

마음 한 자락 표현하지 못했을 것이다. 비참한 끝을 뻔히 알고 있는 상황에서 어찌 욕심을 부릴까. 그저 할 수 있는 것은 담담히 받아들이는 것뿐이었으리라.

그런데 자신은 어찌했는가. 아무것도 모르고 모질게만 대했다. 분노에 눈이 멀어 사내라는 이유로 경멸하고 하등의 도움도 안 되는 쓸모없는 쓰레기로 취급하며 학대하고 죽이려고 했다.

그래 놓고도 뻔뻔스레 그 육체를 탐하고 잘못인 걸 알면서도 끝도 없는 이기심으로 오만하게 사랑을 갈구했다. 그게 당연하다는 듯이, 한 치의 부끄러움도 없이 당당하게 요구했었다.

"하…… 큭큭—"

되돌아볼수록 뻔뻔스러운 자신의 행태에 실소와 함께 목 안에서 끓는 듯한 웃음을 터트리던 환백의 눈에 눈물이 고였다. 후회는 아무리 빨라도 늦는 것을.

앞뒤 분간도 하지 못하고 어리석은 자신감으로 세상의 모든 것을 다 준다 했었다. 책임지지도 못할 수많은 언약을 늘어놓는 자신을 보며 휘연은 희미하게 미소 지었었다.

그 미소 안에 상처와 고통, 안타까움과 차마 말하지 못한 씁쓸함이 모두 묻어 나왔음에도 자신은 눈이 멀어 그것을 알지 못했다. 아니, 알려고도 하지 않았다.

그저 눈에 보이는 것만이 전부라 여겼다. 눈앞에 가로막은 빙벽만 깨트리면 그때는 마음껏 챙길 수 있다는 생각에 급급해 아무것도 보려고 하지 않았었다.

뼈아픈 후회가 되돌아올 줄도 모르고 그렇게 어리석게 굴었다. 차라리 그 여린 몸을 감싸고 진심 어린 사죄 한마디라도 했으면 이렇듯 후회만이 남지는 않았을 것을.

모든 진실을 알게 된 지금은 너무 늦어 버렸다. 이제 자신이 할 수 있는 일은 오직 한 가지뿐, 조심스럽게 목에 걸린 월장석 목걸이에 입을 맞추는 환백의 눈에 고인 눈물이 기어코 떨어져 내린다.

소리 없이 담담한 얼굴 위로 흘러내리는 눈물은 묘한 기분을 느끼게 했다. 그리고 그 모습을 조용히 지켜보아야만 하는 조관의 얼굴도 괴롭게 일그러져 있었다.

❖

어느덧 겨울의 끝자락에 도달해, 또 한 차례 몰아치는 폭설과 한파로 길이 꽁꽁 어는 바람에 휘연 일행의 이동 속도가 늦춰졌다.

무엇보다 한 번 쓰러지고 난 후 휘연의 몸이 급격하게 쇠약해지고 있었고, 그 때문에 지켜보는 네 사람은 하루하루 짓눌리는 불안감에 제대로 잠을 이루지 못하고 있었다.

그나마 이렇게라도 한 곳에 정착한 것이 어쩌면 강행군을 하는 것보다는 다행일지도 모를 일이지만, 그렇다고 불안감이 가시는 것도 아닌지라 네 사람은 한시도 마음을 놓을 수가 없었다.

그렇게 조마조마한 시간을 보내고 있을 때, 한파를 뚫고 또 한 차례 몰려드는 병자들에 휘연을 뺀 일행들의 얼굴이 드러날 듯 말 듯 일그러졌다.

"의성님! 우리 남편 좀 살려 주십시오! 피를 한 댓 박이나 흘렸구먼요!"

"아소, 마혈에 시침을 하고, 무영은 깨끗한 천과 따뜻한 물을 준비하고 피를 많이 흘린 데다 염증 때문에 열이 날 것이야. 어성초와 기혈을 안정시키는 약초를 같이 달여라."

휘연의 말에 두 사람이 다급하게 움직이고, 곧 아소가 빠르게 사내의 마혈에 시침했다. 그와 동시에 휘연이 개복술에 사용하는 작은 칼을 들어 복부를 가르고 몸 안에 파고든 파편 조각들을 재빨리 끄집어 냈다.

그 손놀림이 얼마나 빠른지 출혈과 기운의 유실이 적어 감탄을 자아낼 정도였다. 게다가 아소의 시침 솜씨 또한 나무랄 데가 없어 생살을 가르는데도 병자가 전혀 고통스러워하지 않았다.

"아소, 구피고를 바르고 환부를 따뜻하게 감싸거라."

"예, 스승님."

"저기, 의성님, 제 남편은 이제 살아난 겁니까요?"

"예. 탕약만 꾸준히 잘 드시면 곧 쾌차하실 것이니 걱정하지 마세요."

"아! 감사합니다! 참말로 감사합니다, 의성님. 꼼짝없이 죽는 줄 알았구먼요."

몇 번이고 이마가 닳도록 고개를 숙이는 여인을 향해 부드럽게 미소 짓던 휘연이 곧 안절부절못하는 얼굴로 들어오는 진충을 의아하게 바라봤다.

"무슨 일입니까?"

"그, 그것이 병자가 왔사온데, 꼭 풍병 같습니다."

진충의 작은 목소리에 방 안으로 싸한 침묵이 맴돌았다. 풍병(風病)이라 하면 역병의 하나로, 천형병(天刑病)이라 불릴 정도로 전염성이 강하고 무서운 병이다.

그렇다 보니 경악하는 게 당연했으나, 천기가 열린 이상 또다시 역병이 발병하지는 않을 거라는 생각에 휘연은 나지막이 한숨을 내쉬고 태연하게 말을 이었다.

"가서 병자를 데리고 오세요."

"예? 하, 하오나."

"풍병이 아니니 걱정하지 마세요."

병자를 보지도 않고 어찌 아는지, 휘연의 단호한 말투에 병자와 그 가족들이 놀란 눈을 하며 바라봤지만, 진충은 어느새 근심을 떨쳐 버린 얼굴로 방을 나갔다. 휘연의 말이라면 무조건하고 믿는 것이다.

잠시 후, 문이 열리고 진충이 온몸을 천으로 감싼 열 살 남짓의 사내아이를 안아 들고 왔다. 그 옆으로 그보다 더 작은 여자아이를 안고 온 초라한 몰골의 여인이 주춤거리며 방 안으로 들어왔다.

먼저 사내아이를 바닥에 눕히고 온몸을 둘둘 말아 놓은 지저분한 천을 거둬 내자 여기저기서 헛바람을 들이켜는 소리가 터져 나왔다. 아이의 환부는 이미 곪아 터져 진물이 흘러나오고 있었기 때문이다.

"창병의 원인은 매우 다양하며 발생 부위도 각기 다르다. 습(濕), 울(鬱), 한(寒), 열(熱), 기(氣), 혈(血), 적(積), 충(蟲) 등이 모두 창을 일으킬 수 있으며, 그 외에도 장(臟)과 부(腑), 경락, 피부, 표리에 모두 창이 일어날 수 있다."

"그, 그럼, 제 아들이 풍병이 아닙니까?"

"아닙니다. 전염성이 없는 창병입니다만, 상한 음식을 장복한 탓에 겉으로 상처가 드러난 것이지요. 제때 치료를 하면 나았을 테지만, 오랫동안 방치하고 또 이런 천으로 감싼 탓에 상처가 오히려 덧난 것입니다."

"아! 흐윽, 모두 저 때문입니다. 풍병인 줄 알고, 혹 나라에서 아들을 죽일 것 같아 숨기는 데에만 급급해서……."

서럽게 오열하며 중얼거리는 여인의 말에 휘연은 착잡한 얼굴로 쓰디쓴 한숨을 내쉬었다. 본시 역병이 돌면 제대로 치료조차 하지 않고 무조건하고 격리시키고 심하면 살아 있는 채로 태워 버린다.

그걸 알기에 피부에 돋아난 종기만 보고도 차마 두려워 의원을 찾지 못했으리라. 무지한 어미 때문에 아이가 오랜 시간 고통받았겠으나, 누구도 여인을 탓할 수도 없기에 모두가 안타까운 눈으로 바라보고 있었다.

"무영은 깨끗한 천과 환부에 바를 약재를 준비하고, 아소는 내가 시침하는 동안 종기를 모두 짜내고 땀이 차지 않도록 서늘하게 감싸야 한다."

"상한증도 같이 온 것 같은데 땀을 빼는 것이 좋지 않습니까?"

"창병이 있을 때는 땀을 내면 치병이 생기기 때문이다."

"치병이라 하면 몸이 딱딱해지는 병 아닙니까?"

"그렇지. 창병은 원인이 다양하지만 대부분 피부가 허약하여 열이 모여 있는 곳으로 종기가 생기는데, 땀을 내면 몸이 더욱 허약하고 열이 심하여져서 풍이 생기며 몸이 딱딱해진다."

설명을 들으며 차분하게 치료를 시작하는 아소를 보고 부드럽게 미소 짓던 휘연이 시침을 끝내고, 여자아이까지 치료를 끝낸 후에야 흘러내린 식은땀을 닦아내고 한숨을 내쉬었다.

"스승님, 나머지 병자는 제가 돌볼 터이니 조금이라도 쉬시지요? 그러시다 또 쓰러지십니다."

"후우, 아무래도 그래야겠구나."

어지간하면 내색하지 않으려고 무던히도 노력하던 휘연도 더는 견디기 힘든 듯 몸을 일으켰다. 하지만 그 순간 시야가 이지러지고 휘연의 몸이 크게 휘청거렸다.

"스승님!"
"의성님!"
경악한 비명이 여기저기 터져 나오고 휘연의 몸을 진충이 다급하게 부축한 덕분에 바닥으로 쓰러지지는 않았지만 이미 정신을 잃은 듯 몸을 가누지 못했다.
"나리, 어서 스승님을 옆방으로 모시세요."
"이 일을 어째! 공자님, 의성님은 괜찮으십니까?"
"기력이 쇠하셔서 그런 것이니 여러분은 걱정하지 않으셔도 됩니다. 치료는 잠시만 기다려 주십시오."
진충이 휘연을 안아 들고 옆방으로 향하자 그제야 병자들을 진정시킨 아소도 황급히 뒤를 따랐다. 지난번 쓰러진 후 몸을 온전히 추스르기도 전에 무리해 온 탓에 쇠약해진 몸에 한계가 온 것이다.
이제는 강제로라도 쉬게 하지 않으면 남은 몇 개월의 수명조차도 사라질 판이라 모두의 심장이 새까맣게 타들어 가는 것 같았다. 그렇게 휘연이 쓰러지고 정신을 차리지 못할 때, 유한 또한 뜻하지 않는 상황에 당황하고 있었다.
평소처럼 남은 돈으로 곡식을 사고 모자란 감이 있어 보석을 들고 휘연이 있는 곳에서 반나절은 더 걸리는 마을 상단에 환전하기 위해 찾아온 참이었다. 그러나 미처 상단에 들르기도 전에 묵가의 기척을 느끼고 몸을 숨긴 것이다.
'결국, 여기까지 찾아온 것인가.'
처음 소문이 퍼졌을 때부터 어느 정도 예상은 하고 있었던 상황이지만 유한은 난감하기만 했다. 제아무리 주군인 환백이 찾는다고는 해도 또 다른 주인인 휘연의 말을 어길 수는 없는 노릇이기 때문이다.

게다가 모든 것이 변해 버렸다. 과연 환백이 휘연을 알아볼 것인지, 혹 그것 때문에 휘연에게 또 다른 상처가 되는 것은 아닌지. 아무리 고심해도 뚜렷한 답은 나오지 않는다.

그러면서도 한편으로는 하루라도 빨리 환백이 휘연을 찾기를 바라는 마음도 있어, 복잡한 생각에 나지막이 침음성을 살피던 유한이 느껴지는 묵가의 기척을 피해 조심스럽게 움직이며 주변을 돌아봤다.

제법 큰 마을이지만 묵가나 암영제와 같이 특유의 기척을 가진 이들은 없었다. 그렇다는 건 몇 명씩 산개해 마을마다 찾아다닌다고 봐야 할 것이다.

그건 곧 반나절 거리라고는 해도 휘연이 있는 마을도 안심할 수는 없었다. 어찌해야 할지 찰나간 고심 끝에 유한은 몸을 돌리고 전속력으로 휘연이 있는 마을로 향했다.

휘연에게 있는 그대로 보고하고 명을 기다릴 생각에서다. 하지만 유한의 이런 생각은 또다시 쓰러진 채 정신을 차리지 못하는 휘연을 보고 완전히 무너져 버렸다.

심장이 얼어붙는 것 같은 충격에 한참이나 멍하니 휘연의 새하얗게 질린 얼굴만을 내려다보던 유한은 무언가 결심이라도 한 듯 굳은 얼굴로 순식간에 그 자리에서 사라졌다.

六章
재회

“주군! 위험하니 천천히 달리십시오!”

교령의 외침에도 환백은 무시로 일관하며 정신없이 말에 채찍질을 가했다. 늦겨울 한파로 꽁꽁 언 땅이라 조금만 삐끗해도 위험할 상황이었지만, 지금 환백의 귀에는 아무것도 들리지 않았다.

휘연을 찾아 황궁을 떠난 지 두 달여 만에 이제야 찾아냈기 때문이다. 더 정확히는 전날 하루 걸리는 마을을 수색하던 묵가의 일원에게서 유한이 직접 찾아왔다는 연락을 받은 것이다.

그때부터 환백은 미친 듯이 달렸다. 이제 한 식경만 더 가면 드디어 휘연을 만날 수 있다는 생각에 환백은 당장에라도 터질 듯한 심장을 주체하는 것만으로도 버거울 지경이었다.

그렇게 환백이 세 사람을 대동하고 유한이 기다리는 마을을 향해 전속력으로 달려가는 사이, 산개했던 묵가와 암영제도 일제히 연락을 받고 모여들고 있었다.

"주군, 마을입니다!"

어렴풋이 보이는 마을에 조관이 반색하며 외치자 환백이 목적지인 마을 입구를 향해 빠르게 말을 몰았다. 그리고 얼마 지나지 않아 마을 입구에 서 있는 익숙한 얼굴들에 말을 멈춘 환백이 황급히 뛰어내렸다.

"유한."

"죽여 주십시오, 주군."

성큼 다가오는 환백을 향해 무릎을 꿇고 머리를 조아리는 유한을 내려다보며 환백은 마음을 가라앉히려는 듯 호흡을 가다듬고 입을 열었다.

"휘연은? 황후는 어디 있지?"

"이곳에서 반나절 거리에 계십니다."

"아! 앞장서라. 당장!"

드디어 만날 수 있다. 그리도 그리던 휘연을 이제야 품에 안아 볼 수 있다는 생각에 곧바로 몸을 돌려 말에 오르려던 환백은 무겁게 발길을 붙잡는 유한의 목소리에 멈칫거리며 뒤돌아봤다.

"주군, 잠시 드릴 말씀이 있습니다."

"혹 휘연의 변한 외관 때문이냐?"

너무도 태연하게 되물어오는 환백의 말에 유한이 놀란 듯 두 눈을 휘둥그레 떴다. 단순히 소문만을 듣고 짐작했다기보다는 더 깊게 알고 있는 듯하지 않은가.

"알고…… 계셨습니까?"

"그런 건 애초에 상관없었다. 어떻게 변했던 휘연은 유일한 내 반려자고, 이 나라의 황후다."

환백의 단호한 대답에 유한의 눈시울이 붉어졌다. 주군을 조금이라도 믿지 못했던 자신을 자책하면서도 유한은 환백의 단호함이 더 큰 고통이 되어 돌아올 것이 못내 가슴 아픈 것이다.

"살려…… 주십시오. 마마를, 살려 주십시오, 주군."

제아무리 천자인 황제라도 하늘에서 정한 수명을 어찌하지 못한다는 것을 알면서도 유한은 그때 이후로 가슴 안에만 묻어 두고 금기시했던 말을 막지 못하고 쏟아 냈다. 그런 유한의 말에 환백의 두 눈이 크게 흔들렸다.

"……그게, 무슨 말이냐? 혹 휘연에게 문제가 있는 것이냐? 말해! 휘연에게 무슨 일이 있는 거냐?!"

"몇 달도…… 채 남지 않았다고 하셨습니다. 지금도…… 쓰러지셔서 정신을 차리지 못하고 계십니다."

유한의 말에 아찔하여 균형을 잃고 순간적으로 비틀거리는 환백의 몸을 묵혼과 교령이 놀라서 받쳐 안았다. 그런 환백의 얼굴이 딱딱하게 굳어지고 심장이 빠르게 뛰기 시작했다.

이미 어느 정도 예상했음에도 쉽사리 충격에서 벗어나지 못한 환백의 눈에서 눈물이 한 줄기 흘러 떨어졌다. 간신히 땅을 딛고 선 다리가 상실에 대한 두려움으로 쉴 새 없이 떨려 왔다.

그리고 순식간에 온몸으로 그 떨림이 번져 갔다. 차갑고 강한 바람 한가운데에 망연자실 서 있는 것처럼 온몸을 떨어 대는 환백의 핼쑥한 볼을 타고 눈물만이 하염없이 흘러내릴 뿐이었다.

"주군, 괜찮으십니까?"

"정신 차리십시오, 주군! 이렇게 넋 놓고 있을 때가 아니지 않습니까? 황후마마께 가셔야지요!"

묵혼의 조심스러운 목소리에 이어 날카롭게 외치는 교령의 목소리가 더해지며 한순간 환백의 동요가 조금씩 잦아들었다. 눈가가 벌게진 채 거친 숨을 내쉬는 환백의 몸은 차가운 한파에도 온통 땀투성이였다.

어느 정도 안정이 되자 입술을 질끈 깨물고 앞으로 곧장 걸어가는 환백의 새하얀 비단결 같은 머리카락이 차가운 바람에 어지러이 휘날렸다. 말 등에 올라타 고삐를 잡은 환백의 입에서 얼어붙을 듯 입김이 새어 나오고 있었다.

"유한, 앞장서라."

환백의 말에 유한이 곧바로 몸을 날렸다. 그 뒤로 환백의 말이 빠르게 달려가고, 주변으로 호위하듯 묵가와 암영제가 일제히 뒤따르고 있었다. 휘연이 있는 곳까지 반나절 거리.

한결같이 굳은 얼굴로, 그곳까지 향하는 동안 누구도 입을 열지 않았다. 그럼에도 모두는 같은 마음으로 하나만을 바라고 있었다. 부디 휘연이 온전한 모습으로 기다려 주기를.

그러나 모두의 간절한 바람과는 달리, 도착한 환백을 맞이한 사람은 낡고 허름한 방 안에서 여전히 정신을 차리지 못하고 고열에 시달리며 전혀 다른 모습으로 축 늘어져 있는 휘연이었다.

그 순간 환백은 가까이 다가가지도 못하고 멈추어 섰다. 한참이나 미동 없이. 마치 시간이 멈춘 것처럼 어지러운 머릿속도 깨끗이 비워져 버리고, 오로지 심장만 미친 듯이 쿵쿵거렸다.

"……."

휘연이었다. 그토록 애타게 찾았던 휘연이었다. 비록 모습은 완전히 변했어도 환백은 한눈에 알아봤다. 젊음도 생기도 모두 빠져나가 단아한 아름다움은 사라졌어도 아프도록 뛰는 심장이 먼저 알아보고 반응했기 때문이다.

입안에 버석거리는 모래를 한가득 머금은 듯. 몇 번이나 입술을 달싹거려도 황무지처럼 바싹 말라 까끌까끌한 입에서는 거친 숨소리만 흘러나올 뿐, 어떤 말도 할 수가 없었다.

그렇게도 그리던 휘연이 눈앞에 있는데도 한순간에 허상처럼 사라질 것 같아 두려웠다. 암담한 어둠 속에서 느꼈던 그 공허함. 그 절망이 가져다준 지독한 고독.

무(無)의 공간에 갇혀 질식하지 않으려고, 기대 뒤에 찾아올 두려움에 덜덜 떨면서도 필사적으로 허상을 만들어 내고, 사라지려 하면 또다시 만들어 내고 애원하며 매달렸었다.

그리고 이제야 만났다. 하지만 이것조차 환상이라면? 또다시 자신이 만들어 낸 착각이라면? 굳은 얼굴이 일그러지고 이가 부서질 정도로 꽉 깨문 입술 사이로 가느다란 핏줄기가 흘러나왔다.

확인해야 한다. 사라질 환상 따위가 아니라는 걸. 비틀비틀 다가간 환백은 약해질 대로 약해진 가녀린 몸에 천천히 손을 뻗었다. 부들부들 떨리는 손끝으로 조심조심 식은땀이 맺혀 있는 주름진 얼굴을 쓰다듬어 본다.

마치 온기가 느껴지는지를 가늠해 보는 것처럼. 그 순간 흐릿한 안갯속을 헤매던 붉은 눈동자가 잘게 일렁이고, 건조한 환백의 입술로 너무나도 깊은 그리움이 탄식처럼 흘러나왔다.

"아아—"

살짝 와 닿는 휘연의 따스한 체온이, 자신의 앞에 있는 휘연이 정녕 거짓이 아님을 알게 해 주었다. 만들어 낸 허상 따위가 아닌 실체에 이내 잘게 흔들리던 붉은 눈동자 안으로 녹아들듯 빛이 스며든다.

삐걱거리는 팔을 천천히 뻗어 넓게 퍼진 새하얀 백발을 조심스럽게 쓰다듬었다. 자신과 같은 백발이지만 너무도 다르다. 생기와 제 색을 잃어버린 머리카락은 살짝만 힘을 줘도 마른 잎사귀처럼 부서져 버릴 것 같았다.

차마 힘을 주지 못하고 거둬들이자 손가락 사이로 딸려 온 머리카락이 손안에서 부서져 버릴 것처럼 흘러내리고, 흔들리던 붉은 눈동자가 휘연의 전신을 천천히 훑어내려 갔다.

백옥같던 피부는 사라지고, 그 위로 세월의 흔적을 담은 주름과 죽음을 알리는 검은 꽃만이 가득 피어났다. 부드럽게 호선을 그리고 단아하게 미소 짓던 붉은 입술은 제 색을 잃어버렸다.

너무나 아름다웠던 그 모습은 몇 십 년의 세월을 뛰어넘어 자신 혼자만 남겨 두고 사라져 버렸다. 시야가 먹먹해지고 심장이 욱신거리는 고통에 환백은 이를 악물고 사라진 흔적을 찾았다.

남아 있을 것이다. 다정한 입술을 움직여 자신의 이름을 불러 주는 목소리는, 언제나 올곧게 바라보던 눈빛은 온전히 남아 있을 것이다. 아니, 설사 모두 사라졌다고 해도 달라지는 건 없었다.

"아무리…… 변해도…… 그대가 나의 유일한 반려라는 건 변하지 않는다. 그 누구도……그것만은 내게서 빼어 가지 못해."

빼기지 않을 것이다. 그 어떤 희생을 치르더라도 이제야 간신히 찾은 자신의 연인을 절대 놓치지 않을 것이다.

"휘연, 내 연인, 내 사랑…… 내 심장의 주인. 아는가? 그대 없는 내 삶은 참담한 지옥이다. 그러니, 그러니 나를 버리지 마라. 버리지 마. 나를 혼자 두지 마라, 제발."

잔뜩 억눌린 채 간신히 비집고 나온 듯한 떨리는 목소리로 속삭이며 환백의 손이 창백한 휘연의 얼굴을 거듭 쓰다듬었다. 자신을 위해 모든 것을 바치고 희생해 온 고귀한 사람.

비쩍 마른 앙상한 가지 같은 작은 몸을 끌어안고 목덜미에 고개를 파묻은 환백의 눈에서 눈물이 흘렀다. 주름진 목덜미를 타고 흘러내린 눈물이 해진 이불자락을 흥건히 적실 때까지.

못난 자신을 자책하며 그런 자신을 위해 인내해 온 휘연의 희생을 되새기는 환백의 슬픔이 끝없이 흘러내렸다. 그렇게 방 안으로 소리 죽인 흐느낌만이 흘러나올 때, 안겨 있던 휘연의 몸이 미세하게 꿈틀거렸다.

그와 동시에 죽은 듯이 꼭 감겨 있던 새하얗게 세어 버린 속눈썹이 이마에 입을 맞추는 입술의 온기에 애달프게 떨려왔다. 그리고 곧 드러나는 흐릿하지만, 흑백의 조화를 이룬 그 눈동자에 환백은 눈물로 얼룩진 얼굴을 하고 옮게 미소 지었다.

"……폐하, 또…… 꿈을 꾸나 봅니다."

꿈이 아니라고. 결코, 사라질 허상 따위가 아니라고 말을 해 줘야 했지만, 환백은 터져 나올 것 같은 오열에 차마 입을 열지 못했다. 그저 안타까움에 눈물만 뚝뚝 흘리는 환백의 모습에 휘연이 힘없는 팔을 들어 올렸다.

거죽만 남아 마디가 불거진 손가락이 서툰 움직임으로 환백의 얼굴을 더듬었다. 손끝에 만져지는 온기에 신기한 듯 입을 벌리고, 쉴 새 없이 흘러내리는 눈물에 안타까운 듯 닦아낸다.

"어찌…… 울고 계십니까. 울지 마세요. 꿈이니까…… 웃는 모습만 보여 주셔야지요."

환백의 품 안에서 앙상한 몸이 열기를 품고 잘게 떨렸다. 미치도록 보고 싶었던 사람, 수명이 다하기 전에 단 한 번만 안겨 보고 싶었던 단단한 품. 꿈이라도 좋았다. 한날 사라질 허상이라도 좋았다.

언제나 꿈을 꾸었다. 두려움이 시작을 알리고 작은 행복에도 결코 자신이 가질 수 없기에 안타까움에 눈물을 삼켰다. 은애한다, 말 한마디 해 주지 못한 것이 못내 가슴에 응어리로 남았었다.

자신의 자리가 아니라는 것을 알면서도 질기디질긴 미련에 작은 욕심을 부리다가도 환백의 처절한 비명에 화들짝 놀라 매번 꿈에서 깨어날 수밖에 없었다.

그때마다 얼마나 설움을 삼켰던가. 내색하지 못하는 상처는 쌓이고 쌓여 이제는 곪고 썩어 문드러져 버렸다. 두려웠다. 그리움을 이기지 못하고 미쳐 버리는 것은 아닌지.

차라리 하루라도 빨리 이 고달픈 숨이 멈추기를. 그래서 마음속에 몰래 담는 것조차 허락되지 않기를. 매번 허망한 꿈에서 깨어날 때면 그것을 바라고 몸을 혹사했다.

그러면서도 그 안에서 질긴 미련은 욕심을 버리지 못했다. 한 번만. 단 한 번만이라도 볼 수 있기를. 환백을 위한다면서 결국은 자신 또한 추악한 이면을 숨긴 어리석은 인간에 지나지 않는 것이다.

"한 번쯤은…… 하아, 마지막이니까…… 한 번쯤은 말해 주고 싶었습니다. 당신을…… 은애하였습니다."

'어여쁜 내 사람…… 불쌍한 내 사람. 아는가. 그대의 그 말이 나를 구원한다. 그것이면 돼. 그 마음만 있으면 나는 아무것도 필요하지 않다.'

혹여나 사라질세라 여린 몸을 품 안에 꼭 감싸 안고 눈물에 뺨을 비비고 입을 맞추어 주는 환백의 머리를 끌어안은 휘연이 가물가물 흐려지는 의식에 희미하게 웃으며 속삭였다.

"울보가 되셨습니다. 울지 마세요. 강해지셔야지요…… 그러니…….”

울지 마세요— 다시 한 번 작게 속삭이며 휘연이 부드럽게 반짝이는 순백의 머리카락에 얼굴을 묻고 편안히 눈을 내리 감았다. 또다시 까무룩 의식을 잃고 쓰러지는 휘연을 꼭 끌어안은 채 환백 또한 무거운 눈을 감았다.

‘어디든 같이 가자, 휘연. 그대가 어디로 가든, 그대 곁에는 내가 있을 것이다. 그리고 내 곁에는…… 그대가 있어야지.’

◈

좁은 방 안에 빙 둘러앉아 침묵만을 고수하던 네 사람이 곧 문을 열고 들어오는 아소를 보며 누가 먼저랄 것도 없이 기대 서린 얼굴로 자리에서 벌떡 일어났다.

“두 분은 좀 어떠십니까?”

“황후마마의 열은 내렸습니까?”

자리에 앉기도 전에 성급하게 물어오는 묵혼과 교령을 보며 아소가 나지막이 한숨을 내쉬며 입을 열었다.

“다행히 열은 내렸습니다만, 좀처럼 정신을 차리지 못하십니다. 사실, 육체의 나이로 보자면 옥체에 무리가 오실만도 하지요.”

아픔을 숨기지도 않고 씁쓸한 듯 작게 답하는 아소의 말에 네 사람의 근심 어린 얼굴 위로도 짙은 어둠이 내려앉았다.

“주군은 어떻습니까? 혹 문제가 있는 건 아니겠지요?”

“폐하께서는 아무 이상이 없으십니다.”

"헌데 왜 안 깨어나시는 겁니까?"

조관의 물음에 아소도 이렇다 할 대답을 하지 못했다. 그도 그럴 것이, 환백은 그저 편안하게 잠든 것뿐이기 때문이다. 문제는 환백이 휘연을 온몸으로 꼭 끌어안고 잠든 지 오늘로써 벌써 사흘째라는 것이다.

그 때문에 휘연의 몸에 시침을 놓는 것도 불가능해 그동안 탕약으로 열을 다스릴 수밖에 없었다. 그나마 다행히 열은 내렸지만, 정신을 차리지 않는 이상은 그저 이대로 지켜볼 수밖엔 없는 것이다.

"그래도 더 이상 악몽을 꾸시지 않는 것 같아 다행이야."

"후우, 사흘에 두 시진도 겨우 잠드셨으니 피로가 누적된 탓이겠지."

"마마께서도 요 사흘간은 악몽을 안 꾸십니다."

그 이유는 어렵지 않게 짐작할 수 있었기에 모두의 얼굴에 안타까움이 숨김없이 드러났다. 더 이상 할 수 있는 것이 없었다.

"저는 옆집에 들러 병자 좀 살피고 오겠습니다. 깨어나시면 알려 주십시오."

무겁게 고개를 끄덕이는 네 사람에게 살짝 고개를 숙이고 아소가 방을 나서려고 할 때였다. 옆방에서 들려오는 무영의 외침에 일제히 튕기듯 방을 뛰쳐나갔다.

"마마! 정신이 드십니까?!"

"마마!"

난데없이 들이닥친 이들을 돌아볼 생각도 못 할 만큼 휘연은 지금 상황이 이해가 가지 않았다. 어째서, 어째서 환백이 이곳에 있단 말인가? 게다가 환백의 품 안에 안겨 있는 이 상황은 또 뭐란 말인가.

"이, 이게 대체……."

멍하니 중얼거리는 휘연의 목소리가 들렸을까. 휘연이 미처 상황을 파악하기도 전에 환백의 감긴 눈썹이 파르르 떨리고 이내 붉은 눈동자가 드러났다.

"……휘연."

"진정…… 폐하이십니까? 어찌……."

믿기지 않는다는 듯 말끝을 흐리는 휘연을 바라보며 환백이 부드럽게 미소 지었다. 땀에 젖어 이마에 달라붙은 머리카락을 떼어 주고 눈썹부터 콧잔등, 입술에 이르기까지 애잔하게 쓰다듬는다.

더할 나위 없이 소중하고 소중하다는 듯이. 휘연의 볼을 감싸 쥔 환백의 숨소리가 점차로 가까워지고 여전히 굳어 있는 입술 위로 살포시 내려앉듯이 따뜻한 입술이 닿았다.

움찔— 미세하게 떨리는 입술 사이로 말캉한 혀가 들어와 치열을 건드리고 휘연의 혀를 애무했다. 조심스럽게 휘연의 숨이 가쁘지 않을 정도로만 사랑을 들인 다정하고 또 다정한 입맞춤.

몇 번이고 가볍게 닿았다가 떨어지고 감정이 격해지는 듯 탄식 같은 신음을 쏟아 내며 품 안으로 바짝 끌어안는 그 힘에 그제야 멍하니 굳어 있던 휘연의 정신이 화들짝 돌아왔다.

"어째서, 어째서 이곳에 계십니까?"
"그대가 있는 곳이니까."
담담한 목소리와는 달리 휘연의 머리카락에 닿아 있는 환백의 입술은 파르르 떨렸다. 두 사람의 맞닿은 심장이 점차 거세게 뛰기 시작하고, 환백의 어깨를 밀어낸 휘연이 천천히 몸을 일으켰다.
그런 휘연의 입에서 힘겨운 신음이 흘러나오자 벌떡 일어나 허리를 받쳐 주는 환백의 손을 매정하게 쳐 낸 휘연이 거친 숨을 가다듬으며 불안하게 흔들리는 붉은 눈동자를 똑바로 마주 보았다.
"황궁으로 돌아가십시오."
"휘연."
"폐하가 계실 곳은 황궁입니다. 어찌 막중한 책임을 이렇듯 가벼이 하실 수 있으십니까? 폐하의 자리로 돌아가세요."
열에 들떠 애달프게 속삭였던 게 거짓이었다는 듯 한 치의 감정도 드러내지 않는 냉정한 말에 환백이 섭섭함과 두려움, 아픔이 뒤섞인 눈동자로 휘연을 응시했다.
"나를 보내려거든, 같이 돌아가자. 그대도 황후의 자리를 지켜야 할 것이 아닌가."
처음부터 떨어질 생각도 없었고, 어떻게든 휘연의 고집을 꺾을 생각이었던 환백은 뭐라고 하든 응수해 줄 말은 많았지만, 정작 휘연이 대답이 없자 입가에 희미하게 떠오르던 미소가 조금 이지러졌다.
애써 가라앉힌 감정이 들썩인다. 그런 환백의 눈동자에 초조와 불안이 감돌고 허름한 소맷자락 밖으로 삐죽 튀어나온 앙상한 손을 끌어당기며 입가에 가져가자 휘연이 주춤거리며 물러났다.

"폐하와의 인연이 다한 이상, 황후로서의 책무도 끝났습니다."

"다하지 않았다. 그대와 나의 인연은 내가 허락하지 않는 이상은 그 무엇으로도 끊어 낼 수 없다."

단호한 목소리만큼이나 고집스레 얼굴을 굳힌 환백을 보며 휘연은 터져 나오려는 침음성을 간신히 목 안으로 삼키고 말을 이었다.

"정녕 모르시겠습니까? 하늘이 정한 운명입니다. 어찌 어리석게 맞설 생각을 하십니까?"

"그런 거 모른다. 내가 아는 건 그대만이 내 유일한 반려라는 사실이다. 그러니 부정하지 마라. 나를 부정하지 마라, 휘연. 같이 가자. 그대가 가는 곳이라면, 내 어디든 함께하겠다."

"대체, 가긴 어딜 간단 말입니까?! 폐하는 혼자 몸이 아니십니다. 만백성을 보살펴야 할 의무가 있는 분이, 진정 책임을 회피하려 하십니까? 정녕 그리하고 싶으신 것이옵니까?"

"듣지 않겠다. 못난 놈이라고 해도 상관없다. 나는, 나는 그대가 없으면 안 돼. 같이 가자. 제발. 나를 버리지 마라. 버리지 마."

어느새 단호함은 사라지고 마치 버림받는 것을 두려워하는 어린아이처럼 눈물을 뚝뚝 떨구며 꼭 끌어안아 오는 환백을 보며 휘연은 가슴을 칼로 도려내는 듯한 아픔을 느꼈다.

그리 강하기만 한 사람이 어찌 이리도 약해졌는지. 모두가 자신의 죄인 것 같아 심장 위로 묵직하게 내려앉는 통증에 시큰해지는 눈을 무시하며 휘연은 입안의 여린 살을 질끈 깨물고 울음을 참았다.

약해져서는 안 된다. 자신은 곧 떠날 사람이 아닌가. 어쩌면 남은 몇 개월도 채우지 못할지도 모르는 것을, 한낱 부질없는 욕심을 채우자고 환백을 더 고통스럽게 몰아갈 수는 없었다.

그러자면 모질게 굴어서라도 돌려보내야 한다. 차라리 그리움보다 원망이 더 나을 것이기에, 휘연은 독하게 마음을 먹고 미열이 가라앉지 않은 몸으로 힘겹게 환백의 품에서 빠져나왔다.

"휘연, 무리하지 마라."

비쩍 말라 거죽만 남은 주름진 손이 필사적으로 밀어내기 위해 몸부림치는 모습이 너무나 애처로워 환백은 다시 한 번 팔을 뻗었다. 하지만 곧바로 냉정하게 쳐 내는 손길에 환백의 얼굴이 침통을 빛을 띠고 일그러졌다.

"못나게 굴지 마세요. 누구보다 냉정한 분이 아니십니까? 벌써 잊으셨습니까? 폐하께서 제게 어찌 대하셨는지."

시선을 똑바로 맞춰 오는 굳은 휘연의 얼굴에 환백은 하얗게 질린 얼굴로 고개를 내저었다. 잊을 리가 없었다. 어찌 잊겠는가. 하루에도 수십 번, 수백 번을 되돌아보며 후회했었다.

고통과 상처로 위태롭게, 새하얗게 부서져 무너져 내리던 여리디여린 그 모습이, 눈물로 애원하는 그 목소리를 한시도 잊을 수가 없어 환백은 자신에게 잔인하리만치 가혹하게 굴었다.

그렇게라도 하지 않았다면 휘연이 사라지고 온통 암흑뿐이던 세상에서, 그리고 후회의 무게에 짓눌려 짙은 공허와 미칠 듯한 그리움에서 여기까지 견디지도 못했으리라.

"내가, 어리석어서…… 그래서……."

"저는 잊지 않았습니다. 제 가슴에 비수를 꽂고 모욕을 준 분은 바로 폐하십니다. 저를 죽이려고 하신 분도 폐하십니다. 헌데 이제 와서 제게 왜 이러십니까? 얼마나 더 고통을 주셔야 직성이 풀리시겠습니까?"

"잘……못했다. 내가 잘못했다. 잘못했다."

덜덜 떨리는 몸으로 같은 말만 반복하는 환백의 눈물로 얼룩진 얼굴이 후회와 죄악감, 고통으로 물들어 갔다. 그런 환백의 얼굴에서 필사적으로 시선을 떼지 않는 휘연 또한 뱉어 낸 말만큼이나 속으로 피눈물을 흘리고 있었다.

"저는…… 싫습니다. 이렇게 폐하와 마주하고 있는 것도 싫습니다. 끔찍합니다. 아시겠습니까? 그러니, 제발…… 돌아가세요. 이제는 제발…… 마음 편히 지내고 싶습니다."

뱃속에서부터 검붉은 핏덩이가 쏟아질 것같이 시야가 이지러진다. 마음에도 없는 말을 쏟아 내는 것이 이렇게나 고통이었든가. 뱉어 낸 날카로운 파편이 순식간에 되돌아와 온몸에 박혀 들며 지워지지 않을 상흔을 남긴다.

찢어진 상처 안으로 파고들어 마구잡이로 휘젓는 것같이. 목구멍에 날카로운 가시가 수십 개나 박힌 듯한 고통에 휘연이 더는 참지 못하고 자리를 털고 일어섰다.

그대로 매정하게 방을 나서려는 휘연의 손목을 움켜쥔 환백이 털썩 무릎을 꿇자 경악한 휘연이 팔을 잡고 일으켜 세우려고 했지만 환백의 몸은 굳은 듯 움직이지 않았다.

“이게 무슨 짓입니까?! 천자가 무릎을 꿇다니요. 어서 일어나십시오, 폐하!”

“그대가 뭐라고 하든…… 돌아가지 않겠다. 내가 지은 죄의 대가니 원망해도 좋아. 때려도 되고 증오해도 좋으니 그대 곁에만 있게 해다오, 휘연. 제발, 나를 버리지 마라. 나를 혼자 두지 마. 그대 없이…… 나 혼자 두지 마라.”

“제발…… 그만하십시오. 어찌 이리 말도 안 되는 고집을 피우십니까. 제 간절한 청을 잊으셨습니까.”

“잊었다. 다 잊어버렸다. 그러니 나를 원망하라. 원망하고 미워해. 차라리 그렇게라도 내 곁에 있어.”

참담하게 일그러진 얼굴로, 마치 살기 위해 간절한 몸부림치는 것같이. 어린아이처럼 서럽게 소리 내 우는 그 처절함에 휘연은 심장에 불이라도 질러 놓은 것처럼 뜨겁게 타들어가는 것 같았다.

견고하게 뒤집어쓴 가면이 파삭 흔적도 없이 부서져 내린다. 아무리 꾹꾹 삼키고 억눌러도 애끓는 절규가 한순간에 찢어진 목구멍을 비집고 튀어나올 것 같아 휘연은 입술을 질끈 깨물었다.

‘제발, 그만하십시오. 제발! 제발!’

어찌해야 할까. 이 이상 더 어찌해야 한단 말인가. 이것이 욕심을 부린 대가라면 참으로 지독하지 않은가.

"휘연, 휘연— 나를 혼자 두지 마라. 혼자 두지 마."

차마 절박함을 똑바로 마주할 수가 없어 한참이나 외면하듯 눈을 감은 채 주먹만을 움켜쥔 채로 아무런 대꾸도 하지 못하던 휘연이 휘청— 무너지려는 몸을 간신히 지탱하고 문을 벌컥 열었다.

문밖에서 초조하게 기다리던 이들이 흠칫거리며 다급하게 무릎을 꿇었다. 그런 그들이 아닌 시린 하늘을 올려다보며 애써 눈물을 삼키고 호흡을 가다듬던 휘연이 미처 떨림을 온전히 떨쳐 내지 못한 채 입을 열었다.

"묵가와 암영제는 들으세요. 황후로서 마지막 명을 내리겠습니다. 폐하를…… 황궁으로 모셔 가세요."

"……마마."

"뭣들 하십니까?! 당장 모시고 가세요."

휘연의 호통 소리에 화들짝 놀란 세 사람이 주춤 눈치를 살피며 다가오자 환백의 고통에 찌든 목소리가 잠시의 침묵을 가르고 흘러나왔다. 그와 동시에 모두의 눈이 경악을 담고 휘둥그레졌다.

"……다가오지 마라."

"폐하!"

"주군!"

경악한 외침이 산발적으로 터져 나왔다. 환백의 심장 위로 한눈에도 날이 시퍼렇게 선 날카로운 비수가 당장에라도 살갗을 뚫고 들어갈 듯 섬뜩하게 번뜩이고 있었기 때문이다.

그 모습에 휘연은 무너지듯 풀린 다리를 하고 온몸을 덜덜 떨었지만, 오롯이 휘연만을 바라보는 환백의 표정은 비록 눈물로 얼룩져 있었으나 지극히 담담했다.

마치 당연하다는 듯이. 너무도 평온하게 죽음을 예고하는 듯한 그 표정에 휘연의 얼굴을 가린 얇디얇은 마지막 가면마저 부서지며 참담하게 일그러졌다.

"그대가 살린 심장이다. 이 심장의 주인인 그대가 부정한다면…… 더 이상 살아 있을 가치도 없겠지."

"흐흑—"

'그대를 곁에 둘 수만 있다면, 그대와 영원을 함께할 수만 있다면 그 무엇이든 치를 것이다. 그게 무엇이든. 설사 죽음이라도 상관없다. 아니, 죽어서도 반드시 내 곁에 둘 것이다.'

이미 죽음은 자신에게 두려움이 아니었다. 단 하나의 소중한 연인을 따라나서는 길인 것을. 무엇인들 못 하겠는가. 하늘이 허락하지 않는다면 억지를 부려서라도 되돌릴 것이다.

"함께하자."

절망을 가득 담은 채 망연자실 온몸을 덜덜 떨어 대며 서러운 눈물만 쏟아 내는 휘연을 환백이 조심스럽게 품 안에 끌어안고 들릴 듯 말 듯 자그마한 목소리로 속삭였다.

"함께하자, 휘연."

❖

한바탕 충격에 휩싸인 후 휘연이 더 이상 아무런 말이 없자 환백은 재빨리 움직였다. 가장 먼저 허름한 집을 나와 반 나절 거리인 마을에 있는 객잔 하나를 통째로 빌려 휘연만을 데리고 별채 안에 들어앉은 것이다.

두 번째 쓰러진 후 노약한 몸은 급격하게 나빠지고 있어 사실상 더 이상 병자를 보는 것도 버거울 지경이라 휘연도 딱히 무어라 토를 달지는 않았다. 무엇보다 환백을 누추한 곳에 머물게 할 수 없는 이유이기도 했다.

그렇다고 두 사람 사이가 단번에 달라진 건 아니었다. 객잔으로 옮겨 오고도 며칠간 두 사람 사이에는 이렇다 할 대화조차 오가지 않을 만큼 보이지 않는 신경전이 팽팽하게 이어졌기 때문이다.

물론, 그것 또한 휘연 혼자만이 그렇게 느꼈을 뿐이다. 환백은 언제 그 난리를 피웠느냐는 듯 하루 종일 꼭 끌어안고 떨어지지 않았고, 휘연은 도저히 답이 나오지 않는 상황에 전전긍긍 속으로 애만 태운 것이다.

게다가 휘연을 더 당황하게 만든 건 환백의 태도였다. 아침부터 밤에 잠들 때까지 휘연의 식사부터 옷시중, 목욕 시중은 기본이고 하루 종일 딱 달라붙어서 온몸을 만지고 틈만 나면 입맞춤을 해 대는 통에 혼이 다 빠질 지경이었다.

하다못해 볼일 보는 데까지 따라 들어오려고 했을 때는 휘연은 차라리 정신을 잃기를 간곡히 바랐을 정도였으니 오죽할까. 그렇다고 차마 뭐라 하지도 못한다. 또다시 비수 들이대고 자결한다고 하면 어쩌란 말인가.

지금도 그 생각만 하면 심장이 덜컥 내려앉을 지경인 것을. 이도 저도 못한 채 그렇게 며칠이 지나고 나니 휘연도 거의 자포자기 상태에 이르고, 그 덕분에 두 사람 사이로 흐르는 긴장도 어느 정도는 사라질 수 있었다.

"예쁘다, 휘연."

가만히 주름진 얼굴을 쓰다듬으며 중얼거리는 환백의 말에 휘연은 황당한 표정을 감추지 못했다. 대체 주름진 노인의 얼굴이 어디가 예쁘단 말인지. 도저히 이해할 수 없는 말에 휘연은 저도 모르게 불퉁하게 되받아쳤다.

"……진정…… 미치셨습니까? 이 모습 어디가 예쁘다는 것입니까?"

"쿡쿡, 그대도 그런 말을 할 줄 아는군. 허나, 사실인 것을 어쩌란 말이냐. 내 눈에는 그대가 세상에서 제일 예쁘다. 너무 예뻐서 불안해. 다른 놈이 채 갈까 봐, 하루 종일 눈을 못 뗄 정도다."

"끙, 그거 병입니다, 폐하."

"그런가. 하지만 이런 병이라면 나쁘지 않군."

그러면서 무엇이 그리도 만족스러운지 입가에 흡족한 미소를 띠고 고개를 끄덕이는 환백을 보며 휘연은 뱃속에서부터 우러나오는 한숨을 막을 생각도 하지 못했다.

자신의 속은 새까맣게 타들어 가는데 황제라는 사람이 어찌 이리도 천하태평이란 말인가. 제아무리 효헌이 정무를 제대로 본다고 한들 천자의 자리를 오래도록 비워 두면 반드시 말썽이 생기는 법이다.

헌데도 그런 건 관심도 없다는 태도로 하루 종일 이러고 있으니 휘연으로서는 미칠 노릇이었다. 그렇다고 말해 본들 그 또한 소용없는 짓이라 답답한 마음에 쉼 없이 한숨만 내쉬었다.

하지만 그것도 잠시, 얼굴을 쓰다듬던 손이 어느새 밑으로 향했는지, 옷섶을 헤치고 가슴을 더듬는 손길에 화들짝 놀라 바라보자, 순간 움찔하는 것 같더니 영롱하게 반짝이는 눈을 하고 가늘게 눈웃음을 짓는 게 아닌가.

"후우—"

휘연은 또다시 무거운 한숨을 내쉬었다. 바라보는 것만으로도 애간장을 녹일 듯한 저 미소가 어찌 저리도 사악하게 느껴지는 것인지. 참으로 상황하고 어울리지 않는 고민에 빠진 휘연이었다.

지난 며칠간 꾸준하게 이어 오던 일이라 새삼스러울 것도 없지만, 웃음 안에 애초부터 숨길 생각도 없는 진득한 열기가 담겨 있는 걸 보니 필시 또 난감한 행동을 할 터였다.

"폐하, 잠시만."

"이름으로 부르래도 고집은."

짐짓 불퉁하게 중얼거리면서도 재빨리 앞섶을 풀어헤치고 휘연의 마른 가슴에 얼굴을 묻은 채 깊게 숨을 들이마시는 환백의 입에서 만족스러운 탄성이 터져 나왔다.

그리고는 마치 갓난아이가 어미의 가슴에 매달리듯 작고 볼품없는 돌기를 허겁지겁 입안으로 머금는 환백의 머리를 쓰다듬으며 휘연은 쓴웃음을 지었다.

이렇듯 늙어 버린 몸에도 매달려 오는 환백이 안쓰럽기도 하고, 또 거기에 반응하지 못하는 몸이라 죄를 짓는 것 같아 미안하기도 했기 때문이다.

"하아, 환백 님 아무리 하셔도……."

느끼지 못한다는 말은 내뱉지 못하고 목 안으로 삼켰다. 비록 겉모습뿐이라 하나 칠순이 넘은 나이로 제구실을 한다는 게 오히려 이상한 일일 터, 휘연은 심란함에 저절로 한숨이 푹푹 쉬어졌다.

차라리 외면해 버릴까 하다가도 한여름 뙤약볕에 버림받은 강아지 꼴로 축 고개를 떨구는 모습은 차마 볼 수 없어 어영부영 받아 주다 보니 이제는 틈만 나면 달려드는 것이다.

그렇다고 깊게 관계를 하는 것은 아니었다. 사실상 노약한 육체로 관계가 가당치도 않은 일이고, 그저 온몸을 만지고 감각이 둔해져 질기기만 한 주름진 피부 위로 흔적을 남기는 게 전부였다.

사실 그것만으로도 이해가 안 되기는 매한가지였지만, 문제는 환백의 태도나 반응을 결코 가볍게 판단할 수 없다는 점이다. 마치 뒷덜미가 서늘한 게 무언가를 간과한 것 같아 마음에 걸렸기 때문이다.

그것이 무엇인지는 모르겠으나 한 가지 확실한 건 이러다 갑작스럽게 자신이 잘못되면 환백이 받을 상처는 더 깊을 것이기에 휘연은 마음이 착잡했다.

게다가 요 며칠 몸을 전혀 움직이지 않고 푹 쉬었음에도 몸 안의 생기가 빠르게 빠져나가는 걸 느낄 수 있었다. 아마도 몇 개월은커녕 어쩌면 달포도 살지 못하리라.

그걸 아는 이상은 이제부터라도 준비를 해야 함이 옳았으나 이미 각오는 수도 없이 했음에도 미련이라는 것은 참으로 질기기만 해 마음 한구석에 자리한 감정은 쉬이 사라지지 않는다.

오히려 조금이라도 더 지속하기를, 미련을 넘어 은근한 욕심까지 부리는 자신을 돌아보며 휘연이 나직하게 실소를 흘렸다. 욕심은 끝도 없다더니 자신 또한 그 짝이지 않은가.

어차피 예정된 것을 어쩌자고 마음을 더 혼란스럽게 하는 것인지, 문득 초조함을 느낀 휘연이 저도 모르게 크게 쓴 숨을 내뱉자 환백이 뺨을 감싸 쥐고 천장만을 올려다보는 시선을 자신에게로 돌려놓았다.

“무엇이든 깊게 생각하지 마라. 그대는 그저 내 곁에서 나만 보면 돼.”

잔잔한 속삭임 끝에 갑작스럽게 다가오는 얼굴에도 당황하지 않고 환백의 목을 끌어안은 휘연이 부드럽게 입안으로 파고드는 온기에 약속이나 한 듯이 가만히 눈을 감았다.

안타깝게 마주한 두 입술 사이로 보드라운 혀가 다정하게 얽혀들고 더운 숨결이 가쁘게 흘러나오자 마지못해 떨어진 환백이 두꺼운 솜이불로 빈틈없이 휘연의 몸을 감쌌다.

그런 환백을 보며 살짝 입가를 끌어 올리던 휘연이 이내 몰려오는 수마에 눈을 깜빡였다. 몸이 편해서인가 이상할 정도로 자꾸만 잠이 쏟아지는 통에 휘연은 난감했다.

안 그래도 겉으로 표현은 안 하지만 환백이 매일같이 불안해하는 걸 알기에 나름대로 잠들지 않으려고 노력하는 것이다. 그러나 잠에는 장사 없다고 결국 꾸벅꾸벅 조는 휘연의 모습에 환백이 작게 소리를 내어 웃었다.

"피곤하면 참지 말고 자라."

품 안으로 끌어당기며 부드럽게 속삭이는 말에 휘연이 더는 잠을 이기지 못하고 단단한 품 안에서 눈을 감았다. 이내 얕은 숨을 색색거리기 시작하는 휘연을 안은 환백의 표정이 울듯이 일그러졌다.

새하얗게 세어 버린 머리카락을 달래듯 쓰다듬고 혹여 바람이라도 들어갈세라 솜이불을 끌어 올려 작고 노약한 몸을 꼼꼼하게 감싸 주며 그렇게 환백은 휘연의 곁을 한시도 떠나지 않았다.

함께 자고 일어나 보면 어느새 얕은 숨이 멈춰져 있을 것이 두려워, 마지막 인사조차 없이 자신만을 남겨 두고 홀로 떠날 것이 두려워 환백은 신경을 극도로 곤두세우고 있었다.

지금의 이 평온함이 차마 믿기지가 않을 만큼 환백 또한 휘연의 몸 변화를 민감하게 느끼고 있는 것이다. 그래서인지 환백의 눈시울이 다시금 붉어졌다.

휘연의 앞에서는 결코 내색하지 못한 슬픔과 두려움, 안타까움과 절망이 거침없이 엄습해 와 또다시 눈물이 차오르려는 걸 환백은 입안의 여린 살을 깨물며 참아 냈다.

자신을 만나 눈물만 흘리며 보내온 가련한 연인이지 않은가. 이토록 힘겨워하는 휘연의 마음을 마지막까지 무겁게 하고 싶지 않아서였다.

"은애한다, 휘연."

애써 참아 내다가 잠든 후에야 겨우 마음을 전하며 환백은 조심스럽게 휘연의 얼굴을 쓰다듬었다. 금방이라도 사라져 버릴 듯 희미하고 아련한 모습에 불안감으로 가슴이 죄어 왔다.

하루에도 몇 번씩 휘연의 코에서 흘러나오는 숨을 손가락을 대어 확인하고야 안도한 환백이 눈을 감은 채 격해지려는 심기를 가라앉혔다. 자고 일어나면 자신은 또다시 행복한 듯 웃을 것이다.

언제가 될지는 모르겠으나 마지막을 고하는 그때까지, 환백은 그 무엇도 내색하지 않고 그저 이 순간의 행복만을 느낄 생각이었다. 그리고 그때가 되면 자신 또한 조용히 따를 것이다.

설사 그 때문에 또다시 휘연에게 원망을 듣는다 하더라도 소중한 연인을 떠나보내고 혼자 살아갈 자신이 없는 환백이 선택할 수 있는 건 그것만이 전부였다.

'그대가 알면 나를 탓하겠지만, 나로서도 어찌할 수가 없다. 그러니 나를 너무 어리석다 탓하지 마라.'

❖

모두가 긴장한 가운데 날이 갈수록 잠이 늘어나는 휘연의 상태만 아니라면 믿어지지 않을 만큼 평온한 일상이 이어졌다. 하지만 짐작했듯 느슨하게 풀어진 상황은 결코 오래가지 않았다.

남은 수명을 다 채우지도 못하고 달포가 가까워졌을 때 휘연의 몸이 눈에 띄게 나빠짐으로 이젠 앉아 있는 것도 힘이 들어 환백을 의지해 잠시 몸을 가누는 게 전부였다.

환백이 부드러운 손길로 목욕을 시킬 때도, 미죽으로 간신히 끼니를 채울 때도 휘연은 수시로 고개를 늘어뜨린 채 깨어날 수 없을지도 모르는 잠 속으로 거듭 빠져들었다.

그런 휘연을 그저 지켜볼 수밖에 없는 이들의 가슴도 남김없이 새까맣게 타들어 가고 있었다. 그렇게 며칠이 지났을 때, 잠이 들었던 휘연이 언제 깨어났는지 자신을 지켜보는 환백을 향해 희미하게 미소 지었다.

마치 당장에라도 사라질 듯, 생명이 다해 희미한 불씨만 남은 것 같은 그 미소에 환백의 심장이 덜컥 내려앉았다.

"폐하…… 하아— 아무래도…… 가야 할 것 같습니다."

가늘게 떨려 힘 하나 들어가지 않는 휘연의 목소리에 환백은 입술을 질끈 깨물었다. 무언가 말이라도 해야 했지만, 목구멍이 꽉 막혀 버렸는지 아무런 말도 하지 못했다.

그저 휘연의 이마에 부드럽게 입을 맞추고 금방이라도 감겨 다시는 모습을 드러내지 않을 듯이 생기가 온전히 빠져나가 버린 눈을 멍하니 바라볼 뿐이었다.

그런 환백을 이해한다는 듯 휘연의 입가에 아스라이 미소가 번지고, 이제 다시는 움직일 수 없게 되리라는 것을 아는지 힘겹게 가냘픈 숨을 내쉬며 마지막 힘을 짜내 작게 속삭였다.

"간절하게…… 청하옵니다. 제발, 하아— 약조해 주십시오."

"……휘연."

"제가 떠난 후에는…… 반드시…… 새로운 인연을…… 헉— 만나셔야 합니다. 꼭 행복……하셔야 합니다. 꼭…… 그리하셔야……."

점차 힘이 들어 더 이상 말을 잇지 못하면서도 못내 불안한지 대답을 기다리는 휘연의 차가워져 가는 입술에 환백이 몇 번이고 거듭 입을 맞추며 살짝 고개를 끄덕였다.

그제야 휘연이 시름을 던 듯 엷게 미소를 짓고 간신히 지탱하던 눈꺼풀을 내렸다. 그리고 차츰 잦아드는 숨결에 휘연을 꼭 끌어안은 환백의 입에서 끝내 참아 내지 못한 울음이 새어 나왔다.

'미안하다, 휘연. 그 약조는 지킬 수가 없다. 그러니 혼자 떠나지 말고 기다려라. 곧바로 따라갈 테니 나를 너무 미워하지 마라.'

"잠시면 된다. 잠시면……."

잔뜩 억눌린 목소리로 속삭이며 실낱같은 숨결이 더 이상 흘러나오지 않을 때까지 환백은 휘연을 꽉 끌어안은 채 서러운 울음을 토해 냈다. 그렇게 끊어질 듯 미약하게 흘러나오던 숨결이 완전히 멈추기까지는 불과 일수유였다.

환백의 커다란 몸이 움찔거리며 정처 없이 흔들리던 붉은 눈동자가 어둡게 가라앉기 시작하고 비로소 완전한 어둠으로 뒤덮였을 때 살짝 휘연의 몸을 떼어 놓은 환백이 품 안에서 비수를 꺼내 들었다.

그 행동에 일말의 망설임도 없었다. 혹여 휘연이 자신을 버리고 떠날세라 환백이 조급한 손길로 화려하게 장식한 검집에서 단검을 꺼내 높이 쳐들었을 때였다. 삽시간에 천장을 뚫고 쏟아진 광채가 두 사람 사이로 떨어져 내리며 순식간에 방 안 전체로 퍼져 나가고 있었다.

◈

『갑자기 왜 생각이 바뀌셨습니까?』

『끄응, 저놈을 죽일 수는 없지 않으냐.』

어지간히 불만인 듯 미간을 잔뜩 좁히고 퉁명스럽게 중얼거리는 천제를 보며 도재가 슬그머니 웃음을 터트렸다.

『어차피 이리할 것을, 그동안 왜 그리 고집을 피우셨습니까?』

『저놈이 생각을 바꿀 줄 알았지. 쯧쯧, 골치야. 앞으로 이 일을 어쩌면 좋누.』

단 한 사람 때문이라지만 정해진 순리에 어긋남으로 그 주변의 운명들까지 모조리 얽혀 버렸다. 뜻하지 않은 사건 · 사고에 정해진 천수도 누리지 못하는 이들이 태반일 것이다.

그리고 그걸 처리하는 것만으로도 족히 몇 해는 걸리리라. 그 생각만으로도 골이 지끈거리는 듯 천제의 미간은 펴질 줄을 몰랐다.

『그래도…… 오랜만에 좋은 일 하셨으니 제가 도와 드리겠습니다.』

『이놈이? 그거야 당연한 것이 아니냐!』

『제가 싫으면 안 하는 거지, 당연한 게 어디 있습니까? 엄연히 제 일은 따로 있습니다만?』

틀린 말이 아니었기에 도재를 매섭게 노려보던 천제가 이내 포기한 듯 고개를 설레설레 내저었다.

『끄응, 이놈이나 저놈이나 죄다 마음에 안 들어. 쯧, 휘연이가 왔어야 하는 건데.』

『이제 그만 미련을 버리십시오. 그나저나 수명을 얼마나 늘린 것입니까?』

『한날한시에 끌고 와야지, 안 그랬다가는 또 저놈이 죽네 마네 난리를 피울 게 뻔하지 않으냐.』

다시 단단하게 묶인 인연의 매듭이 아니더라도 환백의 성격으로 다른 연인을 둘 리도 없고 오롯이 휘연만을 볼 것이기에 혹여나 잘못되면 그 이후는 불 보듯 뻔할 것이다.

그러느니 어차피 되돌린 거 차라리 말썽이 없게 조치하는 게 골치 아픈 일을 미연에 막는 일이라 도재가 수긍하듯 고개를 끄덕이다가, 나직하게 혀를 차며 중얼거리는 천제의 말에 천세경(天世鏡)으로 시선을 돌렸다.

천세경 안에는 죽음을 삶으로 되돌렸을 뿐만 아니라 젊음과 단아한 아름다움을 되찾은 휘연을 부둥켜안고 난리법석을 피우는 환백의 모습을 고스란히 비치고 있었다.

『쯧쯧, 저 팔푼이 놈. 하긴, 늙은 몸을 보고도 발정하는 놈인데 오죽할까.』

『쿡쿡.』

七章

되돌린 인연

유난히 한파가 심하게 몰아쳤던 겨울이 지나고 완연한 봄이 돌아왔다. 창가로 스며드는 따뜻한 봄 햇살에 단잠에서 막 깨어난 듯 천천히 눈을 뜬 환백은 품 안에서 느껴지는 포근함에 슬며시 입가를 끌어 올렸다.

잔잔하게 가라앉은 붉은 눈동자가 빠르게 빛을 찾아가고 이내 영롱하게 반짝이며 조심스럽게 휘연의 손끝에 달콤한 입맞춤을 남겼다. 입술에 닿아 오는 꿈같은 온기에 환백의 미소가 더욱 짙어졌다.

지금도 꿈만 같으니 오죽할까. 달포 전 그때를 떠올리며 환백은 여전히 믿기지 않는다는 듯 휘연의 얼굴을 샅샅이 살피기에 여념이 없었다.

처음에는 정말 꿈인가 했었다. 어찌 온전히 믿을 수 있겠는가. 분명히 죽음을 확인하고 자신 또한 죽으려고 했었다. 하지만 난데없이 쏟아진 빛줄기에 찰나간 정신을 잃고 깨어났을 때는 믿지 못할 광경이 눈앞에 펼쳐져 있었다.

휘연이 살아 있을 뿐만 아니라 다시 젊음과 아름다움을 되찾은 모습으로 편안하게 잠들어 있었기 때문이다. 그럼에도 너무 바라다 보니 또다시 환상에 빠져 허우적거리는 건 아닌지.

언제 또다시 휘연을 놓칠지 몰라 불안해하며 잠도 자지 못하고 몇 날 며칠을 품에 안고서 안절부절못했었다. 그러던 것이 이레가 지나고 보름이 흘러 달포가 되면서 비로소 안심할 수 있었다.

'꿈이 아니다. 꿈이 아니야.'

이렇게 휘연이 자신의 품에 있지 않은가. 누구의 소행인지는 뻔하지만, 천제가 무슨 생각으로 되돌려 준 것인지는 몰라도 환백은 두 번 다시 휘연을 놓지 않을 것이었다. 다시는 어리석은 후회로 물들지 않게 평생을 아끼고 사랑해 주리라.

"쿡쿡."

따뜻한 햇볕과 함께 기분 좋게 가슴팍을 간질이는 편안한 숨소리에 절로 웃음이 새어 나왔다. 마음 같아서는 지금 당장에라도 깨우고 싶지만 약하게 부어 있는 휘연의 눈두덩에 괜스레 비실비실 웃음만 새어 나왔다.

지난밤 몇 번이나 무리를 시킨 탓이었지만, 쾌감을 못 이겨 울음을 터트리며 매달려 오던 휘연을 떠올리자 열기가 단번에 확 달아오르고 하반신이 순식간에 빠근해져 환백의 표정이 난감하게 변했다.

'끄응, 큰일이군. 오늘은 무슨 일이 있어도 나갈 것 같은데.'

벌써 달포가 흘렀다. 처음에는 꿈같기만 하고 불안해 꼼짝달싹도 하지 않았다면, 지금은 조금이라도 더 단둘이 있으려면 어떻게든 이곳에서 버텨야 할 판이었다.

황궁으로 돌아가는 순간부터 일에 치여 같이 있을 시간이 턱없이 부족할 것이 아닌가. 그렇다고 마냥 머무는 것도 한계가 있고, 며칠 전부터는 강경하게 나오는 휘연 때문이라도 더 이상 고집을 부릴 수도 없다.

물론, 이곳에서 황궁까지 가는 시일만 해도 족히 두 달은 걸릴 테지만, 다시 어렵게 되찾은 휘연과의 꿈같은 시간을 갖자면 그걸로는 도저히 부족하지 않은가.

'흐음, 어쩐다. 이왕지사 나온 김에 민심도 살필 겸 잠행이나 한다고 할까?'

그렇게만 된다면 넉넉잡아 반년은 더 버틸 수도 있을 것이다. 문제는 과연 휘연이 수긍하느냐이고, 또 돌아와 달라는 애원 섞인 효헌의 서신도 마음에 걸리지만.

'그거야 제 놈이 알아서 하겠지.'

생각할 가치도 없다는 듯 효헌의 서신은 깔끔하게 무시한 환백은 묘하게 웃으며 휘연을 바라보았다. 환백의 머릿속에 어떤 생각이 있는지는 모르지만, 얼핏 음흉해 보이는 웃음이다.

그렇게 마냥 시간 가는 줄도 모르고 무엇이 그리도 즐거운지 혼자 실실거리며 웃고 있을 때, 창가로 스며드는 햇살이 좀 더 강해지며 휘연이 잠을 깨려는 듯 뒤척거렸다.

마치 잠투정을 하는 어린아이처럼 미간까지 찌푸리며 웅얼거리는 그 모습에 환백이 피식 웃음을 흘리다가 휘연의 뒤척임이 심해지자 이내 잠든 척 슬그머니 눈을 감았다.

언제나처럼 자신이 잠든 줄 알고 다정한 손이 흐트러진 머리카락을 부드럽게 쓸어 올 것이다. 얼굴과 목을 쓰다듬어 주는 보드라운 손길의 느낌이 환백은 그렇게 좋을 수가 없었다.

무엇보다 이때가 아니면 표현에 인색한 휘연이라, 환백은 앞으로도 이 버릇을 포기할 생각이 전혀 없었다. 그런 생각에 속으로 웃음 짓고 있자니 조심스럽게 품에서 빠져나와 몸을 일으키는 휘연의 기척이 느껴졌다.

"끄응."

일어나자마자 욱신거리는 허리에 나직하게 앓는 소리를 내던 휘연이 곧 시선을 내려 편안하게 잠든 환백을 보며 가만히 미소 지었다. 이렇듯 바로 곁에서 볼 수 있다는 사실이 꿈만 같다.

상상조차 하지 못했던 일이라 쉽사리 믿기지가 않는 것이다. 어찌 믿을 수 있겠는가. 처음 운명을 알고부터 순응하고 감내하는 것만을 되새겼다.

그것만이 옳았고 자신의 소임이라 여겨 당연하게 받아들였다. 하지만 자신이라고 어찌 원망하지 않았겠는가. 자신 또한 모진 운명에서 도망치고 싶을 때가 한두 번이 아니었다.

그러면서도 운명의 끝이 어떠할 거라는 걸 알기에 작은 욕심조차 부리지 못했었다. 매번 매달려 오는 환백을 볼 때면 차라리 모든 걸 털어놓아서라도 무게를 덜어 내고 싶었다.

설사 그리하지 못한다고 해도 하다못해 불안해하는 마음만은 풀어 줄 수 있을 것을 자신은 끝내 답을 주지 못했었다. 그조차도 욕심이고 질긴 미련이라.

은애한다, 그 말 한마디 해 주는 것이 무에 그리 어려울까 싶지만, 자신에게는 그 한마디가 천금의 무게보다 더 무겁게 느껴졌었다. 그래서 더 말하지 못했었다.

하지만 이젠 그 어떤 제약도 없으리라. 더 이상 작은 욕심에 전전긍긍 자책하지 않아도 되고, 미련에 가슴 아파하지 않아도 이렇듯 환백은 자신의 옆에 있지 않은가.

그런데도 참으로 이상한 것이 숨김없이 마음을 드러낼 수 있음에도 왜 이렇게 쑥스럽기만 한 것인지, 벌써 달포가 흘렀음에도 휘연은 이렇다 할 표현을 하지 못했다.

그저 감당하지 못할 정도로 애정을 표현해 오는 환백의 행동을 고이 받아 주는 게 전부라 새삼 미안함을 느낀 휘연이 나지막이 한숨을 내쉬다가 조심조심 환백의 얼굴을 쓰다듬었다.

입 밖으로 표현하지 못한 애정을 담아 흐트러진 순백의 머리카락을 부드럽게 쓸어넘기고 가지런한 눈썹부터, 사내의 기개가 느껴지는 콧날을 지나 날렵하게 다물린 입술에 이르기까지.

보드라운 손길이 얼굴을 스칠 때마다 살짝 찡그렸다가 이내 곧게 펴지며 미소를 짓는 환백의 모습에 어느새 휘연의 얼굴 위로도 단아한 미소가 짙게 피어났다.

“환백 님, 깨셨으면 그만 일어나셔야지요.”

“아직 자는 중이다.”

“……주무신다면서 대답은 어찌하십니까?”

장난스러운 휘연의 핀잔에 환백이 슬그머니 입가를 끌어올리며 덮치듯이 휘연의 허벅지에 얼굴을 묻은 채 자신만만하게 답했다.

“난 뭐든지 잘하지.”

“푸훗, 네. 환백 님은 뭐든지 잘하십니다. 그러니 맡은 책임도 다하셔야지요.”

마음 같아서는 자신 또한 좀 더 이곳에서 머무르고 싶지만, 황제의 자리를 계속 비워 둘 수는 없는 노릇이라 돌아올 대답이야 뻔하다는 걸 알면서도 휘연이 달래듯 부드럽게 속삭였다.

그러면서도 조금씩 미적거리며 뒤로 물러나는 휘연의 허리를 덥석 끌어안은 환백이 스멀스멀 기어 나오려는 웃음을 감추고 지난 며칠간 꾸준하게 했던 어리광을 다시 부리기 시작했다.

“휘연, 피곤할 텐데 하루만 더 있다가 가자. 응?”

그 말을 벌써 이레째 똑같이 하고 있다는 걸 정녕 모르는 것인지, 그도 아니면 모르는 척하는 것인지. 휘연이 나지막이 한숨을 내쉬자 재빨리 말을 덧붙인다.

"갈 길도 멀고 이대로 가면 피로에 지칠지도 모른다."

"……달포나 쉬었습니다."

여기서 더 얼마나 쉬어야지 만족할지는 고사하고 하루 종일 몇 번씩이나 덤벼들지만 않아도 피로가 쌓일 일이 없을 것이다. 무엇보다 환백의 혈색으로 봐서는 피로는커녕 지나치게 건강하게 보이는 것을.

"절대 지칠 일은 없을 것 같습니다만?"

"그건 그대가 몰라서 그래. 요즘 들어 몸도 뻐근하고 불편한 것이, 몸살이라도 난 것 같은데. 끄응, 왜 이렇게 피곤한지 모르겠네."

"……그렇습니까?"

"응. 그러니 이런 날은 그저 푹 쉬는 게 좋겠지?"

그러면서 한 번만 봐 달라는 듯이 초롱초롱한 눈빛을 보내오는 환백을 내려다보며 휘연은 피식 새어 나오는 웃음을 막지 못했다. 설마하니 환백이 이럴 줄이야.

부러질지언정 휘어지는 것을 용납하지 않을 만큼 한없이 강대하고 날카롭게 날이 섰던 냉철한 성격은 어디 가고 이제는 숫제 아늑한 봄바람 같은지.

그 놀라운 변화에 휘연은 적잖이 당황한 적이 한두 번이 아니었다. 그렇다 보니 더 설득도 하지 못하고 차일피일 흐지부지 미룬 결과로 벌써 달포가 흐른 것이다.

그렇다고 언제까지 이렇듯 미루고만 있을 수는 없는 노릇이라 슬금슬금 허벅지 안쪽을 더듬어 오는 환백의 손을 냉정하게 거둬 낸 휘연이 애써 얼굴을 굳히고 일어나려 했다.

여기서 더 말로 해 봐야 또다시 환백의 술수에 넘어갈 것이기에 피하고 보자는 심산에서다. 그러나 환백이 유쾌한 웃음을 흘리며 휘연의 몸을 단번에 침상 위로 눕히는 게 더 빨랐다.

"하아— 환백 님."

"부군이 아프다는데 매정하게 너무 그러지 마시오, 부인."

"끙, 무슨 말씀을 하셔도 절대 안 됩니다."

"야박하게 그러지 말고 좀 봐주시오. 사랑하는 부인과 하루라도 더 있고 싶어 하는 내 갸륵한 마음을 어찌 이리도 매정하게 내치는 것이오? 이러면 섭섭해서 울지도 모르오?"

기가 막힌다는 게 이럴 때 하는 말이 아닐까. 대체 어쩌려고 이러는 것인지 부담스러울 정도로 눈을 반짝이며 입으로는 구구절절이 늘어놓는 능글맞음에 휘연이 살짝 미간을 찌푸렸다.

힘으로 버둥거려 봐야 놔줄 것 같지도 않고, 강경하게 나가자니 눈치를 살피는 행동에 그도 마음에 차지 않는다. 황제인 환백이 눈치라니 가당키나 한 것인가.

말투야 거리감 느껴지는 것 같아 싫으니 편히 고치라 고집을 피우는 통에 어쩔 수 없이 맞춰 주고는 있지만, 환백의 새로운 면을 볼 때마다 당황스러운 것이다.

도대체 이럴 때는 어찌해야 하는지, 이래저래 고지식한 휘연의 성격으로는 매번 이런 상황이 난감하기만 해 애꿎은 눈동자만 데구룩 굴리다가 끝내 고개를 창가 쪽으로 팩 돌려 버렸다.

무슨 말을 해도 이번에는 넘어가지 않겠다는 휘연 나름의 고집이었다. 그런 휘연의 모습에 환백은 도저히 참을 수 없는지 유쾌한 웃음을 멈출 수가 없었다.

고집스레 얼굴을 돌리고 새초롬하니 창가로 스며드는 햇살만 바라보는 가는 목선과 숨을 쉴 때마다 가늘게 오르내리는 가슴 위로 도드라진 곡선을 그리는 쇄골까지.

무엇 하나 예쁘지 않은 구석이 없어 환백의 표정이 흐물흐물 녹아내렸다. 그러면서도 잠시도 눈을 떼지 않고 온몸을 훑어 내리는 환백의 두 눈이 좀 전과는 확연히 다른 열기를 담기 시작했다.

그와 동시에 꿀꺽— 입안에 고인 침을 넘긴 환백은 머리끝까지 단번에 치솟는 욕망에 나직하게 침음성을 삼켰다. 마음 같아서는 지금 당장에라도 안고 싶은데 지난밤 무리를 시킨 걸 알기에 망설여지는 것이다.

그렇다고 이대로 물러서자니 그것 또한 미칠 노릇이다. 한번 타오른 불꽃이 쉽게 사그라질 리도 없고, 자신의 한쪽 팔에 쏘옥 들어오는 가느다란 허리를 부서지게 껴안고 싶었다.

매끈한 목덜미도 매달려 오는 두 팔도, 보기 좋게 올라붙은 동그란 엉덩이 하며 자신의 허리를 찰싹 감아 오는 허벅지까지. 하나같이 안 예쁜 구석이 없으니 더 미치지 않겠는가.

백옥보다 더 고운 몸이 얼마나 부드러운지 누구보다도 잘 알고 있는 환백이기에 목구멍까지 밀려오는 욕정에 머뭇거릴수록 현기증이 일 지경이었다.

"아름다워…… 미칠 것 같아, 휘연."

열기 때문인지, 그도 아니면 기대감 때문인지 입안에 고인 침을 다시 한 번 꿀꺽 삼키며 멍하니 중얼거리는 나직한 목소리에 절로 오싹한 한기를 느낀 휘연이 몸을 움찔 떨었다.

안 그래도 낮은 목소리가 한층 더 나직하게 깔리고 두 눈에 활활 타오르는 열기를 가득 담고 천천히 다가온다는 것은 딱 한 가지 목적뿐이잖은가.

휘연은 어느새 울 듯한 얼굴로 엉덩이를 미적거리며 주춤주춤 물러났다. 지난밤 유독 놔주지 않던 환백 때문에 몇 번이나 정신을 잃었는지 모른다.

그 결과 목은 잔뜩 쉬었고 입술은 퉁퉁 부어 있으며 목부터 발바닥까지 온통 울긋불긋한 애흔 자국으로 뒤덮여 있어 차마 눈으로 볼 수도 없을 지경이다. 헌데 그래 놓고도 또 덤벼들 생각이라니!

"왜, 왜 또 그러십니까? 어제 무리한 걸 아시면서…… 정말이지 너무하십니다."

자신 또한 싫은 건 아니었지만, 허리에 무리가 있는 것도 사실이고 이러다가 또 하루가 얼렁뚱땅 지나갈 것을 뻔히 알기에 괜스레 얄미워지는 마음에 작게 불만을 꺼낸 것이 전부였건만.

다가오던 움직임이 딱 멈추고 단번에 안색이 침울하게 가라앉더니 커다란 몸을 힘없이 굴려 뒤돌아 누운 채 잔뜩 웅크리는 환백을 보자 휘연은 당황함에 입만 딱 벌렸다.

"미안하다. 내가 나쁜 놈이지. 죽일 놈이야."

"무, 무슨 말씀을 하시는 것입니까? 그렇지 않습니다! 환백 님, 어찌 그런 말씀을 하십니까?"

"괜찮아. 내가 잘못한 건 사실이니 원망해도 돼."

맙소사. 눈치 보는 것만으로도 불경이거늘, 침울하다 못해 없는 귀와 꼬리가 축 처져 있는 환영이 보이는 것 같아 휘연은 눈앞이 아찔했다. 이러다가 어디까지 침울해질지 몰라 휘연은 다급하게 목을 가다듬고 차분하게 말을 이었다.

"원망하지 않습니다. 제가 환백 님을 원망하다니요, 그럴 일은 결코 없습니다. 말씀드렸지 않습니까?"

"하지만…… 너무한다고."

"그, 그건……."

"나는 그대가 너무 사랑스러워서 안고 싶은 건데, 그대가 싫다고 하니…… 죄인인 나로서는 안으면 안 되겠지. 후우, 나 같은 놈이 욕심이라니 가당키나 한 말인가."

어째서 그런 결론이 나오는지 묻고 싶은 걸 차마 묻지는 못하고 휘연이 낮게 끙끙거리며 고개를 내저었다.

"그저…… 해 본 말이었습니다. 마음 쓰지 마시고 이리 오십시오."

"정말?"

"……예."

"저기, 그럼 안아도 되는 거지?"

차라리 눈치라도 안 보면 어찌 달래는 걸로 무마하고 넘어갈 수 있겠지만, 살짝 고개만 돌린 채 힐끔힐끔 눈치를 살피는 환백의 모습에 휘연이 어색하게 웃으며 짧게 대답했다.

"……한 번입니다."

휘연이 속았다는 걸 깨달았을 때는 이미 늦었으니. 마치 기다렸다는 듯 단박에 안색이 밝아진 환백이 잔뜩 웅크린 몸을 곧게 펴고 자신의 옷을 무서운 기세로 훌렁훌렁 벗어 던지고 있었기 때문이다.

그것도 흐물흐물한 웃음을 실실 흘리는 모습은 휘연으로 하여금 자신의 어리석음을 탓하게 만들었다. 하지만 이제 와서 속은 걸 후회해 본들 무슨 소용일까.

이미 진득한 음욕을 드러내는 집요하고 탐욕스러운 입맞춤과 함께 휘연의 옷을 단번에 벗기고 가는 허리를 으스러지게 껴안은 채 목덜미에 고개를 묻는 환백을 말릴 재간이 없었다.

"아흣— 환백 님, 조금만 천천히. 하아—"

"휘연, 아름다워."

어쩌면 이리도 예쁜지 모르겠다. 백옥 같은 피부는 또 어떤가. 보드랍고 말랑한 피부에서는 꿀이라도 샘솟는 것 같아 환백은 한없이 달콤하게 느껴지는 목덜미를 탐욕스럽게 머금으며 허리에 감고 있던 손을 움직여 옆구리며 가슴을 지분거리기 시작했다.

뜨거운 손길에 민감한 몸이 쉽게 반응하며, 약속된 쾌락을 향한 갈증에 못 견뎌 벌어진 붉은 입술에서 참지 못하고 미약한 신음이 흘러나오자 그걸 시작으로 두 사람 사이로 열기가 무섭게 타올랐다.

허겁지겁 서로의 혀를 빨아들이며 몸을 어루만지다가 결

국 열에 들떠 참을성 없어진 휘연이 재촉하자, 환백은 그런 휘연을 입맞춤으로 달래며 자신을 받아들이기에 무리가 없도록 신중히 풀어 주었다.

"천천히 할 테니 힘을 빼."

"으읏— 하윽!"

애써 참아 내려 하는 미숙한 몸짓마저도 어찌 이리도 사랑스럽기만 한지. 아무리 풀어 줘도 여전히 좁은 입구를 억지로 열고 침입하자 그 깊이가 깊어질수록 휘연의 미간에 파인 골도 깊어져 갔다.

말로 하지는 않지만, 표정으로 드러나는 숨길 수 없는 투정에 소리 없이 웃으며 환백이 휘연의 미간에 입을 맞추고 살짝 눈물이 맺힌 눈가를 혀로 핥았다.

유난히 달콤하게 느껴지는 휘연의 눈물은 환백에게 있어 세상에 둘도 없는 미약이었다. 열기에 취해, 그리고 아름다움에 취해 환백은 자신의 몸이 감당하지 못할 정도로 빠르게 뜨거워지는 것을 느낄 수 있었다.

"앗, 하악!"

"으읏— 휘연! 휘연!"

뜨겁게 조여 오는 내벽에 탄성을 지르다가 가쁜 숨을 내쉬며 자신을 받아들이느라 애쓰는 휘연의 안쪽을 가득 채웠다가 빠져나가 다시 단숨에 파고들었을 때 환백의 참을성은 완전히 사라졌다.

그렇게 시작된 움직임이 한 식경을 넘어서고, 거칠게 흔들리는 휘연과는 달리 가느다란 허리를 두꺼운 팔로 조여 가며 능숙하게 정복해 가는 환백의 표정은 더할 나위 없이 만족스러움을 띠고 있었다.

그런데 어찌 된 노릇인지 기갈이 풀리지 않은 것처럼 바라보는 눈빛은 몹시 허기져 보이는 모습을 하고도 탄성을 흘리며 거친 열기를 토해 내는 틈틈이 행동을 딱 멈추는 게 아닌가?

그때마다 휘연이 의아한 시선을 보내면 환백은 휘연의 엉덩이를 한 손에 붙잡고 일견 우스꽝스러울 정도로 눈치를 보며 살살 허리만을 놀리다가 어느 순간 거침없이 움직이고 또 다시 한순간에 같은 행동을 반복했다.

대체 왜 그러는지 이유라도 알면 좋으련만, 그러한 행동 때문에 절정에 도달하지 못하는 건 고사하고 두 시진이 가까워지자 서서히 지쳐 가는 휘연이 더는 견디지 못하고 애원을 쏟아 냈다.

"그만— 제발 그만……!"

"아직…… 약속한 한 번이 안 끝났다, 휘연."

"서, 설마…… 그것 때문에 자꾸만 멈추는 것입니까?"

"응. 한 번인데 아껴야지."

그걸 말이라고 하는지. 황당하기 짝이 없는 말에 휘연이 허탈한 얼굴로 힘없이 중얼거렸다.

"끄응, 차라리."

"응?"

"차라리 원하는 대로 하십시오!"

어이없음을 그대로 담은 휘연의 외침에 환백의 눈빛이 반짝 빛나더니, 마치 맛 나는 음식을 허락받은 것처럼 울상으로 일그러진 휘연의 얼굴에 몇 번이고 입을 맞춰 가며 격렬하게 덤벼들기 시작했다. 뒤늦게 휘연이 실언했다는 걸 깨달았을 때에는 이미 늦었다.

일단 허락을 받은 환백의 움직임은 거침이 없었고, 시간이 얼마나 걸리든 한 번으로 끝이 났을 행위도 몇 번으로 이어지며 끝내 휘연이 정신을 잃고야 완전히 멈출 수 있었기 때문이다. 그 결과 환백의 의도대로 휘연은 또 하루를 얼렁뚱땅 넘어갈 수밖에 없었다.

❖

달포하고도 사흘이 더 지나 간신히 객잔을 벗어난 환백과 휘연 일행은 보름간 마차로 움직이며 가는 곳곳마다 객잔을 빌려 별채에 틀어박히려는 환백 때문에 하루도 조용히 넘어가는 날이 없었다.

그 정도가 얼마나 심하고 난감한가 하면, 휘연이 하룻밤만 유하고 가자는 쪽이라면 환백은 갖은 핑계를 대면서 최소한 한 곳에서 사흘은 버티려고 무던히도 노력을 기울이는 쪽이었다.

게다가 날이 갈수록 어리광은 늘어나고 고집은 배가 됐으며 간간이 부리는 말도 안 되는 투정하며 눈치는 또 얼마나 살피는지. 그러면서도 실속은 다 챙기는 그 뻔뻔함에 휘연은 머리가 지끈거렸다.

하다못해 낮이 긴 때는 밤이 짧은 것이 당연하거늘, 이치에 맞지 않는 걸 들먹여 몸이 피로하다는 변명까지 더해 가며 아예 대낮부터 객잔에 들어앉을 때는 휘연도 할 말을 잃었었다.

그런 상황이 보름이나 펼쳐지다 보니 이제는 포기하다시피 그 모습을 노상 지켜봐야 했던 일행들이 혀를 내두른 건 말할 것도 없는 일. 휘연은 갈수록 심해지는 환백의 변화에 결국은 결정을 내려야 했다.

닷새면 왔을 거리를 보름이나 걸렸다는 자체가 얼마나 늑장을 부렸는지 알 만하지 않은가. 이래서는 반년은 더 걸려서 황궁에 도착할 것이 뻔해 휘연 나름대로 고심 끝에 내린 결정이건만.

그 결과 아침부터 불퉁하게 부어 있는 환백 때문에 휘연과 일행들은 난감함에 식은땀만 흘리고 있었다. 지금 환백을 누가 황제라 생각이나 할까. 하물며 피의 황제로 통하는 절대군주라는 사실은 아무도 안 믿을 것이다.

"정말 안 드실 겁니까?"

"흥! 이대로 쫄쫄 굶을 테다."

맙소사, 천제시여! 날이 갈수록 무게감 있는 말투는 사라지고 이제는 숫제 철없는 도령을 보는 듯한 건 그렇다 치고, 세상에 황제가 콧방귀라니. 이걸 어찌 받아들여야 할지.

그것도 입을 삐죽이 내밀고 투덜거리며 고개까지 팩 돌리는 모습에 넓은 객잔 이층이 묘한 침묵에 휩싸였다. 하루 이틀도 아니고 눈으로 버젓이 보면서도 도저히 믿기지 않으니 그 또한 미칠 노릇이다.

"후, 그러지 말고 조금이라도 드십시오. 그러다 건강이라도 해치면 어쩌려고 고집이십니까?"

"고집은 그대가 피우고 있으면서 왜 나한테만 그래?"

이 정도면 적반하장에 할 말을 잃을 수준이라 휘연은 지끈거리는 관자놀이를 꾹꾹 누르며 힘없이 되물었다.

"대체, 제가 무슨 고집을 피웠다고 이러십니까?"

"한둘이 아니지! 하루만 더 있다가 가자니까 기어코 끌고 나오고 이젠 배를 타겠다니. 도대체 뭣 때문에 멀쩡한 마차를 두고 배를 탄다는 거야?"

그 이유야 수나라 중심을 가로지르는 대류하를 관통하면 황궁에 도착할 시일을 반 이상이나 단축할 수 있기 때문이다. 그리고 기어코 끌고 나왔다는데, 거기에도 할 말은 넘칠 지경이다.

이곳에서 꼼짝달싹도 안 하고 머문 지 오늘로써 벌써 나흘째에 접어들기 때문이다. 그 사실을 환백 또한 알고 있으면서 저리 말하다니 참으로 뻔뻔하지 않은가.

그동안에는 가뭄 때문에 작은 나룻배 외에는 대류하에 상선을 비롯한 큰 배를 띄우지 못했지만, 가뭄이 끝이 나고 틈틈이 내린 비로 다시 어느 정도 수위가 높아져 이젠 가능해진 것이다.

때마침 대류하의 줄기가 시작되는 지점에 있기도 하고, 빠른 길을 놔두고 굳이 먼 길을 돌아갈 필요는 없지 않은가. 게다가 이대로 가다가는 보나 마나 가는 곳마다 고집을 피울 테니 더 늦어질 건 자명한 일.

해서 최선이라 생각하고 결정한 것이건만, 이번에는 고집을 피우는 걸로도 모자라 단식으로 협박이라니. 이젠 당황스럽다 못해 골치가 아픈 듯 휘연이 나지막이 한숨을 내쉬었다.

여기서 더 늑장을 부릴 수도 없고, 어떻게든 배를 타야만 하는 상황에서 환백이 이렇듯 고집을 피우고 있으니 가장 큰 난관이라 어찌해야 할지. 미간을 찌푸리던 휘연이 고개를 설레설레 내저으며 힘없이 중얼거렸다.

"후우, 이렇게 말도 안 되는 고집을 피우시면 제가 어찌해야 할지 모르겠습니다."

"어렵게 생각할 거 없이 내 말대로만 하면 돼. 백성들이 살아가는 모습을 가까이에서 살피는 것도 황제가 할 일이고, 내가 그 일을 하겠다는데 오히려 칭찬할 일이지. 그러니 우리 배는 취소하고 예서 하루만 더 묵고 가자. 응?"

말이나 못 하면 얄밉지나 않을 것을. 어쩌면 이리도 말은 청산유수처럼 잘도 하는지. 언제부터 황제의 잠행 목적이 객잔으로 바뀌었단 말인가? 정말이지 인내심에도 한계가 있다는 걸 새삼 뼈저리게 느끼는 휘연이었다.

"우선 식사부터 하십시오. 환백 님 때문에 모두 굶고 있지 않습니까?"

"대답부터 해 주면."

애써 달래 보려는 노력에도 불구하고 느긋하게 팔짱을 끼고 아주 당당하게도 툭 던져 놓는 말에 휘연의 미간이 더 이상 깊어질 수 없을 정도로 깊게 골이 파였다.

“자꾸 이런 식으로 나오실 것입니까?”

정말 한계라는 게 오고 말았는지 휘연이 짐짓 표정까지 굳히며 하는 말에 움찔거린 환백이 슬그머니 팔짱을 풀며 순식간에 불안한 얼굴로 휘연의 기색을 살피기 시작했다. 그나마 눈치는 빠른 것이다.

“……휘연, 화났어?”

“화라니, 그럴 리가 있겠습니까. 다만, 이렇듯 계속 말도 안 되는 고집을 피우시니 별수 없군요. 환백 님은 예서 하룻밤 더 쉬시고, 그 목적도 불분명한 잠행을 계속하십시오. 전 배를 타고 황궁으로 돌아가겠습니다.”

그러면서 더는 말도 섞지 않겠다는 듯 미련 없이 자리에서 일어나는 휘연의 행동에 화들짝 놀란 환백이 온몸으로 덮치듯 덥석 끌어안았다. 그런 환백의 얼굴이 울상으로 일그러졌다.

“휘연, 더는 고집 안 피울 테니 화내지 마라, 응? 내가 잘못했다.”

언제 고집을 피웠느냐는 듯 당장에라도 굵은 눈물을 뚝뚝 떨어뜨릴 듯 흔들리는 눈동자로 안절부절못하는 환백을 보며 휘연은 터져 나오려는 한숨을 목 안으로 삼켰다.

환백이 이렇듯 자신의 표정이나 말 한마디에도 눈치를 살피는 이유를 알고 있기에 더 가슴이 아픈 것이다. 제아무리 이유가 있다고 한들 황제가 아닌가.

황제인 환백이 자신의 눈치를 살핀다는 건 있을 수도 없는 일이었지만, 그렇다고 마냥 고집을 받아 주자니 앞으로 더 골치 아파질 것이 자명해 휘연은 애써 표정을 풀지 않았다.

"진정이십니까? 또 고집을 피우실 요량이면 이쯤에서 말씀하십시오."

"아, 아니다. 내 그대가 원하는 대로 하겠다. 그러니…… 화내지 마라. 그대가 화내면…… 나로서는 어찌해야 할지 모르겠다."

표정을 굳힌 그대로 묻는 휘연의 말에 움찔거린 환백이 빠르게 답하다가 눈이 마주치자 시무룩한 얼굴로 어눌하게 중얼거렸다. 기가 팍 죽은 그 모습에 결국 휘연의 표정도 오래 가지 않아 풀릴 수밖에 없었다.

"환백 님, 배를 타면 달포 남짓 걸리겠지만, 그사이에는 단둘이 있을 수 있지 않습니까?"

"……하지만."

"들은 바로는 큰 배는 선실도 따로 갖추어져 있어 크게 불편함은 없다고 합니다."

선실뿐만 아니라 욕실까지 겸비해 어지간한 객잔보다는 더 호화롭게 되어 있어 달포간의 긴 여정도 큰 불편함은 없을 것이다. 그 사실을 상기시켜 주고 싶은 휘연이었지만, 듣는 환백은 어느새 헤벌쭉 풀어진 얼굴로 이미 다른 생각에 푹 빠져 있었다.

"그래도 환백 님께서 굳이 싫다고 하시면 며칠에 한 번씩이라도 객잔에……."

"아니! 그럴 필요 없다. 그래, 내가 왜 그 생각을 못 했지?

가자, 휘연."
"예?"
"굳이 힘들게 객잔에 들를 필요 없이 쭈욱 배나 타자고. 조금이라도 더 빨리 황궁에 도착해야지?"
물론, 그러면야 확실히 일정이 빨라지겠지만, 갑자기 생각이 왜 바뀌었는지 몰라 휘연이 의아한 얼굴로 고개를 갸웃거렸다. 그것도 풀이 죽은 모습은 온데간데없이 사라지고 음흉한 웃음이라니?
단순한 변덕인가? 그렇다고 보기에는 도대체 이 찝찝함은 어디에서 오는 것인지. 휘연은 절로 찌푸려지려는 미간을 바로 하지도 못하고 어느새 기가 팍 살아나 싱글벙글 함박웃음을 짓고 있는 환백을 눈을 가늘게 뜨고 바라봤다.
아무리 봐도 음흉한 생각을 하는 것 같은데, 도통 알 수가 없으니 답답할 노릇이다. 하지만 그것도 잠시, 당장에라도 자리를 털고 일어나려는 환백을 보며 휘연이 곧바로 머릿속의 의문을 떨쳐 냈다.
"환백 님, 우선 식사부터 하십시오."
"아, 그렇지. 미안, 배고프지? 자자, 어서 먹어. 많이 먹고 힘내야지."
그러면서 또다시 히죽히죽 웃는 모습에 휘연의 미간이 확 일그러졌다가 빠르게 펴졌다. 무슨 힘을 내라는 건지는 모르겠지만, 지금 환백의 표정만 봐서는 결코 좋지만은 않은 것이다.
그렇다고 불경하게 따지고 들 수도 없는 노릇이고, 못내 가시지 않은 찝찝함을 떨쳐 내려는 듯 고개를 내저은 휘연이 젓가락을 들어 올리기도 전에 코앞에 다가온 음식에 미미하게 얼굴을 붉혔다.

"뭐해? 어서 먹어야지."

"제가…… 먹겠습니다."

"안 돼. 또 고기는 손도 안 대고 풀만 먹으려고?"

그거야 딱히 고기를 좋아하지 않아서지만. 휘연이 난감한 이유는 매번 이렇듯 손수 먹여 주려는 환백의 살갑다 못해 간지러운 태도에 얼굴이 붉어진다는 것이다.

단둘이 있다면 몰라, 모두가 지켜보고 있지 않은가. 시중을 받아야 할 황제가 어찌 이리도 부끄러움 없이 행동하는 것인지, 휘연의 상식으로는 이만저만 난감한 것이 아니었다.

"자, 아!"

"이, 이러지 마십시오. 제가 먹겠습니다."

"어허, 그 무슨 말도 안 되는 소리. 나는 평생을 이렇게 먹여 줄 생각이니까 내게서 즐거움을 뺏지 말라고."

얼마나 대단한 즐거움이라고 목소리까지 높여 당당하게도 말하는 뻔뻔한 환백의 모습에 휘연이 힐끔 주변을 돌아보다가 이내 잔뜩 붉어진 얼굴을 두 손으로 가린 채 조심스럽게 입을 벌렸다.

얇게 저며 놓은 편육이 입안에서 사르르 녹아들었지만, 휘연은 맛을 느끼지 못할 정도로 당황했다. 그동안에는 방 안에서 단둘이 식사를 했기에 덜했지만, 지금은 상황이 다르기 때문이다.

어째서 하나같이 흐뭇한 얼굴을 하고 보고 있는 것인지, 심한 부끄러움에 휘연이 고개조차 들지 못하는 동안 환백은 시종일관 실실 웃으며 식사 내내 이것저것 거둬 먹이기에 바빴다.

그러면서 깨물고 싶을 정도로 사랑스럽다느니, 꼭꼭 씹으라는 말끝에는 힘들면 자신이 대신 씹어 주겠다는 망언까지 곁들이는 통에 휘연은 하마터면 뒤도 안 돌아보고 도망칠 뻔했다.

환백의 갑작스러운 변화를 익히 겪고 있는 자신도 이러할진대 다른 사람이야 오죽하겠는가. 경악해 굳은 건 말할 것도 없고, 여기저기 사레가 걸린 듯 끊이지 않는 기침 소리를 들었을 때는 정말이지 쥐구멍이라도 있으면 숨고 싶은 게 휘연의 심정이었다.

하지만 더 기가 막힌 건 거기서 끝이 아니었으니. 입가에 조금이라도 묻으면 기다렸다는 듯 혀로 날름 핥아 먹고 민망할 정도로 쪽쪽 소리까지 내는 만행을 서슴없이 저지르는 환백을 보며 휘연은 한 가지만은 필히 지키리라 다짐했다. 식사만큼은 꼭 단둘이 하자고.

'후우, 어째 환궁하는 길이 험난할 것 같구나.'

◈

휘연의 예견은 적중했다. 그렇다고 사건이나 뜻하지 않은 사고가 있었던 건 아니다. 오히려 배에 오른 후부터는 지체

되는 것도 없이 지극히 순조로웠기 때문이다.

문제는 환백의 태도 변화에 휘연이 좀처럼 적응을 못 한다는 점이다. 고집을 피운다 싶으면 한순간에 싱글벙글 웃고 있고, 어리광을 부린다 싶으면 기가 팍 죽어 선실 한쪽에 콕 박혀 있다든지.

기껏 달래 놓았더니 짐승처럼 덤벼들고, 또 한순간 풍류남이라도 흉내 내려는 듯 능글맞기 이를 데가 없어 겪으면 겪을수록 새로운 면이 보일 정도니, 도대체가 종잡을 수가 없다는 것이다.

그것도 하루 종일 옆에 딱 달라붙어 있어 느끼는 피로함은 배로 다가왔으나, 실상 혼란에 빠지기는 당사자인 휘연보다 오래도록 환백을 곁에서 모셔 온 묵가와 암영제가 더했다.

게다가 엉뚱하기가 말로 다 못 할 정도로, 선실 창가로 보이는 들판에 핀 꽃이 예쁘다는 휘연의 한마디에 묵가와 암영제를 모두 보내 꽃이란 꽃은 모조리 따 와 선실을 가득 채웠을 때는 휘연은 할 말을 잃어야 했다.

비단 그뿐만이 아니었다. 낚시에 호기심을 가지는 휘연을 보고 자신만만하게 큰소리쳤다가 반 시진도 지나지 않아 낚싯대를 부러뜨리고 물에 뛰어들려고 난리법석을 떨었을 때는 얼마나 기가 막혔는지 모른다.

오죽했으면 이젠 환백이 황제라는 사실을 누군가 알아볼 것이 두렵게 느껴진다면 더 무슨 말이 필요하겠는가. 굳이 사건, 사고가 아니더라도 정신적으로 험난한 여정이라는 걸 단 열흘 만에 깨달은 것이다.

그렇게 사람 혼을 빼놓고도 모자라 또 무슨 생각을 하느라고 좀 전부터 눈동자만 이리저리 굴리고 있는지. 이제는 또 무슨 사고를 칠지 걱정부터 앞서는 것 같아 휘연이 나지막이 한숨을 내쉬었다.

"으음, 비가 많이 오는군."

"이 정도는 와 줘야지 농작물에도 좋을 테니 걱정하지 마십시오."

한참의 침묵 끝에 흘러나오는 난데없는 말에 휘연이 선실 창밖으로 시선을 돌렸다. 아침부터 내리던 빗줄기가 어두워진 지금에는 더 거세진 것 같지만 휘연은 대수롭지 않게 답했다.

그동안 제법 많은 비가 왔다고는 해도 오랜 가뭄의 피해를 온전히 되돌리지 못한 상황에서 지금의 비는 오히려 단비에 속했기에 딱히 걱정할 것 없다는 의미에서였지만, 환백의 표정이 미미하게 찌푸려지자 고개를 갸웃거렸다.

"무슨 문제라도 있으십니까?"

"쳇, 그대는 어찌 그래?"

또 무엇이 문제란 말인가? 게다가 왜 또 불퉁하게 부어 있는 것인지, 참으로 알다가도 모를 환백의 태도에 휘연이 어색하게 웃으며 되물었다.

"무슨 말씀이신지?"

"비가 많이 오면 분위기가 좋지 않아? 보통은 그런 생각부터 들지 않느냐고?"

"……그렇군요."

한 공간에 있으면서도 생각은 어찌 이리도 다른지, 뜬금없이 분위기 타령은 왜 하는지는 몰라도 보통은 황제와 황후로서 나라 걱정부터 한다는 말은 차마 못 하고 어색한 웃음을 달고 고개를 끄덕였다.

이럴 때는 그저 수긍하는 게 최선이라는 걸 알기 때문이다. 괜스레 물고 늘어졌다가 또 무슨 행동을 할지 모르니 미연에 방지하자는 휘연 나름의 대처 방법이었다.

그런 휘연을 아는지 모르는지 잠시간 불퉁하게 부어 있던 환백의 표정이 이내 나지막이 내쉰 한숨 끝에는 어느새 부드럽게 풀려 입가에 잔잔한 미소를 띠고 있었다.

"엉뚱할 수도 있지만 요즘 내 기분이 뭐라 할까. 으음, 예전에는 결코 관심도 두지 않았고 모르고 지나쳤던 것들이 소중하게 느껴진다는 게 이런 기분일지는 몰랐다."

"……환백 님."

"여전히 꿈을 꾸는 것은 아닌지 불안하면서도 진정한 행복이 무엇인지 이제서야 절실하게 느끼는 것 같아."

그러면서 부드럽게 미소 짓던 환백이 올곧게 시선을 맞춰오는 휘연을 보며 이내 쑥스러운 듯 헛기침을 하고 다시 조용히 말을 이었다.

"그대를 만나고부터는 많은 것이 변했지. 하루하루가 믿기지 않을 정도로 매 순간이 새롭게 느껴진다면, 내가 너무 경망스러운 건가?"

"예? 아, 아닙니다."

"부정하지 않아도 된다. 사실, 요즘 내 태도가 그런 면이 있긴 하지. 그래도…… 나도 어찌할 수가 없다. 솔직히 나 자신도 통제가 안 돼. 그게…… 마음으로는 그대에게 무엇이든 해 주고 싶은데, 뭘 해야 할지도 모르겠고. 그대의 표정 하나 하나가 신경 쓰이는데 마음이 들떠서 되레 철없이 군 것 같고……. 그런데도 너무 좋아서…… 그러니까 나는…….”

자신의 이 마음을 어찌 설명해야 할지, 간간이 미간을 찌푸리다가 끝내 말끝을 어눌하게 흐리며 작게 끙— 앓는 소리를 흘리던 환백이 못내 부끄러움에 못 이겨 손바닥으로 얼굴을 가렸다.

머릿속으로 빙글빙글 도는 말들은 많은데 입 밖으로 꺼내자니 새삼 낯간지럽고 민망한 것은 둘째 치고, 자신이 판단해도 근래 행동은 진중하지 못하고 참으로 고약했기 때문이다.

마치 철없는 어린아이처럼 천방지축 날뛰지 않았는가. 그래 놓고는 돌아서면 민망함에 자책하다가도 어찌 된 노릇인지 휘연 앞에서는 정신을 차릴 수가 없었다.

그저 마냥 좋았다. 눈으로 보는 모든 사물이 색다르게 보이고, 황궁에서 먹는 것만큼 화려한 음식은 아닌데도 휘연과 같이 먹을 수 있다는 것만으로도 세상에서 제일가는 진미처럼 느껴졌다.

좁은 선실의 불편한 잠자리를 더할 나위 없이 포근하게 생각할 만큼 지금 배워 가고 느끼는 감정과 그에 따른 기쁨은 마음을 주체하지 못할 정도로 환백을 행복하게 해 주었다.

물론, 그 바람에 휘연과 일행들이 경악한 적이 한두 번이 아니었지만, 어쩌겠는가. 스스로 통제가 안 된다는데 달리 탓할 수도 없고, 그럴 마음도 들지 않아 휘연이 가만히 미소 지었다.

그동안 환백이 자라 온 환경을 알기에 그 기분을 조금이라도 이해하는 것이다. 무엇보다 자신도 하루하루가 꿈만 같이 느껴지는데 환백이라고 다를 리가 없기 때문이다.

아마도 자신처럼 환백도 현실을 있는 그대로 받아들이면 차츰 진중함을 되찾을 거라는 생각에 휘연이 아무런 말없이 여전히 눈앞에서 횡설수설하는 환백의 손을 마주 잡고 다시 한 번 미소 지었다.

언제나처럼 단아한 미소가 아닌 환한 그 미소에 환백이 멍하니 홀린 듯 응시했다. 마치 꽃봉오리가 활짝 만개하듯 열린 붉은 입술 사이로 보이는 가지런한 새하얀 치아가 참으로 눈부시다고 환백은 생각했다.

"끄응, 앞으로는…… 그렇게 웃지 마라."

"아…… 송구합니다."

"아니! 그, 그런 말을 듣자는 게 아니라 나는 단지, 그러니까 그게……."

웃지 말라니? 좀 과하게 웃었기로서니 그게 그렇게 보기 싫을 정도인지를 생각하며 침울하던 것도 잠시, 또 무슨 말을 하려고 저리도 당황하는 건지.

휘연이 의아한 표정으로 고개를 갸웃거리자 힐끔 눈을 마주치던 환백이 화들짝 놀라 고개를 돌리고 어눌하게 변명을 늘어놓았다.

"그, 그렇게 웃으면…… 몸에 열이 나고 숨이 좀 막히는 것 같아서……."

"그게 무슨. 혹 어디 불편하십니까?"

"아, 아니. 그런 뜻이 아니라…… 그게 쑥스러워서 나도 모르게……."

쑥스럽다니, 누가?

"예?"

"끙, 그대의 웃음이 너무 예뻐서…… 얼굴에 열이 나고 부끄럽단 말이다."

맙소사. 잘못 들었나 싶어 절로 귀를 후벼 파고 싶은 충동을 간신히 누른 휘연이 자신도 의식하지 못한 채 빤히 바라봤다. 분명히 들었음에도 도저히 믿기지가 않은 것이다.

그동안 봐 온 다양한 모습을 익히 알고 있는데 새삼스럽게 부끄럽다니. 아니, 그런 말을 직접 했다는 데에 더 놀랐다. 오히려 뻔뻔스럽게 나온다면 몰라, 그걸 어찌 믿으란 말인가?

헌데 미미하게 붉은 볼이 점점 더 붉게 변하더니 이제는 목덜미와 귓불까지 붉게 번졌을 때는 휘연도 얼굴에 덩달아 열이 올라 당황스러운 마음에 급히 고개를 숙여야 했다.

"내 말은…… 웃지 말라는 게 아니라, 내 앞에서만……. 큼! 나한테만 웃는 건 괜찮다. 그러니 자주…… 앞으로도 자주 웃어라."

환백의 말에 더더욱 얼굴이 붉어진 휘연이 곧 자리에서 일어나는 기척에 슬며시 고개를 들어 올렸다가 두 눈을 휘둥그레 떴다. 행동도 빠르게 맞은편에 앉아 있던 환백이 어느새 숨결이 고스란히 느껴질 만큼 가까이 다가온 탓이다.

그런 휘연의 얼굴에서 시선을 떼지 않으며 환백이 좀 더 가까이 다가왔다. 영롱하게 반짝이던 붉은 눈동자에 서서히 색이 스며들듯 진득한 욕망을 담기고, 부드러운 손길이 휘연의 볼을 쓰다듬는 와중에 점차 숨소리가 거칠어졌다.

확연한 목적을 담은 그 모습이 흡사 사냥감을 눈앞에 두고 돌진하기 직전의 짐승 같게만 느껴져 휘연은 그 빠른 변화에 또다시 당황할 수밖에 없었다. 대체 수줍게 고백하던 표정은 어디로 사라졌단 말인가.

빠른 변화야 그렇다 치더라도 과연 고백을 들은 게 확실하긴 한 것인지, 역시나 헛소리를 잘못 들은 건 아닌지를 두고 잠시 잠깐 혼란에 빠진 사이 가슴팍이 서늘한 느낌에 시선을 내렸던 휘연이 이번에는 진심으로 경악했다.

"어, 언제……."

"응? 무얼?"

시치미를 떼는 것조차 어찌 이리도 수준급인지 모르겠다. 휘연은 속으로 헛웃음을 흘리며 살짝 눈을 내리깔았다. 표정 변화만 빠른 것이 아니라 행동은 그 몇 배로 빠르다는 걸 새삼 깨달은 것이다.

빨라도 어쩌면 이리도 손이 빠른지. 다가온 지 얼마나 됐다고 앞섶은 이미 반쯤 풀어헤쳐져 어깨에 아슬아슬하게 걸려 있는 모양새에 휘연은 절로 터져 나오는 한숨을 내쉬다가 그 상태로 입술이 막혔다.

아니, 한입에 덥석 먹혔다고 보는 것이 더 맞을 것이지만, 어차피 반항해 봐야 소용없는 일이라는 걸 알면서도 휘연은 최대한 몸을 뒤로 빼며 환백의 손을 피하려고 노력했다.

한 번 시작하면 아주 끝을 보려고 덤벼드는 통에 나오는 반응이다. 하지만 소용없는 짓이었으니. 어찌나 집요하게 파고드는지 눈 깜짝할 사이에 환백은 자연스럽게 휘연을 침상으로 이끌었다.

"잠시만, 아직…… 시간이 이른 것 같습니다."

"괜찮아."

그거야 본인 사정이고. 이제 초저녁인데 지금부터 시작하면 새벽까지 어찌 버티라는 것인지, 살짝 울상으로 일그러진 휘연의 표정을 다른 뜻으로 받아들인 환백은 입맛을 다시며 나른하게 웃었다.

그 음흉한 웃음에 절로 등골이 오싹해진 휘연이 눈을 질끈 감자 마디가 굵은 환백의 손가락이 휘연의 떨리는 몸을 섬세하게 쓰다듬고 이마에 입을 맞추며 도톰한 귓불을 깨물었다.

"으읏—"

"부끄러워하지 마라."

"……환백 님."

"예쁘다. 안 예쁜 구석이 한 군데도 없어."

한 치도 거짓 없는 진실이다. 어디 하나 흠잡을 곳 없이 어쩌면 이리도 예쁘기만 한지, 매번 수줍게 얼굴을 붉히는 휘연의 허리와 등을 부드럽게 끌어안는 환백의 표정이 더할 나위 없이 풀어졌다.

뒷목부터 곧은 척추를 따라 천천히 내려온 손길이 허벅지와 둔부의 예민한 살을 쓸고 지나가는 느낌에 휘연의 입술 사이로 숨길 수 없는 작은 신음이 달콤하게 흘러나왔다.

그걸 계기로 짙은 입맞춤이 이어졌다. 한참 동안 계속된 입맞춤은 턱에서 목선을 타고 내려오고, 이미 빼곡하게 자리 잡은 애흔 위로 다시 한 번 붉은 열꽃이 피어올랐다.

휘연의 옆구리를 녹아내릴 듯이 부드럽게 쓸어 올리던 환백의 입술이 굶주린 듯이 엉겨 붙어 목덜미와 유두를 깨물고 맨살을 비비며 정신없이 탐하기 시작했다.

몰아치는 쾌감의 격정에 미처 대응할 틈도 없이 내벽을 가르고 들어오는 손가락에 휘연은 정신을 차릴 수가 없었다. 찰나도 지나지 않아 관계에 익숙해진 몸이 젖고 있는 것이 느껴졌다.

환백은 휘연의 몸을 너무 잘 알고 있었고 단시간에 흥분시키는 방법 역시 알고 있는 것이다. 그 때문에 밀어내려고 환백의 가슴에 대고 있던 손은 어느 순간부턴가 힘을 잃었다.

그런 휘연을 내려다보며 환백이 귀를 핥고 그 안으로 숨소리를 불어넣는다. 욕망을 숨기지 않는 거친 호흡 소리. 마치 무언가에 쫓기는 사람처럼 환백은 휘연을 안을 때면 여유롭다가도 이렇듯 순식간에 돌변하는 일은 예사였다.

"휘연, 휘연!"

"천천히…… 아흣—"

"미안, 조금만 참아라."

다소 거친 손놀림에 아찔한 비명 소리와 함께 휘연의 몸이 파들파들 떨렸다. 앞뒤로 신체의 가장 예민한 두 곳에서 동시에 느껴지는 견디기 힘든 자극에 휘연은 정신을 차릴 수가 없었다.

그런 휘연의 모습에서 환백은 홀린 듯 시선을 떼지 못했다. 흑백의 조화를 이룬 올곧은 눈동자가 자신으로 인해 쾌감에 젖어 몽롱하게 물들어 가는 모습을 본다는 건 환백에게 있어 또 다른 쾌감인 것이다.

반쯤 벌려진 입으로 달뜬 신음을 흘리며 발갛게 달아오른 얼굴을 들어 환백을 올려다보는 휘연의 교태로운 몸짓에 환백은 몸을 묻기도 전에 열기만으로도 지독하게 강한 사정감을 느꼈다.

"기분 좋아?"

"아응— 환백 님, 제발……아앗!"

"사실대로 말해 봐, 휘연. 안아 달라고 해, 응? 안 그러면 밤새 애만 태울 수도 있어. 그건 싫지?"

휘연은 순간 기가 막혔다. 어차피 자신의 욕심은 다 채울 거면서, 초조하고 조급한 표정을 숨기지도 못하면서 이 와중에 심술이라니. 어이없음에 할 말을 잃은 것도 잠시 재촉하는 의미로 작은 양물을 꽉 잡아 오는 악력에 휘연은 마지못해 입을 열었다.

"아흑— 좋……아요, 그러니……아아! 안아……주세요. 제발—"

"응! 그대가 원하는 일이니 오늘도 듬뿍 사랑해 주지!"

너무도 당연하게 되돌아오는 뻔뻔스러운 대답에 휘연이

답지 않게 울컥 치밀어오는 심기를 다스리지 못하고 미간을 찌푸렸다. 하지만 그것도 잠시 부드럽게 풀린 몸을 가르고 밀려 들어오는 뜨거움에 휘연의 입술이 조금씩 벌어졌다.

아무리 해도 익숙해지지 않은 크기에 매번 숨이 턱 막히는 것 같아 휘연이 다급하게 호흡을 조절하는 사이 무리가 가지 않도록 참을성 있게 전진하던 것이 완전히 몸 안으로 들어오자 곧 거칠게 움직이기 시작했다.

지금껏 참은 게 대단하게 느껴질 만큼, 환백의 움직임은 거침이 없었고 격렬했으며 지나치게 뜨거웠다. 둔부와 허벅지가 맞닿아 있던 곳에서 색정적인 마찰음이 크게 울리고 있었다.

열 덩어리를 품은 좁은 비부가 한계까지 벌려져 허리를 잡힌 채로 끊임없이 거듭 꿰뚫어지면서 쾌감을 못 이겨 허벅지를 부들부들 떨며 휘연은 넘쳐나는 감정을 울음으로 토해 내었다.

그렇게 시간이 얼마나 흘렀는지 모른다. 이른 초저녁부터 타오른 열기는 휘연의 혼절에도 멈추지 않았고 장대비가 멈춘 새벽녘에야 마지막을 향해 치닫고 있었다.

"그, 그만— 제발, 그…… 하읏!"

"휘연! 헉— 휘연!"

머리가 새하얗게 텅 비워져 가고 끝을 알 수 없는 열락에 휩쓸려 부유하는 정신에 눈앞이 흐릿해지며 붉은 입술 사이로 채 삼키지 못한 타액과 짧은 비명이 흘러나왔다.

그와 동시에 휘연의 허리와 목의 근육이 움츠러들며 천천히 꺾어졌고, 또 한 번의 절정을 맞자 환백 또한 몸속 깊이 자신을 묻으며 강한 조임에 참지 못하고 그대로 쏟아 냈다.

그제야 환백의 손에서 완전히 자유로워진 휘연이 파들파들 허리를 떨다가 지친 몸을 축 늘어뜨리고 잠이 들었다. 더 정확히는 세 번째 실신을 했다고 하는 것이 옳을 것이다.

그런 휘연의 등을 달래듯 부드럽게 쓰다듬는 환백이 아쉬운 듯 입맛을 다셨지만, 입가에는 지극히 만족스러운 미소가 떠오르고 그 손길에는 애정이 가득 담겨 있었다.

“그러게 왜 이렇게 예뻐서 나를 짐승으로 만들어.”

휘연이 들었다면 그 뻔뻔함에 뒷목 잡고 넘어갈 말을 태연하게 중얼거리며 환백은 땀투성이 여린 몸을 조심스럽게 안아 들었다. 품 안에서 지친 표정으로 새근새근 잠든 모습이 미칠 듯이 사랑스러웠다.

다시 살아난 그 순간부터, 아니 휘연과의 운명을 되돌린 그 순간부터 자신의 모든 것은 오롯이 휘연을 향해 맞춰졌다. 그 사실이 더할 나위 없이 행복하고 충만하게 느껴져 환백의 입가에 짙은 미소가 어리고 있었다.

“은애한다, 휘연. 말로 다할 수 없을 정도로 사랑한다.”

◈

몸이 고되긴 했어도 배를 타고부터는 순조로웠던 여정이 달포가 지나 배에서 내린 후부터는 다시 막막하게 변하면서 휘연의 입에서 무거운 한숨이 끊이지 않고 흘러나왔다.

심히 답답했다. 그렇다고 예상 못 한 바도 아니었다. 이미 수도 없이 겪은 일이지 않은가. 하지만 이건 해도 해도 너무 했다.

아니, 하다못해 황도가 멀기라도 하면 마음으로나마 이해한다 치지만, 거짓말 하나도 안 보태고 이곳에서 딱 하루 거리다. 그것도 배에서 내린 직후 바로 출발했다면 사흘이면 도착했을 거리를!

다른 때보다도 유독 심한 어리광에 대책 없는 고집을 피우는 것도 모자라 단식투쟁에 나중에는 침상에 딱 달라붙어 죽어도 안 떨어지겠다고 했을 때는 정말이지 인내심이 한계에 도달했었다.

겨우 어르고 달래 재촉하고 채근하고, 닦달한 결과 간신히 움직여 이틀 거리를 근 열흘이 걸렸다는 게 말이나 될 법한 일인가. 다른 사람도 아닌 황제가, 나라를 등한시해도 정도가 있는 것을.

"끄응, 미치겠군."

겨우 여기까지 왔는데 이곳에서는 또 얼마나 버티려고 할지. 생각만 해도 머리가 지끈거리는 것 같아 관자놀이를 꾹 꾹 누르는 휘연의 미간에 깊게 골이 파였다.

지금까지 행동으로 미루어 보아 보나 마나 여기서도 최소 닷새는 버티려고 할 텐데. 이 일을 어찌해야 할지 도저히 답도 나오지 않은 상황에 휘연이 한숨만 푹푹 내쉴 때였다.

문밖에서 기척이 들리고 아소가 조심스럽게 눈치를 살피며 안으로 들어섰다. 이렇듯 눈치를 살피는 것도 환백이 있으면 아예 휘연 곁에 누구도 접근할 수 없기 때문이다.

"마마, 차를 가져왔습니다."

"그래. 무영은 무얼 하고?"

"수련 중입니다. 헌데 폐하께서 늦으십니다?"

"그러게. 별일이구나."

고개까지 갸웃거리며 하는 말에 아소가 어색하게 웃으며 고개를 끄덕였다. 감시가 유독 심한 환백이 벌써 한 시진이 넘도록 휘연을 혼자 놔둔 것 자체가 이해가 안 되는 것이다.

그동안 단 한 번도 휘연의 곁에서 떨어지지 않던 환백이 이곳에 도착한 직후 휘연을 객잔 별채에 고이 모셔 놓고 휑하니 사라졌다는 건 말 그대로 별일이었다.

"설마, 무슨 일이야 있겠습니까. 걱정하지 마십시오."

"그랬으면 좋겠지만……."

어디로 튈지 도무지 종잡을 수가 없다 보니 또 무슨 사고를 치려는지 이제는 불안한 마음부터 들어 절로 한숨이 터져 나올 지경이라 휘연은 고개를 설레설레 내저었다.

"그래, 별일이야 없겠지."

"예. 그보다 이 마을에 축제가 있는 것 같습니다."

"축제?"

"예, 마마. 객잔 주인에게 들었습니다만, 이곳 매화는 다른 곳보다 조금 늦게 개화기가 오는데, 마을 전체에 매화나무가 있어 매년 축제를 벌인다고 합니다."

"어쩐지, 암향(暗香)이 가득하다 했더니 그래서였구나."

매화하면 제일 먼저 생각나는 사람은 단연 호협이다. 불의에 굴하지 않고 세상에 물들지 않는 올곧은 선비의 정신에 비유하는 매화가 호협을 그대로 표현하는 것 같아 휘연도 가장 좋아했다.

그래서인지 호협을 떠올리는 휘연의 얼굴 위로 씁쓸한 듯 아련한 미소가 어렸다. 모든 것이 운명대로 흘러가기에 차마 원망조차 할 수 없다지만, 효를 다하지 못한 사실이 못내 마음에 짐으로 남은 것이다.

"마마, 어르신 생각나시지요?"

"그래."

"너무 마음 쓰지 마십시오. 어르신이라면 이해하실 것입니다."

"……그렇겠지. 이해하실 테지."

자신보다 먼저 모든 것을 꿰뚫어보고 운명의 길을 걸었던 호협이라면 당연히 이해하고 순응했을 것이다. 휘연 또한 모르는 바는 아니었지만, 마음을 무겁게 짓누르는 그리움을 쉬이 떨쳐 낼 수는 없었다.

본시 그리움은 남겨진 자의 몫이라 하지 않던가. 자신이 황후의 자리에 있는 이상은 앞으로도 무원촌을 찾아갈 수 없다는 걸 알기에 휘연은 착잡함과 죄스러움에 나지막이 한숨을 내쉬었다.

그렇게 두 사람 사이로 짧은 침묵이 흐를 때였다. 일순 밖에 작은 소란이 일고, 그 소리에 고개를 돌리자 곧바로 문이 벌컥 열리고 환백이 반색을 하며 급하게 뛰어들었다.

"휘연! 많이 기다렸지? 가자!"

"예? 어디를."

“어디긴? 당연히 축제지! 내가 쭉 둘러봤는데 제법 구경할 것도 많고 위험한 것도 전혀 없어.”

그러면서 마치 칭찬이라도 해 달라는 듯 눈을 초롱초롱 빛내는 환백을 보며 휘연은 안도의 한숨과 동시에 작게 웃음을 흘렸다. 어쩐 일로 한 시진이나 떨어졌나 했더니 환백 나름대로 답사를 한 것이다.

무엇보다 자신을 위해 한 일이라는 걸 알기에 마음이 절로 따뜻해졌지만, 휘연은 선뜻 대답하지 못했다. 묵가와 암영제가 있으니 위험할 일이야 없다지만 문제는 이곳이 황도와 하루 거리지 않은가.

귀족들이라고 축제 구경을 안 하는 것도 아니고, 환백이나 자신을 알아보는 사람이 있다면 일대 혼란이 일 것이다. 세상에 황제 내외가 국정은 등한시하고 축제 구경이라니!

그것도 국정을 돌보지 않은지 벌써 몇 개월이지 않은가? 이런 상황에서 태연하게 축제나 구경하는 모습을 들켰다가는 어찌 받아들일지 뻔히 보이는 것 같아 휘연은 고개를 내저었다.

“환백 님, 구경은 안 해도 괜찮습니다.”

“왜? 그대가 매화나무를 좋아한다기에 특별히 축제 날을 맞춰서 온 건데, 왜 싫다는 거야?”

이해를 못 하겠다는 듯 되묻는 환백의 물음에 답하려던 휘연은 생각지도 못한 말에 멈칫거렸다. 특별히 축제 날에 맞춰서 온 거라니? 그 말은 작정하고 열흘이나 고집을 피웠단 말인가?

“환백 님, 혹 열흘이나 고집을 피우신 이유가 그 때문입니까?”

이미 답은 나온 것 같지만, 지난 열흘을 생각하자니 다시 골이 지끈거리는 것 같아 어이없음을 담아 묻는 말에 당황한 환백이 눈을 데루룩 굴린 끝에 어눌하게 답했다.

"어? 아, 아니 나는 고집을 피우려던 게 아니라, 그게 그냥 축제 구경시켜 주고 싶어서 그랬는데……. 황궁에 돌아가면 기회가 없잖아?"

그 말은 사실이다. 황궁에 돌아가면 다시 잠행을 나오지 않는 이상은 축제가 다 무슨 소용인가. 그리고 애초부터 휘연을 혼자 두고 잠행을 나올 생각도 하지 않았던 환백으로서는 지금이 기회였다.

해서 다른 때보다 더 심하게 고집을 피운 것이지만, 자신이 생각해도 그 정도가 거의 생떼를 부리는 수준이었던지라 환백이 새삼 부끄러움에 얼굴을 붉혔다.

"그래서 그랬던 건데…… 좀 심하긴 했지?"

이래저래 변명 끝에 머리를 긁적이며 조심스럽게 눈치를 살피는 환백의 모습에 휘연이 그만 참지 못하고 허탈한 웃음을 터트렸다. 덩치가 산만 한 사내가 어찌 이리도 귀엽게만 보이는 것인지.

지난 열흘을 생각하면 골이 지끈거리다가도 그것이 다 자신을 생각해서 한 행동이라니 탓할 수도 없지 않은가. 아니, 오히려 가슴 안쪽이 간질거리는 느낌이라 휘연의 얼굴이 부드럽게 풀렸다.

"지금 웃었지? 아! 다행이다. 사실 화난 것 같아서 불안했는데. 미안, 말도 안 되는 고집을 피워서."

"후, 저는 괜찮습니다. 그보다 신경 써 주신 건 감사하오나 축제 구경은 하지 않는 게 좋겠습니다."

"왜? 혹 누가 알아볼까 봐 그래?"

"예. 황도가 지척이지 않습니까? 이곳에도 궁에 출입하는 신료들의 사가가 있을 테니 조심해야지요."

설사 신료들의 눈에 안 띈다고 해도 궁에 출입하는 게 신료만 있는 것도 아니기에 그 많은 눈을 모두 피한다는 건 애초에 말이 안 되는 것이다. 해서 기껏 아쉬운 마음을 뒤로하려 했건만.

"괜찮아! 변복할 텐데 누가 알아본다고 그래? 내가 다 알아서 할 테니 그대는 걱정하지 마라."

"변복하고 상관없이 알아볼 것 같습니다만?"

"괜찮대도 그러네. 그리고 알아보더라도 시치미 떼면 그만이다. 내가 아니라는데 제 놈들이 어쩔 거야? 그러니 괜한데 신경 쓰지 말고 어서 가자! 내가 옷도 준비해 왔다."

기가 막혀. 시치미 뗄 게 따로 있지! 머리카락이야 지금처럼 두건으로 감싸 가린다고 치더라도 황가의 피를 진하게 나타내는 붉은 눈동자는 어찌 가린단 말인가?

정말이지 속 편한 것도 정도가 있다는데, 어쩌면 이리도 뻔뻔할까 싶어 휘연은 절로 흘러나오는 한숨을 내쉬었지만, 더 이상 반대도 하지 않았다.

어차피 더 말해 봐야 소용없는 짓인 것을. 그저 이럴 때는 군말 없이 따르는 게 상책이라 일찌감치 포기하고 환백이 이끄는 대로 평복으로 갈아입었다.

아무런 장신구나 장식 없이 발등까지 덮는 길이의 연녹색 하의와 허리 아래까지 오는 푸른색 웃옷은 양옆에 옷깃을 덧대어 둘러서 띠로 매듭지었고, 발목과 소매 폭을 좁게 해 활동하기 편한 차림이었다.

환백 또한 같은 복식으로 색상만 옅은 푸른색과 검은색으로 바뀌었고 새하얀 머리카락은 푸른색 바탕에 수가 놓인 두건으로 감싼 모습이 영락없이 무가의 도련님이다. 문제는 역시 눈동자인데.

"후— 환백 님이 알아서 하십시오."

"응! 내가 다 알아서 할 테니 그대는 아무것도 걱정하지 마라."

그래서 더 걱정된다는 말은 차마 못 하고 휘연이 어색하게 웃으며 몸을 돌리자 환백이 따뜻하게 솜으로 덧댄 장의를 입혀 주었다. 그 후에야 두 사람은 손을 잡은 채 객잔 별채를 벗어났다.

아소와 무영, 진충을 비롯해 묵혼과 교령, 조관도 평복으로 갈아입고 그 뒤를 따르고, 나머지 묵가와 암영제는 여전히 모습을 감춘 채 주변으로 산개해 호위에 임했다.

그렇게 나온 일행이 인파에 섞이기까지는 순식간이었다. 황도가 가까워 제법 큰 도읍지인 데다 축제를 시작하는 첫날이라 그런지 인근 마을에서 몰린 인파와 장사치들로 인산인해였기 때문이다.

자칫 혼란스러울 수도 있었지만, 그 복잡함에 휘연은 내심 안도했다. 이 정도면 환백을 알아보지 못할 수도 있다는 안일한 생각에서다. 그러나 말 그대로 안일했으니.

'응? 뭔가…… 이상한데.'

한 발만 걸어도 어깨를 부딪칠 정도로 넘쳐나던 인파가 어찌 된 노릇인지 자연스럽게 갈라지며 비켜서는 게 아닌가? 그러면서 남녀노소 누구나 할 것 없이 힐끔힐끔 쳐다보기까지.

휘연이 당황한 마음에 혹 복장에 문제가 있는지 살펴보았지만, 지금 입은 복식은 아무리 봐도 어느 정도 세가 있는 집안의 자제들로밖에는 보이지 않았다.

그렇다면 무엇이 문제란 말인가? 역시 눈동자 때문인가. 아무리 생각해도 그것밖에는 없는 것 같아 쉽게 결론 내린 휘연이 고개를 끄덕였지만, 정작 휘연은 한 가지 사실을 간과하고 있었다.

일반 백성들은 황제의 외모에 대해 특출 나다는 것만을 알지 상세한 건 전혀 모르고 있다는 점이다. 즉, 황제의 머리카락이 순백이고 눈동자가 붉다는 것도 모른다는 말이다.

그런데도 이리 피하는 이유는 지극히 간단했다. 평복을 입고 위엄을 드러내지 않았다고는 하나, 타고난 기품이나 아름다운 외모를 감추지 못하는 이상 눈에 띄는 것은 자명한 일이지 않은가.

하물며 그런 두 사람이 나란히 손까지 잡고 있으니 더 눈에 띄는 게 당연지사. 거기다 덤으로 환백을 포함해 뒤를 따르는 세 사람의 덩치도 한몫 단단히 했다.

하나같이 구 척에 가까운 장신에 인물들은 또 어찌나 좋은지, 절로 눈이 돌아갈 판에 겉으로 풍기는 분위기 또한 압도

적이라 눈치가 있는 이들은 알아서 피하는 것이다.

그 사실을 일행들도 모두 알고 있었지만, 워낙 외모에는 관심을 두지 않는 휘연만 몰랐다. 그렇다 보니 괜한 걱정으로 전전긍긍하던 휘연은 이내 눈앞에 들이미는 무언가에 두 눈을 휘둥그레 떴다.

"당과? 이걸 왜."

"축제의 반은 먹는 재미다. 그러니 이것저것 먹어 봐야지."

구경하는 동안 주전부리를 하는 일이야 다반사지만, 난생 처음 축제 구경에 나온 휘연은 아무것도 몰랐다. 그건 환백 또한 처음이라 모르기는 매한가지였으나 나름 답사를 했답시고 아는 척을 하는 중이다.

물론, 휘연에게 이것저것 먹여 주고 싶은 마음이 더 크게 작용한 것이다. 해서 작정을 하고 나온 환백과는 달리 휘연은 난감했다. 황제 내외가 길바닥에서 주전부리라니. 그런 망측한 일이!

그것도 수많은 사람들이 지켜보는 앞에서 직접 먹여 주려는 이 작태를 어찌 받아들여야 하는지. 혹 이것도 새로운 고문 방법의 하나인가를 생각하던 휘연이 눈가에 경련이 일 것 같은 걸 애써 참으며 간신히 미소 지었다.

이른바 억지 미소였다. 그러나 환백의 눈에는 그마저도 사랑스럽게 보이니 어쩌겠는가. 당황하여 발갛게 붉어진 얼굴을 가리며 데굴데굴 눈동자만 굴려 피하려는 휘연을 보며 환백은 장난스레 눈을 빛냈다.

"어서 먹어 보래도. 아!"

"저기, 저는 괜찮습니다."

그러니 이쯤에서 망측한 행동은 그만해 주면 좋으련만, 극구 사양하는 휘연의 바람은 곧바로 뻔뻔스레 대응하는 환백의 말에 무참히 무너졌다.

"고 예쁜 입은 어찌 사양하는 것밖에 몰라? 혹 내가 이러는 것이 싫어?"

"그, 그게 아니라."

당연히 싫다. 그걸 말이라고 할까. 그럼에도 차마 싫다는 말은 못 했다. 그렇게 말했다가 또 앵돌아져 불퉁하게 투덜거리는 환백의 모습을 다른 이들에게 보일 것이 더 두려운 것이다.

그렇다고 얌전히 받아먹자니 그것도 문제라 부끄러움이 물밀 듯이 밀려와 휘연은 당장에라도 이 자리에서 도망치고 싶었다. 게다가 이제는 대놓고 구경하는 사람들의 호기심 어린 시선들이 그 부끄러움을 부추기고 있었다.

그런 휘연의 속마음을 아는지 모르는지, 헤실헤실 풀어진 환백의 표정을 봐서는 전혀 포기할 마음이 없어 보였다. 되레 휘연의 푹 숙인 얼굴을 들어 올리며 다정다감한 목소리로 속삭이지 않는가.

"아니라면 고 예쁜 입 좀 벌려 봐. 응?"

"도, 도대체 어찌 이러십니까?"

"내가 뭘?"

정말 몰라서 묻는 걸까? 순간 의문이 들었지만, 힐끔 들어 올린 시야에 들어오는 환백의 음흉한 웃음에 휘연이 움찔거리며 미련 없이 몸을 돌렸다.

더 이상 미룰 것도 없이 무조건 도망치고 보자는 생각에서다. 하지만 곧바로 허리를 낚아채는 환백의 행동에 휘연의 도망은 안타깝게도 불발로 그치고 말았다.

“나 버리고 갈 정도로 싫어? 대체 무슨 고집이 그리도 세? 얌전히 받아 먹으면 좀 좋아?”

누가 할 소리! 휘연이 이젠 숫제 목까지 발갛게 물들이고 환백의 손에서 벗어나려 버둥거렸지만, 애초에 체격 차이나 힘으로는 비교가 안 되는 것을.

빠져나오기는커녕 더 진득하게 달라붙는 환백 때문에 두 사람의 희한한 신경전은 수많은 이들의 구경거리로 제공되며 제법 오랫동안 계속되었다.

그 모습을 처음부터 지켜본 일행들은 한 발짝 떨어진 몸을 더 뒤로 물리며 일행이 아닌 척 고개를 돌렸다. 그리고 한마음 한뜻을 담아 속으로 외쳤다.

‘차라리 드십시오, 마마!’

이들의 염원이 들렸을까. 그도 아니면 지쳤을까. 천만다행히도 휘연이 더 이상 붉어지려야 붉어질 수도 없는 얼굴로 마지못해 입을 벌렸고 환백은 뿌듯한 얼굴로 목적을 달성했다.

그러나 환백의 만행은 여기서 그치지 않았다. 아니, 더 정확히는 이제 시작이었다. 처음이 어렵지 두 번째부터는 일사천리라고, 더더욱 심해진 환백의 만행에 날개까지 달았으니 통탄한 일이라.

손을 꼭 잡고 가다가도 주전부리만 눈에 띄면 냉큼 집어 휘연에게 먹이는 것도 모자라 직접 먹여 달라고 생떼를 부린 것부터, 휘연의 입안에 들어갔던 손가락을 보란 듯이 쪽쪽 소리까지 내며 핥는 행태 하며.

휘연의 입가에 묻은 양념을 닦아 주겠다면서 뻔뻔하게 손이 아닌 혀로 핥지를 않나, 나중에는 입으로 먹여 주겠다고 다짜고짜 길 한복판에서 입술을 부딪쳤을 때는 휘연은 딱 기절이라도 하고 싶었다.

비단 휘연뿐만이 아니었다. 차마 벗어나지도 못하고 졸졸 따라다니며 환백이 냉큼냉큼 집어간 음식값을 계산하는 일행들은 이대로 한 줌의 재가 되어 훨훨 날아가고 싶을 정도였기 때문이다.

"후— 이제 더는 못 먹습니다."

"벌써 배불러? 쯧, 그대는 입이 짧아서 탈이야."

말끝에 아쉬움이 뚝뚝 묻어나는 환백의 표정에 휘연은 질린다는 듯 고개를 내저었다. 시장바닥에 주전부리란 주전부리는 다 먹은 것 같아 속이 더부룩해진 휘연으로서는 당연한 반응이다.

물론, 반대로 환백은 속으로 안타까움에 발을 동동 굴렀다. 발갛게 물든 얼굴로 마지못해 붉은 입술을 열어 먹여 주는 족족 받아먹고, 귀엽게 오물거리는 그 모습을 볼 수 없다니!

게다가 반응은 또 얼마나 사랑스러운가. 다만 한 가지 흠이라면 휘연의 이런 모습을 다른 이들까지 본다는 사실이 기분이 나빴지만, 그마저도 환백은 좋게 생각하기로 마음을 넓게 먹었다.

오히려 만인이 보는 앞에서 자신의 연인이라는 걸 공공연히 자랑할 수 있어 기분이 좋았기 때문이다. 영락없는 팔불출을 자랑하는 이 사내가 천하를 일통한 피의 황제, 절대 군주인 환백이었다.

"휘연, 이것 봐라. 귀엽지? 그대에게 어울릴 것 같군."

환백이 들어 올린 무언가를 보던 휘연의 표정이 난감하게 일그러졌다. 연한 녹색의 비단에 샛노란 병아리가 앙증맞게 수놓아진 어린 소녀들이나 할 법한 머리끈이었다.

"절대…… 안 어울립니다."

"무슨 소리! 그대는 피부가 아기같이 보드라워서 이런 귀여운 게 어울려. 이걸 하면 깨물어 주고 싶을 정도로 귀여울 거야."

그러면서 뭐가 그리도 좋은지 히죽히죽 웃던 환백이 당장에라도 머리를 묶어 주려는 듯 다가오자 휘연이 급히 몸을 뒤틀었다. 그리고 희한한 광경이 또다시 벌어지고 있었다.

한쪽은 벗어나려고 버둥거리고, 한쪽은 능글맞게 웃으며 달라붙어 씨름하기를 한참 후, 결국 당연한 듯이 환백이 목적을 달성함으로 일단락됐다. 하지만 이후로도 같은 광경은 수도 없이 펼쳐졌다.

가는 곳곳마다 조금이라도 예쁘고 특이하다 싶으면 족족 휘연에게 갖다 대며 차마 입에 담기도 민망한 별의별 낯간지러운 말들을 쏟아 내는 통에 휘연이 지친 표정으로 통제를 가했다.

"환백 님, 이제 그만 하십시오. 쓸데없는 낭비입니다."

"낭비라니? 이게?"

하나같이 여인들이나 착용할 법한 것들이라 자신과는 어울리지 않기도 했고, 자신을 꾸미는 일에는 전혀 관심이 없는 휘연이다 보니 당연한 말이었지만, 환백은 이해가 안 되나 보다.

마치 못 들을 걸 들었다는 듯 눈을 휘둥그레 뜨고 되묻는 폼이 그랬다. 그도 그럴 것이 환백은 휘연에게 무언가를 해 주고 싶고 기쁘게 해 주고 싶었기 때문이다.

물론, 시장 바닥의 싸구려가 아닌 값진 보석을 해 주고 싶었지만, 황궁에 있을 때도 아무리 떠안겨도 좋아하지 않았던 휘연이기에 언제나 애가 탄 건 환백이었다.

차라리 물욕이라도 있다면 몰라 휘연은 단 한 번도 무언가를 먼저 바란 적이 없었기에 더한 것이다. 헌데 고작 이런 걸로 낭비라니. 어깨가 축 처지는 환백을 보며 휘연이 당황함에 허둥지둥거릴 때였다.

"마, 맙소사! 어, 어찌 이곳에……."

경악성과 함께 둥글게 원을 형성해 구경하던 인파를 헤치고 난데없이 나타난 중년 사내의 등장에 환백의 미간이 확 찌푸려지고, 휘연은 다급하게 두 손으로 얼굴을 감쌌다.

기어코 환백을 알아보는 이가 나타난 것이다. 그러나 놀라기는 사내가 더 놀랄 수밖에 없었다. 설마하니 이런 곳에서 소리 소문 없이 잠적한 황제와 황후를 보게 될 줄이야!

어째서?! 사내는 경악한 표정을 갈무리하지도 못한 채 다급하게 부복하며 예를 취했다. 하지만 곧바로 돌아오는 호통 소리에 말은 끝까지 이어질 수 없었다.

"시, 신! 공부시랑 조만천이 고귀하신 황……!"

"닥쳐라!"

"히익!"

"사람 잘못 봤다."

어쩌면 이리도 태연할 수가. 아니, 뻔뻔한 건가.

"예, 예? 하, 하오나……."

"잘못 봤다고 했지? 한 번만 더 헛소리하면 더 이상 그 입을 못 놀리게 해 주지."

이젠 협박까지. 놀란 마음에 무릎 꿇은 그대로 굳어 입만 딱 벌리고 있는 조만천을 내려다보며 환백은 태연하게 휘연의 허리를 감싸며 돌아섰다. 끝까지 뻔뻔하게 할 말은 다 하면서.

"별 이상한 놈을 다 보겠군. 가자, 휘연."

환백이 휘연을 데리고 사라지고, 사람들이 수군거리는 소리에도 굳은 자세를 풀지 못하는 조만천의 어깨를 두드려 넋 나간 정신을 일깨운 사람은 조만천도 익히 알고 있는 조관이었다.

"조, 조 위장?"

"공부시랑이 예까지 어인 일인지는 모르겠지만, 어지간하면 정신 차리고 일어나십시오."

"이, 이 사람이 잘못 본 게 아니지요? 조 위장이 이곳에 있다면 저분은 분명…… 맞으실 텐데 어찌해서……."

시치미를 뚝 떼느냐는 것과 어째서 잠적한 황제 내외가 이런 곳에 있느냐는 뜻을 담아 보는 조만천을 향해 조관이 어색하게 웃었다. 차마 뒤늦은 신혼 재미에 푹 빠져 국정도 나몰라라 하고 있다고 어찌 말한단 말인가.

"말 좀 해 보시오. 어찌 된 일이란 말이오? 오랫동안 자리를 비워 두신 터라 지금 난리가 났단 말이오."

"그게 그러니까. 주군께서는 지금…… 아무것도 눈에 안 들어오는 상황인지라……."

"아, 거! 무슨 소린지 알아듣게 해 보시오!"

답답함에 버럭 소리를 지르는 조만천을 보며 조관은 난감함에 머리를 긁적였다. 누군들 속 시원히 말하고 싶지 않을까. 못 하니까 탈이지.

"뭐 늦어도 며칠 내로 귀환하실 것이니 너무 걱정하지 마십시오."

"며칠 내로? 확실하오?"

"아마도?"

"그게 뭐요? 확실하지 않다는 것 아니오?"

그야 그동안 환백의 행동을 보자면 이곳에서 또 얼마나 눌러앉을지 예상을 전혀 못 하기 때문이지만. 그걸 다 설명하자면 골이 지끈거리는 관계로 조관은 대충 얼버무리고 냅다 튀어 버렸다.

"아, 나도 모릅니다! 그리 알고 너무 걱정은 마십시오. 저는 그만 갑니다!"

"어어! 아니, 잠깐…… 이보시오! 조 위장! 조 위장!"

흡사 매정하게 돌아서는 연인을 부르듯 애타는 조만천의

외침을 묵살하고 그 짧은 사이 멀리도 간 일행 앞에 도착했을 때 조관은 두 눈을 화등잔만 하게 떴다. 저건 또 무슨 상황인지.

유독 큰 매화나무 아래 자리를 펴고 주저앉은 환백이야 그렇다 치고, 왜 이 많은 사람들이 보는 앞에서 휘연을 무릎 위에 앉히고 야릇한 분위기를 만들어 내고 있단 말인가?!

하물며 아름다운 황제 내외의 머리 위로 흐드러지게 핀 매화꽃하며 한 폭의 그림처럼 흩날리는 꽃잎이 분위기를 더더욱 고조시키는 것 같아 조관은 소름 돋은 팔뚝을 벅벅 긁어 댈 수밖에 없었다.

"도대체…… 왜 또 저러고 있는 겁니까?"

"……글쎄."

"사람들 눈이 신경도 안 쓰이는 건가?"

"아마도…… 없는 취급할 걸."

원래부터 남의 시선 따위는 신경도 쓰지 않는 환백이다. 하물며 휘연에 한해서는 정상적인 사고가 불가능한 환백이지 않은가. 이 많은 사람들도 병풍 취급하지 않으면 다행이었다.

아니, 그럴 소지가 다분했지만, 누구도 말릴 생각은 하지 않았다. 말렸다가 뒷감당을 어찌하려고. 하지만 그런 생각도 잠시, 점점 더 뜨거워지는 분위기에 교령이 다급하게 입을 열었다.

"진짜 병풍을 쳐야겠군."

"그렇군."

그와 동시에 손을 번쩍 들어 올린 교령과 묵혼의 신호에 몸을 은신하고 있던 암영제와 묵가가 순식간에 모습을 드러내며 두 사람을 빼곡하게 에워쌌다. 그런 그들의 움직임이 드물게 뻣뻣하게 굳어 있었다.

민망한 것이다. 그나마 다행히 복면으로 얼굴을 감싸고 있어 표정이 드러나지는 않았지만, 붉게 충혈된 눈을 질끈 감고 있는 것만으로도 얼마나 이 상황을 난처해하는지를 여실히 드러냈다.

“끄응, 맙소사.”

조관의 작은 중얼거림에 일행들은 모두 고개를 푹 숙였다. 마음 같아서는 주군이고 뭐고 땅으로 꺼져서라도 이 자리에서 도망치고 싶은 게 이들의 공통된 바람이었다.

하지만 그러거나 말거나 여전히 신경 쓰지 않는 환백의 애정 행각은 계속됐고, 난데없이 등장한 시커먼 군단에 경악성을 터트리던 사람들도 간간이 흘러나오는 소리에 귀를 쫑긋 세우기 시작했다.

마치 ‘이런 진귀한 구경거리는 놓칠 수 없어!’ 라는 표정으로 작은 소리라도 놓칠세라 귀를 들이미는 사람들을 보며 그들은 정말이지 쥐구멍이라도 있으면 억지로라도 비집고 기어들어가고 싶었다.

그러나 안타깝게도 그들의 바람은 부질없었으니. 민망한 소리를 고스란히 들려주는 황제 내외의 입맞춤은 계속되었고, 간간이 휘연의 거부하는 소리와 반항을 단번에 잠재우는 환백의 낯간지러운 말들은 이후로도 한참이나 이어졌다.

‘제발 그만 좀 하십시오, 주군!’

◈

쉽게 움직이지 않을 거라는 모두의 예상대로 환백은 닷새간 벌어지는 매화 축제를 살뜰하게 즐긴 후 우려한 게 무색할 정도로 별다른 저항 없이 그곳을 벗어나 황도로 향했다.

그 덕분에 한시름 놓은 일행의 얼굴은 하나같이 핼쑥해져 있었다. 물론, 그 이유는 환백 때문이다. 닷새간 환백의 행태가 말로 다할 수 없을 지경이었으니 오죽할까.

이렇듯 떠올리는 것만으로도 몸서리가 쳐지는 것을, 그걸 어찌 말로 다한단 말인가. 이제 황궁에 돌아가면 다시 나올 일이야 있겠나 싶지만, 휘연을 비롯한 일행들은 차마 얼굴 들고 다니기도 민망했다.

발 없는 말이 천 리 간다고, 소문이라는 게 있지 않은가. 원하든 원치 않든 아마도 조만간 수나라 전체로 소문이 파다하게 퍼질 거라는 사실은 너무도 확실했기 때문이다.

그중 황제 내외의 애정 행각. 피의 황제, 절대 군주가 알고 보니 팔불출이더라. 그나마 이런 소문은 좋은 축에 낄 정도라면 지금 이들의 심정을 백 번 이해하고도 남을 것이다.

'그 정도라면 걱정도 안 하지!'

첫날 그 난리를 피워 놓고도 모자라 절대 나가지 않겠다는 휘연을 기어코 데리고 나가 전날 못다 한 구경을 한 것까지는 좋았다. 물론, 첫날 했던 행동을 그대로 한 것도 당연하다.

다만 다른 점이라면 구경꾼이 배로 늘었다는 것이고, 수치심에 휘연이 다리 아프다는 핑계로 객잔에 돌아가자고 하자 업어 주니 마니 한바탕 난리를 피운 게 시작이었다.

그 특유의 뻔뻔함으로 밀어붙인 끝에 휘연을 업고 구석구석을 다 싸돌아다닌 것이다. 그것도 바보 같을 정도로 히죽히죽 웃어 가며 다 들으라는 듯이 낯간지러운 말을 쏟아 내는 통에 정말이지 기절 안 한 게 천만다행이었다.

그래도 이튿날은 괜찮았다. 사흘째는 도시락까지 준비해 하루 종일 매화나무 밑에 자리를 펴고 사람들이 보든지 말든지 휘연의 무릎까지 베고 누워 실실거릴 때는 그 뻔뻔함에 혀를 내두를 정도였다.

그리고 문제의 나흘째. 조만천이 황도에 소식을 전하는 바람에 대소신료들이 몰려들어 그렇게 숨기고자 했던 사실이 모두 들통이 난 것이다.

오죽했으면 주군의 정체가 탄로 났다는 사실이 다 부끄러울까. 한마디로 난리가 벌어졌기 때문이다. 경악한 백성들은 수군거리지, 신료들은 어떻게든 환궁시키려고 진을 치고 버티지.

환백은 흉흉한 살기로 적반하장 격으로 큰소리를 치지. 결국, 보다 못한 휘연이 나서 신료들을 돌려보내고 나서야 일단락되었지만, 환백의 뻔뻔함은 거기서 끝이 아니었다.

이미 파다하게 소문이 퍼졌는데도 다음 날 버젓이 휘연의 손을 잡고 또다시 거리를 활보하고 다닌 것이다. 물론, 그 이후 백성들의 반응은 뻔했다.

평생 가야 황제 내외를 직접 가까이에서 볼 수 있을 거라고는 생각지도 못한 백성들로서는 한 발짝 걸을 때마다 만세를 외치며 부복하는 건 당연한 것이다.

하물며 천하를 일통한 황제에 어질고 현명하기로 소문이 자자한 황후이니 오죽할까. 두 번 다시없을 광영에 흡사 졸졸 따라다니며 환백의 행동 하나하나에 반응을 보였다.

그래서 더 부끄러웠다. 어지간한 사람이면 정체가 탄로 난 순간 자제를 하련만, 환백은 더 보란 듯이 강도까지 높여 애정 행각을 벌이는 통에 휘연을 비롯한 일행들은 딱 한 가지의 결론을 내릴 수밖에 없었다.

'두 번 다시 황궁 밖을 나오지 말자!'

그렇게 한마음 한뜻으로 다짐에 다짐을 거듭하고 겨우 닷새가 지나 엿새째가 되어서야 황궁에 도착한 일행들은 환백을 빼고는 하나같이 초췌한 몰골로 비로소 안도의 한숨을 깊게 내쉬었다.

비단 그들뿐만이 아니었다. 이미 소식을 접한 대소신료들이 모두 영접을 나와 황제 내외의 귀환을 감축하고 있었고, 개중에는 눈물까지 보이며 안도하는 이들도 있었다.

처음에는 갑자기 사라진 황제 내외 걱정에 밤잠을 설치다가 나중에는 국정도 마다하고 탱자탱자 놀고 있다는 걸 알고 배신감마저 들었지만, 이러니저러니 해도 무사히 돌아와 준 것만으로도 감사한 것이다.

특히 효헌의 반응은 더했다. 앉으나 서나 두 사람 걱정에 국정을 돌보랴 황후가 해야 할 황궁 안살림인 내정까지 도맡는 바람에 밤낮으로 일에 파묻혀 살았으니 그 심정이 오죽하겠는가.

그렇다 보니 두 사람의 귀환을 가장 반기는 이도 단연 효헌이었다. 물론 그렇다고 원망이 가시는 것도 아닌지라 한바탕 왁자지껄한 환영식이 끝이 나고 황후궁 알현실에 나란히 마주앉고야 효헌의 초췌한 얼굴이 한껏 찌푸려졌다.

"정말 너무하시는 거 아닙니까?"

"뭘?"

몰라서 묻는 걸까? 그동안 걱정한 건 젖혀 두더라도 하다못해 그동안 수고했다는 말 한마디라도 하면 어디가 덧난단 말인가? 헌데 인사치레는 고사하고 이 뻔뻔한 태도는 뭐란 말인지.

하물며 자신이 보든지 말든지 상관없다는 듯 휘연의 옆에 딱 달라붙어 실실거리는 환백의 모습에 결국 효헌이 헛웃음을 터트리며 고개를 설레설레 내저었다.

눈으로 보이는 민망함이야 반가움에 묻어 간다 치더라도 엎드려 절 받아 봐야 더 맥 빠질 것 같아 이쯤에서 포기한 것이다. 그런 효헌을 향해 휘연이 어색하게 웃으며 말을 이었다.

"송구합니다, 왕야. 그동안 노고가 크셨지요?"

"예? 아, 아닙니다, 마마. 무탈하게 귀환하신 것만으로도 감읍할 따름입니다."

그동안 틈틈이 교령에게서 연락을 받은 덕분에 시름을 덜었지만, 언제나 마음 한편이 무거웠던 참이라 효헌은 이렇듯 무사히 두 사람을 마주하고 있다는 사실에 진심으로 안도했다.

게다가 환백의 표정이나 혈색이 눈에 띄게 밝아지지 않았는가. 물론, 지나친 감이 없잖아 있는 것 같지만, 더 이상 마음 졸이지 않아도 된다는 것만으로도 효헌은 더할 나위 없이 만족했다.

"이제 두 분 다 온전히 돌아오신 것이지요?"

"예. 다시는 황궁을 나갈 일은 없을 것입니다."

그 부분에 대해서는 할 말이 차고도 넘쳤으나 차마 그동안의 일을 미주알고주알 늘어놓을 수는 없는 노릇이라 휘연이 슬쩍 환백을 힐끔거린 후 단호하게 말했다.

그런 휘연의 낯빛이 잠시 잠깐 질린다는 듯 창백해졌지만, 아무것도 모르는 효헌은 반색을 하며 좋아했다. 이제야말로 두 발 뻗고 편히 잘 수 있게 됐으니 오죽할까.

"다행입니다. 이제 형님께서 국정을 돌보시고 마마께서 내정을 돌보시면 이 황궁도, 나라도 곧 안정을 되찾을 것입니다."

더불어 자신도 이제야말로 마음 놓고 푹 쉴 수 있다는 생각에 효헌의 얼굴 위로 흡족한 미소가 떠올랐다. 하지만 안타깝게도 그 미소는 오래가지 않았다.

"피곤해서 지금 당장은 무리다. 적어도 보름은 쉬어야지."

맙소사! 피곤하다니, 뭘 했다고? 아니, 지금까지 실컷 쉬어 놓고도 모자란단 말인가?

"폐하, 어찌 또 말도 안 되는 고집을 피우십니까?"

"고집이라니? 오랜 여정으로 힘든 건 사실이잖아? 그러니 쉴 수 있을 때 푹 쉬어야지."

말이나 못 하면 밉지나 않지.

"지금까지 푹 쉬지 않았습니까?"

"그건 그대가 몰라서 그래. 내가 내색을 안 해서 그렇지, 얼마나 피곤한지 알아? 지금도 봐. 얼굴이 말이 아니잖아? 응? 그대가 봐도 지쳐 보이지 않아?"

그러면서 일부로인 게 분명할 정도로 어깨를 축 늘어트리는 환백을 보며 지쳐 보이기는커녕 지나치게 쌩쌩하게 보인다는 말을 해야 할지 말아야 할지, 휘연이 황당한 마음에 입만 벙긋거릴 때 보다 못한 효헌이 끼어들었다.

"형님, 소제가 봤을 땐 혈색이 지나치게 좋아 보이십니다만?"

그러니 어지간하면 말도 안 되는 변명은 안 했으면 좋으련만. 환백은 여전히 어깨를 축 늘어트리고 덤으로 한숨까지 내쉬며 태연하게 맞받아쳤다.

"잘못 봤다. 겉으로만 멀쩡하지. 끄응, 어깨도 결리고 머리도 지끈거리는 것이, 나중에 탈이라도 나는 것보다는 푹 쉬는 게 여러모로 좋을 거 아니냐? 그러니 나는 보름간 이곳에서 쉴 테니 그때까지는 네가 알아서 해."

청산유수라더니. 정말 황제만 아니면 한 대 패 주고 싶은 뻔뻔함에 두 사람이 할 말을 잃고 망연자실 앉아 있자, 자신의 말이 먹혔다고 생각했는지 환백이 싱글벙글 웃으며 휘연을 냉큼 안아 들었다.

더 무슨 말이 나오기 전에 이대로 침전으로 사라지고 보자는 생각에서다. 그러나 곧바로 화들짝 놀라 버둥거리는 휘연과 순식간에 비장한 표정으로 문 앞을 막아서는 효헌 때문에 환백의 바람은 이루어지지 않았다.

"또 뭐지?"

"몰라서 물으십니까? 보름이라니, 말도 안 됩니다."

"말 돼."

"아, 글쎄 안 된다니까요!"

몇 개월 만에 겨우 돌아왔으면서 또다시 보름이나 쉬겠다니, 그게 말이나 될 법한 일인가. 오죽했으면 생전 가야 큰소리 한 번 치지 않는 효헌이 버럭 소리까지 지를까 싶지만, 환백은 오히려 신기한 걸 봤다는 듯 중얼거렸다.

"흐음, 지금 나한테 덤비는 거냐?"

"윽! 누, 누가 덤빈다고 그럽니까? 그게 아니잖습니까."

"그게 맞는 것 같은데."

"아닙니다."

"맞는데 뭘. 너 지금 일하기 싫어서 수 쓰는 거 아니냐? 그렇다고 하늘 같은 형님한테 덤벼들면 안 되지."

뻔뻔한 것도 정도가 있고 적반하장도 유분수지! 더 이상 말도 못 할 만큼 기가 막혀 입만 딱 벌리는 효헌을 보며 휘연이 관자놀이를 꾹꾹 누르며 나지막이 한숨을 내쉬었다.

자신이야 지난 몇 개월간 익히 보고 견딘 모습이지만 효헌은 처음이라 당황스러울 것이다. 보나 마나 저러다 얼렁뚱땅 넘어가게 될 것을 알기에 휘연이 강경한 태도로 환백을 밀어내고 자리에 앉았다.

그 모습에 환백은 어느새 휘연의 옆자리를 턱하고 차지하고 앉아 눈치를 보며 손을 슬금슬금 뻗었고, 효헌은 여전히 반쯤 정신이 나간 듯 멍한 상태로 마주하고 앉았다.

"후, 폐하, 지금 말도 안 되는 고집을 피우고 계시다는 건 알고 계시지요?"

"휘연, 나 정말 피곤해서 그런 거지 고집이라니? 너무하잖아."

"그런 거짓에 더 이상 속을 일은 없습니다. 그러니 괜한 고집 피우지 마십시오."

한두 번 속았어야지. 더 이상 어떤 말에도 소용없다는 듯 냉정하게 받아치는 휘연의 태도에 환백이 작게 혀를 차며 큰 소리는 못 내고 불만을 표하듯 불퉁하게 구시렁거렸다.

그런 환백을 보며 효헌은 진심으로 놀랐다. 아무리 상황이 달라졌다지만, 변해도 너무 변하지 않았는가? 이젠 정말 자신이 알고 있던 환백이 맞는 건지도 의심될 지경이다.

"대체…… 형님이 어쩌다……."

저리 이상하게 변했는지를 묻고 싶지만, 효헌은 차마 노려보는 환백 때문에 끝까지 말을 잇지는 못했다.

"폐하, 언제까지 책임을 회피하실 생각이십니까?"

"책임을 회피하는 게 아니다. 나는 단지 피곤하니 조금 더 쉬고 싶다는 말이지."

그러니까 언제까지?

"후우— 지금까지 쉰 것만으로도 충분합니다. 그러니 내일부터 정무를 보십시오."

"휘연! 고작 하룻밤이라니 너무 야박하지 않으냐? 그러지 말고 서로 양보해서 열흘만 쉬자. 응? 죽을 때까지 일할 텐데 그대는 내가 불쌍하지도 않아?"

보름이나 열흘이나 결국은 매한가지건만, 이젠 흡사 애처로운 표정으로 애원까지 하는 환백을 보며 휘연은 매정하게 고개를 돌려 버렸고 효헌은 또다시 입만 딱 벌렸다.

"휘연~ 열흘만. 응? 딱 열흘만 쉬자."

"안 됩니다."

"그렇게 나온단 말이지? 좋아, 그럼 일주일. 나도 더 이상 양보 못 해!"

난색을 표하며 비장하게 불끈 주먹까지 쥐는 환백을 보며 휘연이 대수롭지 않은 듯 태연하게 말을 이었다.

"폐하께 실망하고 싶지 않습니다. 어찌하시겠습니까? 정무를 보실 겁니까, 아니면 끝까지 고집을 피우실 생각이십니까?"

그렇게 나온다면 달리 방도가 없다. 실망시킬 수는 없으니 꼬리를 내릴 수밖에. 휘연의 표정 하나하나에도 행동이 달라지는 환백이다 보니 당연한 것이다. 물론, 그렇다고 완전히 물러날 생각은 전혀 없었다.

"그럼…… 하루 빼고 엿새? 그 정도는 괜찮지?"

"안 됩니다."

"그것도 안 돼? 너무하잖아? 좋아! 그럼 하루 더 빼 줄게!"

"후, 폐하."

"윽! 사, 사흘. 그 이상은 죽어도 안 돼! 만약 여기서 더 반대하면 나도 무슨 짓 할지 몰라?"

이젠 하다 하다 협박까지. 효헌이 경악한 입을 다물지 못하고 어버버거리는 동안 휘연은 수도 없이 당해 본 터라 고개만 설레설레 내저었다. 이번에는 또 뭐로 협박하려는지.

"끝까지 반대하면 어쩌실 생각이십니까?"

그동안에는 단식투쟁부터 갖은 핑계에 궁색한 변명, 나중에는 침상까지 끌어안고 버티기까지 했었다. 그 다양한 행태를 모두 지켜봤던 휘연으로서는 무슨 말에도 그러려니 할 수 있었지만, 곧바로 흘러나오는 말에는 휘연도 경악할 수밖에 없었다.

"가출하겠다!"

물론, 휘연은 얌전히 보쌈해서.

"맙소사, 형님!"

"그, 그게 무슨……."

황제가 가출이라니? 아니, 돌아온 지 얼마나 됐다고 가출이란 말인가? 어처구니가 없는 말에 두 사람이 좀처럼 충격에서 헤어나오지 못하는 사이 환백은 느긋하게 팔짱까지 끼고 태연하게 덧붙였다.

"내가 한다면 하는 성격인 건 알지? 그러니 결정해. 사흘간 쉬게 해 주든가, 기약도 할 수 없는 가출을 감행하게 하든가."

"……."

"사실 고민할 것도 없는 선택이지만, 그래도 의견은 들어 주지. 자자, 부담 갖지 말고 허심탄회하게 말해 보도록."

어쩌면 이리도 얄미울까. 뻔뻔스럽게 히죽히죽 웃고 있는 환백을 보며 두 사람이 동시에 땅이 꺼지라 한숨을 내쉰 끝에 효헌이 먼저 힘없이 중얼거렸다.

"아무래도 내정도 봐야겠지요."

그야 당연하다. 애초에 목적이 단둘이 있고 싶어서인데 휘연만 일하게 둘 리도 없잖은가.

"……송구합니다, 왕야."

"아닙니다. 사흘이야 뭐…… 딱히 문제는 없을 겁니다."

말은 그리해도 확실히 문제는 있었다. 먼저 효헌이 지칠 대로 지쳐 있다는 게 가장 큰 문제고, 두 번째로 황제 내외가 귀환한 걸 알고 있는 대소신료들을 설득하는 것도 문제다.

또 뭐라고 변명을 늘어놓는단 말인가. 그 생각만으로도 골이 지끈거렸지만, 효헌은 어느새 휘연의 허리를 끌어안고 싱글벙글 웃고 있는 환백을 보며 질린다는 듯 고개만 내저었다.

그렇게 황제의 가출 한마디에 찍소리도 못 한 두 사람의 패배로, 환백은 사흘의 휴식을 더 취할 수 있었고, 아이들을 보는 것조차 허락하지 않은 바람에 휘연은 사흘간 침전에서 꼼짝달싹도 하지 못했다.

八章
가족

흐르는 시간을 돌이켜 보면 유수와 같다고 하든가. 소건황제 정(政) 치세(治世) 5년에 접어들면서 전쟁의 여파는 흔적조차 찾을 수 없을 만큼 수나라는 많은 것이 변해 있었다.

한 해가 지날수록 농작물의 수확이 늘어나며 풍작을 이루었고, 조금씩 곳간을 채워 감에 백성들의 얼굴에는 시름 한 점 없어 태평성대(太平聖代)를 구가하였다.

그뿐만 아니라 큰 도읍지 빈민촌을 허물고 새로운 집을 증축하고, 과거 세도가에서 몰수한 땅 중 일부분을 무상으로 나누어 주어 소작을 할 수 있게 함으로 백성들의 고초를 줄였다.

또한, 대류하는 보수, 증축하여 많은 배가 물량을 대량 수송할 수 있게 해 상권이 활발하게 했으며, 다음 대 황후 후보자들을 위해 새로운 방침도 규정했다.

그중 신궁은 신도들의 녹봉을 올려 주되, 뒤로 뇌물을 받거나 후보자들에 대한 차별을 엄격히 다루게 했으며, 간택시험 자체도 일절 거래를 허용하지 않았다.

그리고 가장 또 큰 변화는 후보자들의 차후 문제였다. 과거에는 한 번 신궁에 들면 간택되거나 가문의 이익과 사리사욕을 위해 팔려 가는 게 당연했다면 지금은 기한을 두는 것으로 바뀌었다.

신궁에서의 생활 일 년. 그사이 간택되지 못한다면 다시 가문으로 되돌아갈 수 있게 함으로 자신의 의지와는 상관없이 팔려 가야 했던 과거와는 달리 새로운 인생을 살 수 있도록 한 것이다.

그러한 규정을 밀어붙인 건 휘연이었지만, 사실상 황태자 운룡의 탄신과 엇비슷하게 태어난 자식을 둔 가문들도 반색을 하며 찬성하고 나서므로 별다른 말썽 없이 넘어갈 수 있었다.

아니, 오히려 그 일로 휘연에 대한 칭송이 한층 더 높아졌다는 게 옳을 것이다. 또한, 환백은 휘연을 마지막으로 대가 끊기게 된 서문세가를 안타까이 여겨 제일 가문인 호국가문으로 그 명예를 다시 한 번 높였다.

그 일로 세상을 등지고 살아가던 학자들이 하나둘 다시 세상으로 나오며 후학을 양성함에 활력을 뛰었고, 남녀노소 누구나 할 것 없이 백성들은 입을 모아 칭송하며 노래하였다.

드넓은 대륙을 일통한 무소불위의 절대 권력을 가졌음에

도 백성을 돌아보는 황제와 어질고 현명한 황후에 대한 칭송은 한 해가 갈수록 더 높아진 것이다.

그렇게 5년간 많은 것이 바뀌는 사이, 변화는 황궁에도 있었다. 먼저 아소는 휘연의 의술을 모두 터득해 궁의의 후계로 들어가는 게 어떻겠느냐는 휘연의 말에도 내종관으로 남기로 원했다.

무영 또한 무술을 익히되, 무관의 시험은 보지 않고 휘연 곁에 남았다. 진충은 종사관에서 세 단계나 뛰어넘는 직책을 받음으로 본궁의 일을 보게 되므로 휘연을 좀 더 가까이에서 보필할 수 있게 됐다.

또한, 조관은 황실금위대의 상위장으로 직책이 올랐으며, 묵가와 암영제, 유한은 여전히 두 사람의 그림자로서 남아 있었지만 사실상 이들의 고생은 이만저만이 아니었다.

그리고 가장 큰 변화는 단연 황태자 운룡과 소현황녀 화영의 성장이다. 아이들의 성장은 하루가 다르다더니, 세 살이 되고부터는 제법 많은 말을 할 수 있게 된 것이다.

물론, 아직은 발음이 또렷하지 않아 알아듣기가 어려웠지만 그래도 그게 어딘가? 이만큼 무탈하게 성장해 준 것만으로도 감사할 일이었다.

다만, 문제라면 요즘 들어 난감하기가 이를 데가 없다는 점이다. 간혹 고집을 피우면서 이런 엉뚱한 말을 할 때면 말이다.

"어마마마! 소자 마이 마찌요?"

"아니야! 내 마이 마져! 그러치오, 어마마마?"

"그러니까 그게……."

난감했다. 참으로 민망하고 난감해 휘연은 붉어진 얼굴로 어찌할 바를 몰라 슬그머니 고개를 돌렸다. 어쩌다 이런 질문까지 받게 됐는지. 게다가 두 아이가 고집이 보통이 아닌 게 문제였다.

그도 그럴 것이 질문이라기보다는 확신에 가까웠는데 각자가 알아낸 사실이 정답이기를 바란다는 점이다. 문제는 그 질문도 그렇지만, 알아냈다는 답도 난감하기가 이를 데가 없다는 것이다.

아기가 어떻게 생기느냐니. 으레 아이들이라면 궁금할 법한 물음이지만, 이제 고작해야 세 살인 아이들에게 대체 뭐라고 해 줘야 한단 말인가.

더 가관인 건 어디서 듣고 온 것인지 각자 흔히들 하는 답을 들고 왔다는 것이고, 화영은 다리 밑에서 아기를 주워 온다는 주장을, 운룡은 어미 새가 알을 물어 준다는 주장을 펼쳤다.

그중에서 답을 알려 주라니. 터무니없는 건 고사하고 만약 여기서 누구 하나 편을 든다면 그 이후에 벌어질 일이 뻔히 예상되기에 휘연이 골치가 아픈 듯 관자놀이를 꾹꾹 눌렀다.

"어마마마! 누구 다비 마싸옵미까? 소자가 마자찌요?"

"고집부통! 내가 마자!"

"씨잉! 내가 마따니까!"

"아니야! 바보! 아기는 다리 미테서 쭈어 온대써!"

"누가 바보라눈 고야! 아기는 어미 새가 무어 준대써!"

안타깝게도 둘 다 답이 아니다만. 서로 자기 말이 맞다고 주장하는 두 아이는 이미 고집에 불이 화르륵 붙은 듯 앙증맞은 두 주먹을 불끈 끌어 쥐고 노려보는 모습에 휘연은 절로 한숨이 터져 나왔다.

대체 누굴 닮아 이리도 엉뚱하고 고집이 센지. 평소에는 살뜰하게 서로를 챙기다가도 한 번씩 주장을 달리하면 이렇듯 죽자 사자 덤벼드는 통에 정말이지 골치가 이만저만 아픈 게 아니었다.

그렇다고 진실을 말해 주자니 그 또한 과한 것이 아닌가. 해서 이러지도 저러지도 못하고 휘연이 보기 드물게 미간을 잔뜩 찌푸리며 골똘히 생각할 때였다.

"이 녀석들, 또 무엇으로 어미를 피곤하게 하는 것이냐?"

"어? 아바마마!"

"아바마마!"

정원으로 들어서는 환백을 향해 반색을 하며 쪼르르 달려가는 두 아이와 그런 두 아이를 양팔로 가뿐하게 안아 들고 부드럽게 미소 짓는 환백을 보며 휘연은 어느새 찌푸린 미간을 부드럽게 풀었다.

세월이 흘렀다는 걸 여실히 보여 주는 일면이었다. 처음 황궁에 돌아와 두 아이를 봤을 때만 해도 환백은 인상만 찌푸렸을 뿐 이렇다 할 말 한마디 없이 외면하기만 했었기 때문이다.

그뿐만 아니라 매일같이 정해진 시간에 두 아이와 시간을 보내는 휘연을 방해하지 못해 안달을 냈었다. 그것도 장장 몇 개월을. 그럴 때마다 얼마나 골치가 아팠던가.

다시 생각해도 골이 지끈거릴 지경이었지만, 어느새 그런 기억조차 추억으로 되돌릴 수 있으리만치 흐른 세월에 휘연은 새삼스러운 기분으로 세 사람을 바라보았다.

아이들 특유의 꺄르르— 웃는 맑은 웃음소리와 호탕한 환백의 웃음소리에는 더 이상 그 어떤 근심도 없는 진정한 가족을 보는 것 같아 휘연은 무한한 행복과 느긋함을 느낄 수 있었다.

"이 시간에 어인 일이십니까? 정무는 다 보시고 오신 것이옵니까?"

"걱정하지 마시오. 잠시 쉬려고 나온 것이니 나무라지도 말고."

"폐하, 나무라다니요. 제가 어찌……."

황제를 나무란단 말인가. 휘연이 황망함에 살짝 얼굴을 붉히자 환백이 즐거운 듯 나직하게 웃음을 터트렸다.

"쿡쿡, 내가 가장 겁내는 사람이 황후가 아니오?"

그건 사실이다. 물론, 그 이상으로 뻔뻔한 것도 더한 진실이라 휘연은 헛웃음을 터트렸다.

"아바마마! 아바마마는 어마마마가 무섭다옵니까?"

"어마마마가 아바마마 마꾸 혼내시옵니까?"

"푸훗, 그래. 큭큭, 이 아비는 너희 어미가 세상에서 제일 무섭다. 너희 어미가 저리 자애로워 보여도 화나면 이 아비를 막 혼내기도 하지."

"폐하!"

"사실이잖소? 아하하하하—!"

황제를 혼내다니 가당키나 한 말인가? 절대 사실은 아니다. 단지 조용히 타일렀을 뿐이다. 물론, 휘연의 눈치 하나에도 전전긍긍하는 환백으로서는 그 차분한 태도가 오히려 불 같은 화보다 더 무서운 것도 사실이었다.

"헤에~ 어마마마는 소자를 예뻐하시는데, 아바마마가 쪼끔 부쌍합니다."

"뭐라? 이 녀석이, 이 아비 앞에서 자랑질이냐?"

"헤헤! 소자는 고짓말 안 합니다. 히히~ 그더치요, 어마마마?"

마치 자랑하지 못해 안달 난 것처럼 한껏 들뜬 표정으로 방글방글 웃는 운룡의 물음에 휘연의 얼굴 위로 절로 지어지는 미소가 짙어졌다. 어쩌면 저리도 사랑스러울까.

자랄수록 환백의 축소판을 보는 것 같아 더 그런 기분인지도 몰라도 실제 운룡의 외관은 환백의 어릴 적 모습을 그대로 떠올리게 할 만큼 닮아 있었다.

비단 운룡만이 아니었다. 어찌 된 노릇인지는 모르나 키운 정 때문일까. 자랄수록 화영은 친모인 혜원도, 환백도 아닌 자신을 닮아 가는 모습을 보여 주변을 놀라게 했다.

그 바람에 두 아이 모두 조금의 거부감도 없이 모두에게 사랑을 받고 있지만, 실상 두 아이 덕분에 삭막한 황궁이 한층 더 밝아진 것도 사실이라 하루도 웃음이 끊일 날이 없었다.

그래서인지 두 아이를 볼 때면 휘연은 더할 나위 없이 행복했다. 부디 이 행복이 오래도록 지속되기를 바라고 또 바랄 만큼 휘연은 현실에 만족했다.

물론, 세 사람이 말도 안 되는 고집을 피울 때는 살짝 피곤하기도 하지만. 어쩌겠는가. 행복을 누리자면 그 정도는 거뜬히 감당해야 하는 것을.

"바보! 어마마마는 나를 더 사랑해!"

"바보 아니야! 어마마마는 나를 사랑한다고 해써!"

"쯧쯧, 뭘 모르는구나. 너희가 아무리 그래도 어미는 이 아비의 것이야. 그러니 이 아비를 제일 사랑하지."

그러면서 뿌듯하다는 듯 턱을 세우고 히죽 웃는 환백을 보며 휘연은 헛웃음을 터트렸고, 두 아이는 잔뜩 심술 난 표정으로 분하다는 듯 울상을 지었다.

어쩌면 저리도 똑 닮았는지. 핏줄은 속일 수 없다더니 외모뿐만 아니라 참으로 엉뚱한 면도 똑 닮은 세 사람이었다.

"쿡쿡, 그나저나 또 무엇 때문에 입씨름을 하고 있었느냐?"

"아! 아바마마! 아기가 오찌 생기는지 아바마마는 아심니까? 어미 새가 무어 주는 거 마찌요?"

"아니다니까! 아바마마, 다리 미톄서 쭈어 오는 거 마찌요?"

"푸핫! 큭큭, 그러니까. 운룡은 어미 새가 아기를 물어다 준다는 주장이고, 화영은 다리 밑에서 아기를 주워 온다는 주장이란 말이지?"

"예, 아바마마!"

확실한 답을 줄 거라고 예상했는지, 눈을 초롱초롱 빛내며 동시에 고개까지 크게 끄덕여 답하는 두 아이를 보며 환백은 배를 잡고 웃어 젖혔다. 참으로 황제로서 채신머리없는 모습이다.

그러다가 한참만에 웃음을 그친 환백이 휘연과 두 아이를 번갈아 바라보며 슬그머니 입가를 끌어 올렸다. 그 웃음이 왜인지 음흉하게 보여 흠칫한 휘연이 떨떠름하게 입을 열었다.

“설마, 엉뚱한 답을 내놓으시려는 건 아니시겠지요?”

“그럴 리가 있소? 내 아이들다운 물음이라 신기해서 그런 거지, 별생각은 없소만.”

그렇다면 다행이지만 왜 이리도 불안한지 모르겠다.

“그래도 아비로서 궁금증은 풀어 줘야 하지 않겠소?”

“그거야 그렇지만…….”

도저히 믿음이 안 간다는 말은 차마 못 하고 휘연이 부담스럽게 바라보는 두 아이의 시선에 눈동자만 데굴데굴 굴리자, 환백이 나지막하게 웃음을 터트렸다.

“황후, 답은 내가 내줄 터이니 걱정하지 말고 일 보시오. 지금 한창 바쁠 때가 아니오?”

물론, 바쁠 때다. 잠시의 휴식 때마다 아이들과 시간을 보내지만, 일은 그만큼 차곡차곡 쌓이기에 사실상 이러고 있을 여유도 없었기 때문이다. 그런데도 휘연은 선뜻 자리를 털고 일어나지 못했다.

평소 같으면 조금이라도 더 같이 있으려고 옆에 찰싹 엉겨 붙어 생떼를 부려야 정상이거늘 어찌 이리 쉽게 보낸단 말인가? 안 그러던 사람이 그러니 더 불안한 것이다.

그렇다고 더 버티고 있기도 난감하고, 결국은 고개를 설레

설레 내저은 휘연이 마지못해 자리에서 일어나자 세 사람의 시선이 동시에 쏠렸다.

마치 무언가를 바라는 듯 잔뜩 기대감이 어린 세 쌍의 눈초리에 휘연이 나직한 한숨과 함께 번갈아 가며 부드럽게 입맞춤을 해 준 후에야 비로소 집무실로 갈 수 있었다.

그렇게 휘연이 사라지자 환백은 대놓고 음흉하게 웃으며 두 아이가 원하는 질문의 답을 내놓았다. 문제는 그 답이 사실에 근거했다는 것이고, 한참이나 걸려 끝이 났다는 점이다.

또한, 그 이야기를 듣는 두 아이의 표정이 다양하게 변했으며, 옆에서 듣고 있던 묵혼과 교령, 조관은 경악하며 뜯어 말렸다고 하니 무슨 말을 했는지는 어렵지 않게 짐작할 수 있었다.

하지만 짐작은커녕 꿈에도 생각하지 못한 휘연은 갑자기 변한 아이들의 태도에 당황한 나머지 몇 날 며칠을 끙끙거리며 고민에 빠질 수밖에 없었다.

❖

"아무래도 이상해."

"예? 무엇이 말이옵니까?"

"아이들 말이야. 너희가 봐도 어딘가 이상하지 않으냐?"

"아! 하긴, 요 며칠 두 분이 조금 이상하긴 하셨지요?"

"그러게요. 잘 노시다가도 갑자기 얼굴을 붉히시는 바람에 혹 열이 있나 싶어 얼마나 놀랐습니까?"

비단 그것만이 아니었다. 그전 같으면 환백이 나무라든지 말든지 어떻게든 같이 자려고 한 번쯤은 고집을 피웠다면 요 며칠 사이 그런 게 전혀 없었다.

아니, 그보다 더 당황스러운 건 아이들의 말 때문이다. 힘을 내라니? 밤에 밑도 끝도 없이 무슨 힘을 내란 말인가? 게다가 그 말을 할 때 아이들의 시선이 향한 곳도 이상하다.

집요하게 배를 바라보는 것 같은 느낌. 하물며 낮에도 매한가지다. 왜인지 요즘 들어 휘연을 보면 얼굴을 붉히거나 하염없이 배만 바라보는 통에 민망한 것이다.

그럴 때마다 환백은 뭐가 그리도 즐거운지 다소 방정맞은 웃음을 터트렸지만, 휘연은 갑작스럽게 변한 아이들의 태도에 이만저만 신경이 쓰이는 게 아니었다.

그렇다고 이유를 물어도 작정이라도 한 듯 입만 꾹 다물고 있고. 환백은 무언가를 알고 있는 것 같지만, 매번 물을 때마다 슬그머니 시선을 회피하거나 말을 돌려 버리니 답답할 노릇이다.

"후, 대체 무슨 일인지 모르겠구나."

"너무 걱정하지 마시옵소서. 설마 별일이야 있겠습니까?"

"워낙 엉뚱하니 그렇지."

휘연의 힘없는 중얼거림에 무심코 고개를 끄덕이던 두 사람이 때마침 정원으로 들어오는 두 아이의 모습에 환하게 미소 지었다. 짧은 다리로 용케 넘어지지 않고 쪼르르 달려오는 모습이 그렇게 귀여울 수가 없었다.

"어마마마!"

"후후, 천천히 와야지요. 넘어지면 어쩌려고?"

잔뜩 상기된 얼굴로 함박웃음을 터트리며 휘연의 품에 뛰어든 두 아이가 앞다투어 종알거렸다.

"어마마마! 어마마마, 오눌 이따마난 새 바싸옵니다! 이~따마 해싸옵니다!"

"어마마마! 오눌 해쩡이 싱기한 금새 나비를 자바싸옵니다! 해쩡이 찐기한 거라 해싸옵니다!"

고작해야 두 시진만이거늘 무슨 할 말이 그리도 많은지 아기 새가 지저귀듯이 쉴 새 없이 종알거리는 모양새에 휘연이 절로 터져 나오려는 웃음을 참아 내며 짐짓 표정을 엄히 굳히고 물었다.

"즐거웠다니 다행입니다. 헌데, 설마 오늘도 놀기만 한 건 아니겠지요?"

"......."

대답은 없었지만, 쉴 새 없이 종알거리던 입이 딱 닫히는 걸로 답은 나왔다. 그리고 오늘도 태사가 한 시진 동안 진을 뺐을 거라는 사실을 어렵지 않게 짐작한 휘연이 고개를 설레설레 내저었다.

아직은 어려 엄하게 가르치지는 않지만, 하루에 한 시진 기예를 배우고 한 시진 학문을 공부하는 것마저도 어지간히 싫은지, 틈만 나면 도망치고 악동 같은 장난을 쳐 대는 통에 도무지 진전이 없는 것이다.

그런 데다 환백도 도움을 주지 않기는 매한가지라 본궁까지 도망친 아이들을 돌려보낼 생각은 안 하고 오히려 숨겨주는 일이 태반이니, 휘연 혼자만 전전긍긍하는 일 또한 다반사였다.

'결코, 빠른 건 아닌데.'

간혹 자신이 너무 서두르는 건 아닌지 걱정하다가도 황족으로 태어난 이상 말문이 트일 때부터 학문을 접해야 했기에 세 살인 두 아이는 오히려 늦은 편이다.

게다가 자신만 해도 네 살 때 이미 어지간한 학문은 다 접해 보지 않았는가? 아무리 생각해도 늦은 감이 없잖아 있는데다 혹여 아이들이 흠이라도 잡힐세라 걱정부터 드는 것이다.

"후, 여러 가지를 배우는 것이 싫습니까?"

"시른 건 아닝데……."

"웅, 그니까……."

나름대로 변명을 하려는 듯 힐끔힐끔 눈치를 살피며 우물쭈물 빵빵하게 부풀려진 볼을 씰룩거리는 모습이 어찌나 귀엽고 사랑스러운지 휘연이 그만 참지 못하고 웃음을 터트렸다.

그 웃음소리에 두 아이의 표정 또한 순식간에 밝아진 건 말할 것도 없는 일이다. 매번 이런 식으로 얼렁뚱땅 넘어가게 되니 이것도 문제라 휘연은 자신도 어찌할 수 없는 상황에 반쯤 포기하고 말았다.

환백의 말대로 놀고 싶을 만큼 실컷 놀고 때가 되면 어련히 알아서 배울까 싶기도 하고, 정 아니다 싶으면 그전에 뭔가 수를 내도 내야겠다 싶은 마음도 드는 것이다.

“하아, 정말 못 당하겠군요. 좋아요. 아직은 놀고 싶은 마음이 더 큰 것 같으니 혼을 내지는 않겠습니다. 대신, 어미하고 약조나 하지요.”

“약됴요?”

“무슨 약됴요, 어마마마?”

“첫째, 스승님들께 심한 장난은 치지 않기. 둘째, 하루 반 시진씩 시간을 줄여 줄 테니 그때만큼은 싫어도 얌전히 기예와 학문을 익히기. 어때요? 이 정도는 할 수 있겠지요?”

“네! 어마마마!”

다행히 누구를 똑 닮아서 대답 하나는 잘한다만, 과연 그 약조를 제대로 지킬지는 의문이다. 그동안을 보더라도 전혀 믿음이 안 가는 걸 어쩌겠는가.

그렇다고 달리 뾰족한 수도 없고 딱히 강제로 다그치고 싶은 마음도 없어 휘연은 이 정도로 만족하고 넘어가자는 생각에 속으로 한숨을 삼켰다.

“어마마마! 긍데 동생은 언제 나옵니까?”

“쉿! 바보! 아바마마가 비밀이래짜나!”

“아차! 그래찌.”

난데없이 이건 또 무슨 말인가? 동생은 뭐고 비밀은 또 뭐란 말인지. 휘연이 의아함에 두 아이를 내려다보다가 또다시 시선이 자신의 배로 향하는 것에 미간을 살포시 찌푸려졌다.

이쯤 되자 휘연도 어느 정도는 짐작할 수 있었다. 보나 마나 환백이 또 이상한 소리를 잔뜩 늘어놓았다는 것을. 정말이지 또 무슨 사고를 친 건지.

잠잠하다 싶으면 한 번씩 터트리는 통에 또다시 골이 지끈거리는 것 같아 휘연이 나지막이 한숨을 내쉬고 두 아이의 대화를 유심히 새겨들었다.

“하디만…… 궁금한데.”

“다실은 나됴.”

궁금한 걸로 치자면 휘연 자신이 더하다는 걸 알까.

“빠이 나와더면 조케다!”

“열댜 이뗘야 댄댔써!”

도대체 뭐가?

“열댜는 너무 기러!”

“웅! 마자! 너무 기러.”

그러니까 뭐가? 대체 무슨 일인데 이리도 심각한 건지.

“그래됴 아바마마가 마꾸 힘내며 됴 빠르지 아늘까?”

“어마마마도 힘내아지!”

“긍데, 우리 열댜 동안 어마마마하고 모 따는 고야?”

“웅! 아바마마가 그래뎌. 다꾸 방해하몬 동섕 모뽄다구. 마꾸 마지드묘 두이만 이써야 댄댔써.”

“아바마마눈 욕신재미야.”

“하아, 하쑤엄다나.”

“후우—기다리눈 거 힘두러.”

얼씨구 이젠 한숨까지. 거참, 어린 아기 둘이 심각한 얼굴로 머리를 맞대고 하는 대화라니. 그 모양새가 귀엽고 사랑스러운 건 확실하지만, 무슨 소린지 도통 알아들을 수가 없으니 통탄할 일이라.

지켜볼수록 답답함이 목까지 차오르는 느낌에 휘연이 아소와 무영을 돌아보자 못 알아듣기는 매한가지인지 어색한 웃음만 되돌아왔다. 대체 이 일을 어찌해야 하나.

이대로 모르는 척 넘어가자니 환백이 친 사고가 걱정이고, 계속 듣고 있자니 제대로 된 발음이 아닌지라 혼란만 더 쌓이는 것 같아 휘연이 잠시간 생각한 끝에 두 아이 앞에 쭈그리고 앉았다.

환백에게 물어봐야 요리조리 잘만 빠져나갈 테고, 세 사람을 다그쳐도 난감함에 침묵으로 일관할 게 뻔한 일. 순수한 아이들을 다그치는 것 같아 썩 내키지는 않았지만, 이왕지사 알아내기로 한 거 휘연은 태연하기로 마음먹었다.

"둘 다 어미 보세요. 아바마마가 뭐라고 하셨는지 어미에게 말해 줄 수 있습니까?"

"에? 안 대눈데……."

"우웅…… 아바마마가 꼬옥 비밀이래싸옵니다."

"흐음, 그래요? 이 일을 어쩌나……."

일부러 말끝을 흐리며 들으라는 듯이 한숨까지 내쉬자 두 아이의 어깨가 흠칫 떨리더니 이내 두 눈을 휘둥그레 떴다. 환백을 닮아 눈치는 비상한 덕분에 휘연의 표정이나 말투가 심상찮다는 걸 느낀 것이다.

그래서인지 무슨 말이 나올지 긴장한 듯 몸을 딱딱하게 굳히고 눈동자만 데굴데굴 굴리며 힐끔힐끔 눈치를 살피기 시작했다. 어찌나 눈동자를 바삐 굴려 대는지 데구루루— 구르는 환청이 들리는 것 같았다.

그 모습에 휘연이 자꾸만 터지려는 웃음을 간신히 참으며 다시 태연하게 말을 이었다. 물론, 얼굴 위로 애절한 표정을 덧씌우는 것도 잊지 않았다.

"섭섭하군요. 어미에게 비밀이 생기다니……. 후, 이 어미는 가슴이 아픕니다."

그러면서 지극히 슬프다는 듯 손으로 살포시 얼굴을 가리며 그대로 자리에서 일어나자 두 아이도 덩달아 화들짝 놀라 벌떡 일어났다. 그리고는 덥석!

휘연의 양다리에 찰싹 매달린 채 안절부절못하며 발만 동동 구르는 두 아이의 모습에 휘연은 또다시 터져 나오려는 웃음을 가까스로 참아야 했다. 오죽했으면 몸이 부들부들 다 떨릴까.

그건 비단 휘연만이 아닌지라 지켜보는 세 사람과 내관들도 필사적으로 웃음을 참고 있었다. 그만큼 두 아이의 모습은 귀엽다 못해 깨물어 주고 싶을 정도였지만, 두 아이는 나름대로 심각했다.

세상에서 제일 사랑하는 휘연을 아프게 하는 건 싫은데 그렇다고 말을 하자니 환백의 말이 마음에 걸리는 것이다. 절대 비밀이라고 신신당부하지 않았는가.

도대체 어찌해야 할지, 작은 머리로 어지간히 고민하는 듯 끙끙 앓는 소리가 들리자 휘연이 들리지 않게 피식 웃으며 쐐기를 박을 요량으로 다시 말을 이었다.

"굳이 마음이 내키지 않으면 안 하셔도 됩니다. 섭섭하고 가슴이 아파도 어쩌겠습니까? 어미가 이해해야지요. 후, 슬프지만…… 어미는 괜찮습니다.”

전혀 안 괜찮은 것 같은 표정과 말투면서 어쩌면 이리도 태연하게 말하는지. 휘연의 말 한 마디 한 마디에 움찔움찔거린 두 아이가 더는 버티기가 힘든 듯 서로 시선을 맞추었다.

그리고는 마치 비장한 각오라도 한 듯 고개를 끄덕이더니 불안한 마음을 대변하듯 천천히 손가락을 쪼물쪼물, 복숭앗빛으로 물든 통통한 볼을 씰룩이며 작고 앙증맞은 붉은 입술을 오물거리기 시작했다.

“어마마마…….”

“사디…… 아바마마가……”

두 아이의 이야기는 길었다. 그것도 엄청! 문제는 두서가 없이 뒤죽박죽인 데다 안 그래도 정확하지 않은 발음이 입안에서 웅얼거리다시피 흘러나오자 이야기의 태반은 흘러 들어야 했을 정도였다.

그럼에도 이야기를 듣는 사이사이 휘연의 표정은 새하얗게 질렸다가 목까지 발갛게 붉혔다가 그야말로 시시각각으로 변했다. 용케도 알아서 흘려 들을 건 흘려 듣고 중요한 부분은 끼워 맞춘 덕분에 비밀을 알아낸 탓이다.

그 바람에 휘연은 이야기가 끝나고 힐끔 눈치를 살피는 두 아이에게 그 어떤 말도 하지 못한 채 한참이나 고개를 푹 숙이고 있어야 했다. 맙소사! 뭐라고 한단 말인가?

입을 열기는커녕 쥐구멍이라도 있으면 숨고 싶은 심정이

거늘! 지금껏 살아오면서 이렇듯 고개조차 들지 못할 정도로 부끄러웠던 건 맹세코 처음이었다.

결국, 아소와 무영이 어색하게 웃으며 두 아이를 돌려보낼 때까지도 휘연은 붉게 물든 얼굴을 푹 숙이고 있었고, 한참 만에야 주먹을 불끈 끌어지며 고개를 들어 올렸다.

"저기, 마마?"

"괜찮으시옵니까?"

"아니."

괜찮을 리가 있나. 뻔뻔한 것도 정도가 있지! 환백이 있는 본궁을 매섭게 노려보던 휘연이 나지막이 호흡을 가다듬고 차분하게, 그리고 단호하게 말했다.

"폐하께 열흘간 황후궁 근처에는 얼씬도 말라 하고, 만약 이를 어길 시 그 기한이 더 늘어난다는 걸 명심하시라 전하거라."

그리고는 미련 없이 돌아서는 휘연을 보며 세 사람을 비롯해 내관들은 기겁했다. 이런 청천벽력 같은 일이! 조금만 일이 늦어져도 안달복달하는 환백에게 열흘이나 출입을 금한다니!

그게 말이나 될 법한 일인가? 그런 명을 전했다가는 목이 댕강 날아갈 것이다. 물론, 많이 부드러워진 덕분에 그렇게까지야 하겠나 싶지만 절대 안심할 수 없는 것도 사실이다.

휘연에 한해서만은 한없이 속이 좁아터지다 못해 좁쌀만 하지 않은가. 보나 마나 이 말을 들었을 때 되돌아올 환백의 반응이 훤히 보이는 것 같아 저마다 얼굴에 깊은 시름을 드리우고 땅이 꺼지라 한숨을 내쉬었다.

'끙, 제발 별일 없기를.'

바람대로 되면 오죽 좋을까 싶지만. 안타깝게도 휘연의 말이 일으킨 파장은 모두의 예상을 훨씬 더 뛰어넘는 것이었다.

九章

일상

유한을 통해 휘연의 명이 전해진 첫날. 과히 세상이 무너지기라도 한 듯한 표정으로 괴성을 지른 환백이 당장에라도 황후궁으로 쳐들어가려는 걸 세 사람이 필사적으로 매달리며 일단락되는 것 같았다.

그러나 안타깝게도 그건 순간에 지나지 않았다. 그 이후로도 틈만 나면 달려가려고 날뛰는 환백을 말리자니 세 사람 얼굴에는 멍이 가실 날이 없었고, 시종장과 본궁의 궁인들은 살벌함에 숨조차 쉬지 못했다.

오죽했으면 마음을 안정시키는 약초를 다 피웠을까. 물론, 그조차도 소용이 없었고 이튿날은 더 날뛰는 통에 차라리 뒤통수라도 후려쳐 기절이라도 시켜야 하나를 심각하게 고민하는 수준까지 갔었다.

비단 세 사람과 시종들만의 고생은 아니었다. 정무를 보다가도 시도 때도 없이 발작을 일으키는 통에 대소신료들이 기함한 적이 한두 번이 아니었다. 특히 문관들은 흉흉한 기세에 맥을 못 추고 기절 직전까지 갔다면 말 다한 것이다.

그중에서도 가장 억울한 이들은 본궁과 황후궁을 통과하는 숭오문의 문지기들이었다. 맡은 바 직무를 다하는 그들로서는 하루에도 몇 번이나 터무니없는 말로 시비를 걸어 대는 환백 때문에 한마디로 딱 죽을 맛이었기 때문이다.

'하루 종일 황후를 볼 수 있다니, 네놈들은 좋겠군.'

그러면서 무시무시한 살기를 쏟아 낼 때는 정말이지 억울했다. 너무 억울해서 할 말은 차고도 넘쳤지만 어쩌겠는가. 한낱 문지기가 황제한테 덤벼들 수는 없는 노릇인 것을.

아무리 억울해도 말도 안 되는 이유로 목이 날아가고 싶지는 않으니 납작 엎드릴 수밖에 없는 것이다.

그리고 오늘 사흘째. 어김없이 정무는 내팽개치고 아침 댓바람부터 찾아와 시비부터 터시는 황제 폐하.

"황후는 봤나?"

냉기가 뚝뚝 떨어지다 못해 왜인지 삐딱하게 들리는 환백의 목소리에 문지기들은 오금이 저려 바닥으로 납작 엎드렸다. 오늘은 또 무슨 일로 억장을 무너지게 할지, 모은 두 손은 벌벌 떨리고 등 뒤로 식은땀이 흘렀다.

"폐, 폐하."

"그, 그것이 오늘은……."

"봤겠지. 네놈들도 눈이 있으면 그 아름다운 자태를 못 볼

리가 없지."

도대체 어쩌라고! 혼자 묻고 혼자 답할 것 같으면 차라리 묻지를 말던가! 마치 철천지원수라도 대하는 것처럼 흉흉하게 노려보는 통에 문지기들은 이러지도 저러지도 못하고 속으로 눈물만 흘렸다.

이대로 조금만 더 있으면 겉으로도 닭똥 같은 눈물을 뚝뚝 흘릴지도 모를 일이었다. 그런 그들을 측은하게 바라보던 이들이 고개를 설레설레 흔들자 잠시의 정적을 뚫고 음산한 목소리가 흘러나왔다.

"오늘도 아름다웠겠지?"

이 질문은 어제도, 그제도 했던 물음이다. 처음엔 너무 긴장한 탓에 답을 못 했다가 반항이냐는 터무니없는 시비로 식겁을 했었고, 두 번째는 인정만 했다가 눈도 아니라며 당장 뽑니 마니 난리를 피웠었다.

해서 오늘은 반드시 환백이 원하는 대답을 할 생각으로 연습까지 했던 문지기들은 비장하게 심호흡까지 하고 납작 고개를 조아린 채 답했다. 이 정도면 무난하지 않을까 내심 기대를 하면서.

"그, 그렇사옵니다, 폐하. 화, 황후마마께서는 오늘도…… 아, 아름다우셨사옵니다."

"누, 눈이 부실 정도로…… 아름다우셨사옵니다."

"뭐야? 이런 시건방진 놈들! 감히 황후를 똑바로 봤단 말이냐?!"

"히익! 폐, 폐하! 그것이 아니오라…… 죽을죄를 졌사옵니다!"

대체 어느 장단에 맞추라는 겁니까?! 이제는 정말 빼도 박도 못 하고 죽었구나, 하는 생각에 문지기들이 오줌이라도 지릴 태세로 부들부들 떨 때였다.

천만다행히도 질긴 목숨이라 아직 죽을 때는 아니었는지 유한이 모습을 드러내며 공기는 삽시간에 유해졌다.

"주군, 마마의 전언이옵니다."

"그래?! 황후가 뭐라 하더냐? 당장 만나겠다고 하지? 분명히 그리 말했지?"

그리만 되면 더 바랄 게 없겠지만. 안타깝게도 그게 아닌지라 유한은 반짝반짝 기대 섞인 환백의 눈빛을 어색하게 피하며 휘연의 전언을 전했다.

"마마께서 말씀하시길, 애꿎은 병사들 그만 괴롭히시고 당장 정무 보러 가시라고 하셨습니다."

"뭐? 황후가…… 진정 그리 말했단 말이냐?"

"그리고……."

"그리고 뭐?!"

"큼! 한 번만 더 이런 식으로 말썽을 피우시면, 기한을 무한정으로 늘리시겠다고 하셨습니다."

맙소사! 황제한테 말썽이라니. 아니, 그거야 워낙에 딱 맞아떨어지니 그렇다 치더라도 이틀도 겨우 버텼는데 무한정이라니!

'황후마마! 살려 주시옵소서!'

죽으라는 것도 아니고 무한정이라니 절대 안 될 말! 모두가 한결같은 마음으로 망연자실할 때, 어지간히 충격이었던 듯 멍하니 서 있던 환백의 안면 근육이 미세하게 떨리기 시작했다.

부들부들 떨리는 건 비단 주먹만이 아니었다. 눈가도 파르르 경련이 일고 인내심이 극에 달한 듯 환백은 오늘도 역시나 지난 이틀간의 전철을 정말 똑같이 밟고 있었다.

“황후가, 무한정……. 크악! 그러는 게 어딨어?! 하찮은 이 놈들도 보는데 왜 나는 못 보는 것이야!”

“주, 주군!”

“이거 놔! 당장 만날 테다!”

“안 됩니다! 마마를 더 화나시게 할 뿐입니다!”

“더 이상은 못 참아!”

“끙, 강제로 모셔!”

“놔라! 놔! 황후! 휘연!”

어쩌면 이리도 애달픈지. 흡사 이역만리 떠나는 연인을 애타게 부르듯 거의 울부짖다시피 버둥거리는 환백을 세 사람이 강제로 데리고 사라지자 비로소 숭오문 앞은 침묵이 찾아왔다.

그제야 잔뜩 긴장한 몸을 푸는 문지기들의 얼굴에서 참고 참았던 닭똥 같은 눈물이 뚝뚝 흘러내리고, 어지간히 서러운 듯 서로를 끌어안은 채 대성통곡했다. 정말이지 서러웠다.

지난 이틀간 왔다 하면 말도 안 되는 일로 시비나 걸다가 결국에는 한바탕 난리를 피우고서야 사라지는 통에 하루에도 몇 번이나 죽다 살아나니 오죽할까.

“히끅— 우리가 무슨 잘못을 했다고……. 아이고, 억울해.

허엉!"

"나 정말…… 굶어 죽어도 이 짓 때려치울 거야. 엉엉! 불안해서 살 수가 없어."

심각하기는 비단 이들만이 아니었다. 고작 이틀 사이에 십 년은 늙은 듯한 모습으로 시름에 잠긴 대소신료들은 그야말로 죽을상을 하고 있었기 때문이다.

"대사공께서 어찌 안 보이시오?"

"아, 소식 못 들어셨소이까? 아침 일찍 인편에 연락이 왔는데 몸져누우셨다고 하더이다."

"허어! 대사공마저 쓰러지시다니. 이 일을 어쩌면 좋소."

"끙, 그러게나 말입니다. 오늘은 또 얼마나 버틸 수 있을지. 후, 생각만 해도 암담하외다."

공부상서의 말을 끝으로 넓은 대전 안에 자리한 신료들의 입에서 탄식 섞인 한숨이 동시 다발로 튀어나왔다. 하루가 다르다고, 아마 사흘째인 오늘은 더하면 더했지 덜하지는 않을 것이기에 이들의 시름은 더욱 깊어졌다.

어쩌면 오늘로 남은 문관들마저 죄다 몸져눕지 않을까. 그나마 무관들이야 강심장이라 버틸 만하다지만, 워낙 심약한 문관들은 환백의 흉흉한 살기를 감당한다는 자체가 말도 안 되는 것이다.

"후, 오늘은 또 뭐로 트집을 잡으시려나."

"애초에 예측할 수가 없잖소? 말도 안 되는 걸로 트집을 잡으시는데 예측은 무슨."

기가 막힐 노릇이었지만 사실이었다. 어찌나 유치한 걸로 트집을 잡아 대는지, 그것만으로도 어이없는 마당에 집요하기가 이를 데가 없어서 한 번 걸렸다 하면 기절하기 직전까지 물고 늘어진다는 게 말이나 될 법한 일인가?

"끙, 이대로는 안 되겠습니다. 뭔가 수를 내도 내야지요."

"무슨 방도가 있소이까?"

"왕야께 부탁해 보는 건 어떻겠소이까?"

"아무리 왕야라도 이번 일은 소용이 없을 것입니다. 황후마마시라면 또 모를까."

"그렇지! 우리 이를 게 아니라, 황후마마를 알현하는 건 어떻소?"

"그럴 수만 있다면야 좋겠지만, 폐하께서 허락하실지. 워낙……."

질투가 심하다는 말은 차마 못 하고 말끝을 흐리는 예부상서의 말을 찰떡같이 알아들은 신료들의 낯빛이 어둡게 가라앉았다. 안 그래도 말도 안 되는 걸로 틈만 나면 트집을 잡아 대는데 황후를 직접 알현하다니!

그걸 곱게 받아들일 환백이 아닌지라, 이보다 더 큰 파문을 불러올지 모를 일이기 때문이다. 그렇다고 마냥 이대로 있을 수도 없다. 이틀도 겨우 버텼는데 열흘을 어찌 버틴단 말인가?

"그래도 시도는 해 봅시다. 어차피 트집 잡히기는 매한가지 아닙니까?"

"황후마마를 직접 알현하는 일입니다. 단순히 트집 잡히는 걸로 안 끝날 수도 있다는 것이지요."

"태사께서 전화와 황녀마마의 교육 때문에 만나는 것도 감시가 심하다고 들었소이다. 헌데 우리가 알현한다고 하면, 폐하께서 곱게 보시겠습니까?"

"아무래도 그렇겠지요?"

"허어! 이런 답답할 데가. 대체 무슨 사고를 치셔서 황후마마 같은 분이 이리 화를 내시는지. 끙—"

"그러게 말입니다. 어지간해서는 화를 내실 분이 아니신데."

상세한 내막을 모르니 더 답답할 노릇이라 여기저기 진득한 한숨만 쏟아 낼 때였다. 무거운 침묵을 깨고 들려오는 헛기침 소리에 일제히 고개가 대전 입구로 향했다.

"시종장 아닌가?"

"큼! 황제 폐하의 전언입니다. 오늘 조례는 없다고 하시면서……."

미처 말이 다 끝나기도 전에 조례가 없다는 것만으로도 반색하는 신료들을 보고 시종장이 어색하게 웃으며 말을 이었다.

"단, 일이 해결될 때까지 퇴궐할 생각은 꿈도 꾸지 마시랍니다."

"엥? 그, 그게 무슨 말인가? 퇴궐하지 말라니?"

"설마, 열흘 기한까지 말인가?"

"아니, 왜?!"

"그러니까 그게, 폐하께서 말씀하시길……."

"아, 속 시원히 말해 보게! 폐하께서 뭐라고 하시었나?"

누군들 속 시원히 말하고 싶지 않을까. 했다가는 보나 마나 되돌아올 반응이 뻔해 쉽사리 말을 못 꺼내는 것이지.

"시종장?"

"후, 폐하의 말씀을 그대로 전하겠습니다. 큼! 군주가 고민하는데 아랫것들이 식음을 전폐하고 그 고민을 해결해 주지는 못할망정 편한 꼴은 못 본다. 해서 일이 해결되기 전까지는 일절 퇴궐할 수 없다! 라고 하셨습니다."

"커헉!!"

이런 안타까울 데가. 시종장의 말이 끝나자마자 몇몇은 뒷목 잡고 쓰러지고 나머지는 턱이 빠지라 입을 벌리고 경악했다. 심보가 고약해도 정도가 있지! 무슨 이런 경우가 다 있단 말인가?

막말로 잘못은 황제가 했으면서 왜 애꿎은 자신들이 죽어 나가야 하는지. 좀처럼 충격에서 헤어 나오지 못하는 대소신료들을 돌아보며 고개를 설레설레 내저은 시종장이 조용히 대전을 빠져나갔다.

아마도 며칠 내로 몸져눕는 신료들이 속출하지 않을까. 그렇게 아침 댓바람부터 제대로 충격받은 대소신료들이 기어코 한 가지 결론에 도달하기까지는 결코 오래 걸리지 않았다.

"다들 정신 차리고 갑시다! 어차피 이래 죽으나 저래 죽으나 매한가지가 아닙니까?"

"그렇습니다! 나중에야 어찌 되더라도 일단은 부딪혀 봐야지요."

"그러는 게 좋겠습니다. 자자, 어서들 갑시다!"

하나둘 수긍하며 자리에서 일어나고 일제히 대전을 빠져나가는 신료들의 얼굴이 사뭇 비장하다. 그렇게 본궁을 나선

이들이 향한 곳은 황후궁이었다.

난데없이 떼로 몰려드는 신료들에 당황한 문지기들이 미처 막아서기도 전에 허락도 없이 황후궁에 난입한 신료들은 황후의 개인 집무실이 있는 현청전(炫淸殿) 뜰에 자리를 잡고 부복했다.

본시 내정의 중심인 황후궁에 황제와 황후의 윤허 없이 들어올 수는 없는 일이라 이같이 신료들이 떼로 몰려든 건 역사상 처음 있는 일이었다. 그에 당황한 황후궁 내관들이 허둥지둥거릴 때 아소가 난감한 얼굴로 신료들 앞에 나섰다.

"황후마마의 윤허도 얻지 않고 어찌 이러십니까? 폐하께서 아시면 경을 치실 테니 어서 물러들 가십시오."

"내종관, 절차를 무시한 벌은 차후 받을 터이니 황후마마를 뵙게 해 주게."

"오늘 황후마마를 뵙기 전에는 절대 물러설 수 없소이다!"

"황후마마! 신들이 뵙기를 청하옵나이다!"

"황후마마!!"

승상 장호준을 선두로 앞다투어 간청하는 신료들에 아소가 난감함에 이도 저도 못하고 있을 때, 이 소식을 들은 환백은 불같이 노성을 터트렸다.

"뭐?! 이것들이 미쳤나! 감히, 거기가 어디라고 들어가! 내 이것들을 죄다 죽여 버려야지!"

"주군! 일단 참으십시오."

"연유는 알아야 할 것이 아닙니까?"

연유라고 해 봐야 뻔히 예상할 수 있었지만, 휘연에 한해서는 속이 좁아터진 환백은 다른 건 일절 생각하지 못했다. 단순히 질투에 눈이 먼 것이다.

"다 필요 없다! 내 이것들을 오늘 요절을 내고 말 테다!"

"헉! 주, 주군!"

사람 하나는 거뜬하게 찢어발길 태세로 흉흉한 살기를 흘리며 집무실을 뛰쳐나가는 환백을 따라 세 사람이 울상을 짓고 따라붙었다. 하지만 환백의 그 기세는 숭오문 앞에 도달했을 때 씻은 듯이 사라졌으니.

"황후마마! 부디 명을 거두어 주시옵소서!"

"통촉하여 주시옵소서, 황후마마!"

"통촉하여 수시옵소서!"

"……이게 무슨 소리지?"

'무슨 소리긴요. 신료들도 살려고 발악하는 소리지요.'

오죽했으면 황후궁에 난입까지 했을까. 그 심정을 백 번 이해할 수 있어 세 사람이 고개를 설레설레 흔든 것도 잠시, 환백의 모양새에 기가 막힌 듯 실소를 흘렸다. 흉흉한 기세는 어디로 가고?

현청전이 보이지도 않은 숭오문 문짝에 찰싹 달라붙어 말소리라도 들을 거라고 귀를 쫑긋 세운 채 목만 쭈욱 빼고 안절부절못하는 꼴이라니. 황제로서 체통마저 다 말아먹은 모습이지 않은가.

"주군, 요절을 내신다더니 안 내십니까?"

"닥쳐라. 으으, 젠장. 내가 왜 이 꼴을 해야 하는 거냐고."

'그러게 말릴 때 그만하셨으면 이런 일도 없었을 거 아닙

니까.'

하여간 평소에는 흠잡을 데 없이 완벽한 황제로서 행동하다가도 황후마마 문제와 엮이기만 하면 엉뚱하기가 이를 데가 없으니, 그저 기가 막힐 따름이라 나오는 건 한숨뿐이다. 하루 이틀도 아니니 새삼스러울 것도 없지만.

그렇게 환백과 세 사람이 몰래 사태를 지켜보는 동안 신료들의 주청은 계속됐고, 결국 끝까지 무시하지 못한 휘연의 대답으로 여기저기 안도의 목소리가 흘러나왔다.

물론, 직접적으로 명을 거둔다는 말은 하지 않았다. 그저 생각을 해 보겠다고만 했지만, 그것만으로도 큰 성과를 거둔 것이나 매한가지라 환백의 표정은 더할 나위 없이 풀어졌다.

오죽 기분이 좋았으면 숭오문을 나서는 신료들이 환백을 보고 경악한 나머지 예를 차리지도 못하고 굳어 있는 모습에도 히죽히죽 웃으며 가볍게 손만 내저었을까. 훠이! 훠이! 속히 사라지라는 듯이.

"주군, 어쩌실 생각이십니까?"

"뭘 어째? 당장 만나야지."

"그래도 좀 더 기다리시는 게 좋지 않겠습니까?"

"아니. 당장 만나겠다."

여기서 더 미루다간 무슨 사태가 벌어질지 자신도 파악하지 못할 만큼 환백에겐 사흘이 한계였다. 더 정확히는 사흘도 다 채우지 못했지만, 그사이 휘연을 못 봤다는 건 환백에게 세상이 무너지는 것과도 같았기 때문이다.

그래서인지 몇 번에 걸쳐 깊게 심호흡을 하고 숭오문 안으로 성큼 들어서는 환백의 표정은 그 어느 때보다 비장함을 드리우고 있었다. 전쟁터 한가운데서도 이 정도로 긴장하지는 않았으리라.

'휘연! 이제 곧 그대를 만날 수 있겠지.'

글쎄. 과연 쉽게 만날 수 있을지는 모를 일이다.

◈

"뭐? 황후가 없다니?!"

방금까지도 현청전에서 신료들을 만난 걸 알고 왔는데 없다니? 설마 자신을 만나지 않으려고 그러는 것인가 싶어 환백의 얼굴이 일그러지려는 찰나에 내관이 황급히 아뢰었다.

"잠시 눕고 싶으시다며 침소로 가셨사옵니다."

"뭐라? 어디가 아프단 말이냐? 대체 어디가?!"

그야 누구 때문이지만, 정작 일을 벌인 환백은 전혀 자각하지 못하는 듯 애꿎은 내관들만 죽일 듯이 노려보니 통탄할 일이라.

"궁의는? 궁의는 불렀느냐? 아니다. 내 직접 가 봐야겠다."

혹여 휘연에게 문제라도 있을세라 긴장했던 게 무색하게 거침없이 침전으로 향하고, 황급히 부복하는 내관들을 지나쳐 몇 개의 문을 열고 들어가 마지막 문만 놔두고 멈칫거렸다.

이 문만 열면 휘연을 볼 수 있건만. 어찌 이리도 떨리는지, 환백이 마른침을 꿀꺽 삼키고 부들부들 떨리는 손만 쥐락펴락하기를 한참 후, 슬며시 아소를 향해 고개를 돌리고 작게 속삭였다.

“황후의 기분이 어떠하더냐?”

“그것이…… 좋지는 않았사옵니다.”

“그, 그래? 으으, 젠장. 무턱대고 들어가면 화내겠지?”

딱히 누구한테 묻는 말은 아니었지만, 황후궁 침전 가장 깊숙한 곳까지 들어올 수 있는 여섯 명은 단호하게 수긍하며 고개를 끄덕였다.

“먼저 허락을 받는 게 좋겠습니다, 주군.”

“화를 안 내시던 분이 화나면 더 무섭다는데, 아직 화가 안 풀리셨잖습니까.”

“쳇, 나도 그 정도는 알아.”

정말 제대로 아는지 묻고 싶지만, 안절부절못하며 마른침만 꿀꺽꿀꺽 삼키는 환백의 모습에 나지막이 한숨을 내쉬며 입을 다물었다. 어찌 됐든 허락 없이 들어왔으니 이곳에서 결판을 봐야 하는 것이다.

그리고 이왕이면 제발 무사히 해결되기를 진심으로 바라고 있었다. 그렇지 않다면 신료들이나 황궁 안에 거주하는 이들의, 자신들을 제외하고는, 하루가 다르게 쓰러지는 이들이 속출할 것이기 때문이다.

자신들도 매번 날뛰는 환백을 말리는 게 버거운 마당에 다른 이들이 그 흉포한 살기를 어찌 견딘단 말인가. 이래저래 오늘을 넘기지 않고 해결을 봐야 하는 일이라 여전히 굳어 있는 환백을 향해 무언으로 재촉했다.

빨리 시작하라는 의미의 눈빛이었다. 평소 같으면 그 불경한 눈빛에 노발대발했겠지만, 상황이 상황인지라 환백은 슬그머니 고개를 끄덕이고 나직하게 호흡을 가다듬고야 입을 열었다.

"황후? 나요. 듣고 있소? 황후~"

"저기…… 주군, 그래서는 절대 안 들릴 것 같습니다만."

엉거주춤 문짝에 딱 붙어서 작게 속닥거리는 말이 진정 들릴 거로 생각하는 건가?

"안 들린다고?"

"……그럼 들릴 것 같습니까?"

"젠장. 큼! 커험! 화, 황후! 나요. 안에 있소?"

물론 있다. 다만 대답이 돌아오지 않을 뿐.

"황후, 우리 이러지 말고 얼굴 마주하고 대화를 합시다. 그대와 나 사이에 문이 가로막고 있다니, 이게 말이나 될 법한 일이오? 그러니 어서 이 문 좀 열어 보시오."

"주군, 순서가 틀렸잖습니까? 우선 잘못부터 비십시오."

"잘못? 아! 그렇지. 큼! 황후, 내가 잘못했소! 그렇게까지 말할 생각은 없었는데, 나도 어쩌다 보니 실수를 한 것이오. 그래도 내 잘못을 인정하고 이틀간 자숙하지 않았소?"

그게 자숙이었습니까? 라는 말은 차마 못 하고 하나같이 어이없는 얼굴로 바라보고 있자니 이어지는 말은 더 가관이라.

"사실 아이들도 알 권리가 있잖소?"

물론, 알 권리는 있다. 다만 그 정도가 넘어서도 한참을 넘어섰다는 게 문제지. 세상천지에 세 살짜리 아이들에게 부부관계를 상세히 설명한다는 게 말이나 될 법한 일인가?

"그렇다고 내가 잘했다는 건 아니오. 그래도 아비로서 거짓을 가르쳐 줄 수는 없어서 내 그리한 것이지, 맹세코 다른 뜻이 있었던 건 아니오."

대신 분명한 의도는 있었다. 아이들이 밤이면 휘연의 곁에 딱 붙어서 안 떨어지고 같이 자려고 고집을 피워 대니 떨쳐낼 요량으로 그런 말을 한 것이기 때문이다.

"후, 주군. 그냥 잘못만 비십시오."

"응? 왜?"

"거기서 더 말씀하시면, 아마도 황후마마의 화가 더 커질 것 같아서 말입니다."

교령의 힘없는 중얼거림에 다른 이들도 동조하듯 고개를 끄덕이자 환백이 나직하게 혀를 찼다. 나름대로 변명을 해 보려는 의도였는데 잘못인가 보다.

"황후, 내가 무조건 잘못했소. 정말이오. 내가 잘못했소. 그러니 문 좀 열어 주시오. 황후~"

"……."

"내가 이리 잘못을 빌지 않소? 부인, 서방님 다리 아픈데 이리 세워 둘 참이오? 너무 매정하게 그리하지 말고 문 좀 열어 주시오."

"……."

"부인! 휘연, 문 좀 열어 주오. 응? 잘못했다지 않소. 휘연~아, 정말 미치겠네. 연아! 서방 다리 아프다! 문 좀 열어라, 제발."

'맙소사. 차라리 귀를 막자.'

어째 잘나간다 했더니 아니나 다를까.

"좋아! 자꾸 이리 고집 피우면 나도 생각이 있다!"

또 무슨 말을 하려는지 문짝에 찰싹 달라붙은 몸을 떼더니 팔짱까지 끼고 씩씩거리기까지. 또 무슨 엉뚱한 말이 튀어나올지 몰라 노심초사하던 이들이 미처 말리기도 전에 불쑥 튀어나온 말이란.

"나 일 안 해!"

역시나.

"일이고 뭐고 쫄쫄 굶으면서 문 열어 줄 때까지 여기서 꼼짝도 안 하겠다!"

결국은 협박이다. 그러나 천만다행인지 불행인지 그 소리에 이제껏 열릴 기미조차 없던 문이 거칠게 벌컥 열렸으니, 화들짝 놀란 환백이 순식간에 팔짱을 풀고 멀찌감치 떨어졌다.

"지금 뭐라고 하셨습니까?"

"어어? 아, 아니 내가 뭐라고 했다고 그러오? 나, 아무 말도 안 했는데?"

이런 황당할 일이, 시치미 뗄 게 따로 있지! 저마다 어이없다는 얼굴로 볼 때 휘연은 명백히 한심하다는 얼굴로 고개를 내저었다. 그런 휘연을 향해 환백이 어색하게 웃으며 슬금슬금 다가갔다.

"그게, 처음부터 그런 말을 할 생각은 없었는데, 이야기하다 보니까 나도 모르게 진정이 안 돼서 그만……. 하하, 그대 이야기만 나오면 나도 모르게…… 그렇게 되고 마네?"

그걸 말이라고 하는지. 골이 지끈거리는 것 같아 휘연이 관자놀이를 꾹꾹 누르자니 환백이 애처로운 표정으로 눈치를 살폈다. 그 와중에도 혹여 문이라도 닫힐세라 양쪽 문을 꼭 잡고 버티는 것도 잊지 않는다.

"저기, 화 많이 난 것이오? 한 번만 봐주시오? 응? 내 이리 잘못했다지 않소?"

"잘못인 건 알고나 있습니까?"

"당연하지! 내가 그것도 모를까 봐 그러오?"

예, 모를까 봐 그럽니다, 라는 말이 목구멍까지 치밀어 올랐지만, 왜인지 해 봐야 소용없을 것 같아 휘연은 반은 자포자기한 심정으로 나지막이 한숨을 내쉬었다.

두 아이가 눈치를 보는 것도 싫고, 애꿎게 괴롭힘을 당하는 이들이나 대소신료들의 간청도 무시하지 못해 만날 생각은 하고 있었지만, 막상 얼굴을 보니 용서하고 싶은 마음이 싹 가시는 것 같아 휘연은 난감했다.

그렇다고 이 상황에서 용서 못 하니 돌아가라고 한들 얌전히 돌아갈 환백도 아니지 않은가. 또 무슨 생떼를 부릴지 모를 일, 괜스레 괘씸해지는 마음에 휘연이 눈을 가늘게 뜨고 말문을 열었다.

"잘못을 아신다니 다행입니다. 그래, 어디 얼마나 잘 알고 계시는지 들어 보고 싶습니다만?"

"뭐, 뭘 말이오?"

"잘못을 아신다면서요?"

"그, 그거야 그렇지만. 그걸 꼭 말로 해야 하오?"

"예. 말로 해야 알 것 같습니다. 그러니 두 아이에게 했던 말을 그대로 읊어 보시지요."

한 치도 물러섬 없이 단호한 말에 환백이 미미하게 미간을 찌푸리다가 휘연의 눈길에 후다닥 표정을 갈무리하고 우물쭈물 입을 열었다.

"그게 말이지. 딱히 별말은 안…… 했다기보다는 했지. 응! 했어. 그러니까 그게, 두 녀석이 하도 고집을 피우기에 아비로서 거짓을 알려 줄 수는 없잖소?"

"사설은 줄이시지요?"

"거, 사람 참 딱딱하기는. 아, 그래! 솔직하게 이야기하지. 아기라는 건 부부간에 사랑을 나누어야 생긴다고 하니, 두 녀석이 어떻게 사랑을 나누느냐고 묻더라고? 그래서 말해 줬지. 부부간의 사랑은 은밀하게 진행해야 한다. 그러니까 또 묻더라고? 그래서 이왕지사 말해 주는 거 제대로 알려 주자는 생각에 조……금 상세하게 설명했지."

"하? 조금이요?"

"아, 아니 뭐 조금이라기에는…… 좀 심한 듯하기는 하지만. 칫, 사실 내가 딱히 틀린 말을 한 것은 아니잖소?"

무슨 이런 뻔뻔한 경우가!

"그래서 지금 잘했다는 것입니까?"

"아니, 그건 아니고. 백 번 천 번 잘못했지."

그러면서 불쌍한 척 고개를 푹 숙이고 힐끔 눈치를 살피는 모습에 휘연이 깊게 심호흡하며 마음을 가다듬었다. 그 모습이 처량해 보여서도 아니고 황제인 환백의 처지를 생각해서도 아니다.

그저 부글부글 끓어오르는 심기를 가라앉히고자 무던히 노력하는 것이다. 그동안 한두 번 속았어야지, 새삼스럽게 거짓에 홀라당 넘어갈 리도 없잖은가.

"또 뭐라고 하셨습니까?"

"두 녀석이 다 호기심이 유독 심해서…… 꼬치꼬치 캐묻기에 할 수 없이 다 말해 준 것뿐인데."

"그래서 친절하게 부부 관계를 어찌하는 것까지 상세히 가르쳐 줬다는 말씀이십니까?"

"으응. 그게…… 그대를 떠올리고 말하자니 나도 모르게 말이 술술 튀어나와서……."

골치야.

"그것 말고도 또 있을 텐데요?"

"응? 아! 그거 말이오? 그건 별거 아니오. 그대도 알다시피 밤이면 두 녀석이 안 떨어지려고 고집을 피워 대니 골치가 이만저만 아픈 게 아니라서, 이참에 확실히 해 두면 좋겠다 싶어서 말해 줬지."

"동생을 본다고 말입니까?"

"쿡쿡, 나도 속을 줄은 몰랐는데 두 녀석이 철석같이 믿더라고. 얼마나 기대를 하는지, 나보고 절대 방해하지 않을 테니 열심히 힘내라는 거야. 크큭—"

맙소사. 관자놀이의 힘줄이 슬며시 불거지고 주먹 쥔 손이 부들부들 떨리는 게 보이지도 않는지, 뭐가 그리도 웃기다고 어깨를 들썩이는 환백을 보며 지켜보는 이들은 소리 없는 비명을 질렀다.

'그만 좀 하십시오, 폐하!'

'주군! 제발 땅 좀 그만 파십시오! 자폭할 일 있습니까?'

정말이다. 지금 이 상황에서 뭐가 좋다고 웃는단 말인가! 황당한 것보다 휘연의 반응에 더 신경을 곤두세운 채 잔뜩 긴장하며 지켜볼 때, 휘연의 얼굴 위로 상황에 맞지 않게 단아한 미소가 퍼졌다.

"폐하, 감히 청하옵건대 잠시 물러나 주시옵소서."

"……왜, 왜 갑자기 거리감 느껴지게 말투까지 바꾸고 그러오?"

단아한 미소와 그동안 바꿔 놓은 말투까지 극존대로 다시 바뀌자 움찔— 웃음을 멈추고 눈을 휘둥그레 뜬 걸 보니 그나마 눈치가 눈곱만큼이라도 있어 다행이다.

"혹, 화가 안 풀린 것이오?"

풀리기는커녕 안타깝게도 더 쌓였다는 걸 알까.

"물러나 주시옵소서."

"시, 싫소!"

"제가, 분명히 물러나 달라고 했을 텐데요?"

예쁘게도 웃으면서 어쩌면 이리도 살벌한지. 환백이 마른 침을 꿀꺽 삼켰다. 그렇다고 물러날쏘냐? 그럴 리가. 여기까지 와서 물러날 것 같으면 애초에 오지도 않았을 것이다. 그러니 버티는 수밖에.

"저기, 휘연. 연아? 화내지 말고 우리 다시 차근차근 대화로……."

풀어 보는 게 어떻겠느냐는 말은 입가에 거짓 웃음마저 싹 지워 버리는 휘연의 표정에 쏙 들어가고 말았다. 화를 안 내던 사람이 화를 내면 더 무섭다고 하든가. 환백도 눈앞에서 몸소 경험하고 있었다.

"그리 고집을 피우시니 할 수 없군요. 어디 밤새도록 문만 잡고 있으세요. 단, 침전 안으로는 한 발자국도 들어오지 못합니다. 아시겠습니까?"

"그, 그런! 말도 안 돼!"

"아, 또 협박하실 생각이시라면 포기하십시오. 협박은 폐하만 하실 수 있는 게 아니지요. 안 그렇습니까?"

그리고는 화사하게 눈웃음까지 치고 미련 없이 뒤돌아 침전 안으로 들어가는 휘연을 보며 환백은 놀라 벌어진 입을 한참이나 다물지 못했다.

"저기, 주군? 괜찮으십니까?"

"전혀 안 괜찮아 보이는데."

"하긴, 충격받을 만하지."

휘연의 이런 모습은 처음이었으니 오죽할까.

"맙소사. 휘연이…… 내 사랑스러운 연이가 저런 말을 하다니. 말도 안 돼. 이건 꿈이야."

'그러게 적당히 하셨어야지요.'

◈

휘연이 침전 안으로 휑하니 사라진 지 한 식경이 지나고서야 온전히 정신을 수습한 환백은 급격하게 일그러진 얼굴로 주먹 쥔 손을 부들부들 떨었다.

당장에라도 폭발할 듯한 그 기세에 모두가 여차하면 뜯어말릴 자세로 두 손을 주춤거릴 때, 한순간에 바람이라도 빠진 듯 맥없이 축 늘어지는 모습에 덩달아 안도의 한숨이 터져 나오고 있었다.

무슨 생각인지는 모르겠으나 어찌 됐든 휘연의 말을 무시하고 당장 쳐들어가지 않는 것만으로도 한시름 놓은 것이다. 하지만 안도하는 것도 잠시였으니.

오만상을 다 찌푸리고 왔다 갔다, 정신 사납게 서성이다가도 난데없이 침전 안으로 불쑥 한 발을 들이밀려는 통에 화들짝 놀라 뜯어말리기를 수차례.

똑같은 그 짓을 수십 번을 반복하자니 지치기도 지치고 아무리 주군이라도 울컥 짜증도 치밀어 오르는 것이, 불경이고 뭐고 이젠 될 대로 되라는 식으로 가만히 두자 싶었다. 그런데 이런 기가 막힐 데가!

막상 자리 깔아 주자 슬금슬금 다가가더니 문을 닫는 건 또 무슨 경우란 말인가? 자신들이 문 가까이만 가도 닫을세라 눈에 불을 켜고 흉흉하게 살기를 흘리더니 대체 왜?!

"주군, 혹 포기하셨습니까?"

도저히 믿기지 않는지 의심스러운 눈빛을 고스란히 담은 교령의 물음에 환백이 대답도 하기 전에 묵혼과 조관이 먼저 중얼거리듯 답했다.

"설마."

"그럴 리가."

환백이 이대로 물러설 리가 없잖은가. 아니나 다를까 무언가 골똘히 생각하는 듯하더니 순간 고개를 번쩍 들어 올린 환백의 입가로 진득한 미소가 떠올랐다. 이른바 음흉한 미소였다.

"저기, 주군? 무슨 생각을 하시는지는 모르겠습니다만, 표정이 어째 좀 그렇습니다?"

"닥치고, 내종관. 이리 가까이."

갑자기 자신은 왜 부르는지 목소리까지 잔뜩 낮추고 손가락을 까딱거리는 환백을 향해 아소가 주춤거리며 다가가자, 닫힌 문을 힐끔거린 환백이 귓가에 작게 속닥거렸다.

"황후궁에도 혹 그것이 있느냐?"

"예? 그것이라니, 무엇을 말씀하시는 것이온지."

"쯧, 눈치 없기는. 그것 말이다. 그거."

그러니까 그게 뭐란 말입니까? 말을 하려면 제대로 해 줄 것이지, 밑도 끝도 없이 그거라면 알 턱이 있는가 말이다.

"끙, 미약 말이야. 미약."

"미약…… 헉!"

이게 무슨 소리란 말인가? 비단 경악한 건 아소만이 아니었다. 바로 옆에서 귀를 쫑긋 세우고 있던 나머지도 경악하기는 매한가지로, 떡 벌어진 입을 다물지도 못하고 충격에 빠져야 했다.

미약이라니! 다른 사람도 아니고 휘연에게 미약을 사용할 거라는 말이지 않은가? 물론, 황궁 안에는 미약이 있다. 특히 황후궁, 황비궁, 후궁전에는 필수라면 필수 품목이기 때문이다.

그 이유야 황제를 위해서이기도 하고, 때론 자신의 이익을 위해 황제를 몸으로 유혹하기 위해서이기도 하지만, 어찌 됐든 이곳 황후궁 내에도 있다는 말이다.

다만 아무리 황후궁을 총괄하는 내종관인 아소라도 그런 쪽은 전혀 관심이 없다 보니 그 사실은 몰랐다. 하물며 그 주인인 휘연의 성정을 보더라도 미약이 가당키나 한 말인가?

그렇다 보니 좀처럼 충격에서 헤어 나오지 못하는 아소를 대신해 먼저 정신을 차린 교령이 관자놀이를 꾹꾹 누르며 목소리를 한껏 낮추어 말했다.

"주군, 그건 좀 아닌 것 같지 않습니까? 그러다 나중에 마마께 뭐라고 변명하시려고 그러십니까?"

"다 생각이 있지."

생각이라니? 도대체 얼마나 대단한 생각이기에 이렇듯 갈수록 미소가 사악해지는지, 왜인지 믿음이 안 가는 건 고사하고 떨떠름한 기분에 세 사람이 말리고자 입을 열려 할 때였다. 혼자만의 생각 끝에 히죽 웃은 환백이 자랑스럽게 말했다.

"원래 부부간의 싸움은 사랑 한 번 나누면 다 해결되는 법이다."

"……그거, 근거가 있는 겁니까?"

"당연하지."

도대체 어디가 당연하단 말인가? 이젠 어처구니가 없어 말리고 싶은 마음마저 싹 사라질 지경이라 저마다 고개를 푹 숙이고 한숨을 내쉴 때, 아소는 휘연을 떠올리고 불안한 듯 초조하게 입을 달싹거렸다.

좀처럼 화를 내지 않은 휘연이 화가 난 상황에서 미약 같은 걸 사용한 걸 알게 된다면 어떤 반응이 나올지 모르기 때문이다. 만약 이보다 더 상황이 악화된다면 어찌한단 말인가.

"폐하, 송구하오나 이곳 황후궁에는 그것이 없사옵니다."

"없어? 흠, 하긴, 휘연이 그런 걸 둘 리가 없지."

알면 말을 꺼내지 말던가! 아니, 애초에 휘연도 그런 쪽은 문외한이라 모른다는 말이 더 맞는 말이지만, 어찌 됐든 수긍하고 포기하는 것 같아 속으로 안도의 한숨을 내쉰 것도 잠시.

"조관, 본궁에 다녀와라."

"본궁에 말입니까?"

"가서, 몸에는 전혀 해롭지 않되 가장 강력한 걸로 달라고 해."

"헉!"

조관은 다급하게 숨을 삼키며 가슴 위로 두 손을 어긋나게 겹쳤다. 절대 불가하다는 말이다. 하지만 환백의 무시무시한 눈길에 결국 고개를 푹 숙인 조관이 힘없이 돌아서 빠르게 황후궁을 빠져나가야 했다.

그리고 잠시 후 돌아온 조관의 손에는 문제의 그 강력한 미약이 들려 있었고, 그건 고스란히 아소의 손으로 넘어가며 아소는 눈물을 머금고 휘연이 평소 좋아하는 찻물과 함께 우려내 침전 안으로 가지고 들어갈 수밖에 없었다.

물론, 들어가기 전 환백에게 협박을 곁들인 미리 짜 맞춘 말들과 들키지 않게 주의하라는 교육을 단단히 받은 후였다.

그렇게 아소가 긴장한 채 들어서자 휘연이 침상에 누워 있던 몸을 일으켜 문가를 힐끔거렸다.

"마마, 차를 내왔사옵니다."

"후, 폐하께서는?"

"폐하께서는, 기운이 없으신 듯 얌전히…… 반성하고 계시옵니다."

아소의 대답에 휘연이 다소 어이가 없다는 듯 바라보자, 아소가 움찔거리며 다급하게 고개를 숙였다. 자신이라고 그리 답하고 싶어서 한 건 아니었으나, 폐하의 명령이니 어쩌란 말인가.

그저 힘이 없는 게 죄라고. 감히 주인인 휘연을 속이는 것뿐만 아니라 이제는 미약까지 손수 먹여야 하는 처지라 아소는 진심으로 울고 싶었다.

그래서인지 당황함을 감추지 못하고 점차 눈가가 붉어지는 아소의 모습에 휘연은 다른 뜻으로 받아들인 듯 나지막이 한숨을 내쉬고 찻잔을 들어 올렸다.

"폐하께서 시켜서 한 말이겠지. 나는 괜찮으니 신경 쓰지 마라. 그보다 기홍(祁紅)이구나."

"예? 예. 마마의 기분이 풀렸으면 해서 조금…… 진하게 우려냈사옵니다."

"그래. 고맙구나."

그리고는 천천히 차를 입가로 가져가는 휘연을 보며 아소가 움찔거리는 손을 소맷자락 사이로 감추며 주먹을 꾸욱 쥐었다.

그런 아소의 얼굴이 얼핏 하얗게 질려 있었지만, 목이 탔던 듯 휘연은 고개를 갸웃거리면서도 차 한 잔을 다 마시고야 찻잔을 내려놓았다.

"다른 때보다 진해서 그런가. 차 맛이 조금 다르구나?"

"그, 그렇사옵니까?"

"흠, 진하게 우려서 그런지 뭔가 향이 뒤섞인 것 같고, 끝맛도 탁한 것 같으니 다음에는 부드럽게 하되 물 온도는 조금 낮춰서 우리는 게 좋겠다."

"……예, 마마."

평소 차를 즐기는 휘연이다 보니 차 맛을 단번에 파악했지만, 미약이 들어 있을 거라는 생각은 못 하는 듯 태연한 모습에 아소는 안도를 해야 할지 눈물을 흘려야 할지 난감했다.

약초를 자주 접하는 휘연이라 미각이 예민하다고는 해도 미약을 먹어 보지 않은 이상은 모르는 것은 당연하기 때문이다. 그러나 문제는 또 있었으니, 반드시 두 잔 이상은 마셔야 효과가 확실하다는 점이다.

해서 아소는 떨리는 마음을 진정시켰다. 환백의 명을 어겼다가 목이 댕강 잘려서 영원히 휘연을 모시지 못할 바에야 지금의 선택이 백 번 생각해도 옳은 것이다. 그만큼 환백의 협박은 살벌했다.

"저기, 마마? 그래도 피로에 도움이 될 터이니…… 한 잔만 더 드시지요?"

"글쎄, 그다지 입맛에 맞지 않구나."

"예? 그, 그러지 마시고 한 잔만 더 드셔 보시옵소서."

“후, 안 부리는 고집을 다 부리다니. 알았다. 알았으니 그 얼굴 좀 풀어라.”

아소의 굳은 얼굴이 신경 쓰이는지 휘연이 나지막이 한숨을 내쉬고 다시 찻물을 찻잔 가득 따라 천천히 마시기 시작하고, 잠시 후 깨끗하게 비워진 찻잔을 보고야 아소는 어색하게 웃었다.

이로써 환백의 명령은 착실히 수행했다. 약효는 강력한 만큼 빠르다고 했으니 아마도 반각도 지나지 않아 증상이 나타날 것이기에 아소는 긴장한 듯 휘연의 일거수일투족을 세심하게 살폈다.

그러기를 얼마 후. 채 반각도 안 돼서 휘연의 얼굴이 서서히 붉어지기 시작하고, 더운 듯 가볍게 손으로 부채질하며 고개를 갸웃거리던 휘연의 호흡이 이내 흐트러지며 거칠어졌다.

“마, 마마? 괜찮으시옵니까?”

“하아— 몸이 이상…… 흑—”

“마마!”

이때다! 아소의 외침이 터지자마자 기다렸다는 듯 문이 벌컥 열리고 환백이 다급하게 뛰어들었다. 얼굴 가득 걱정을 드리운 채로.

“휘연! 무슨 일이냐? 어디가 아픈 것이야?!”

“아흣— 폐하…… 흑!”

“휘연! 이런 세상에. 몸이 이리도 뜨겁다니! 대체 뭘 먹었기에 갑자기 이러는 것이야?!”

어쩌면 이리도 뻔뻔한지. 너무 어처구니가 없다 보니 곧바로 말을 받아쳐야 한다는 것도 잊고 멍하니 있던 아소가 환백의 매서운 눈길에 울찔거리며 다급하게 외운 말을 읊기 시작했다.

"폐, 폐하! 마마께서 평소 좋아하시던 차를 드셨사온데 갑자기……."

"닥쳐라! 네놈이 황후를 시해하려고 한 짓이 아니더냐?!"

그런 천벌받을 소리를! 아무리 미리 짜 맞춘 상황이라지만, 그 내용이 하도 끔찍하다 보니 아소는 하얗게 질린 채 바닥에 납작 부복했고, 휘연은 온몸을 붉게 물들인 채 호흡이 가쁜 와중에도 필사적으로 환백의 팔을 잡고 고개를 내저었다.

절대 그럴 리가 없으니 아소를 의심하지 말라는 간곡한 뜻이었다. 침전 안의 이런 급박한 상황에도 누구 하나 들어오는 이가 없다면 의심해 볼 만도 했지만, 휘연은 몽롱한 정신을 가누는 것만으로도 버거워 전혀 눈치채지 못하고 있었다.

"폐하…… 학! 아닙니다…… 으응— 아소는 아니…… 아흑!"

"휘연! 정신 차려라! 휘연!"

"폐하! 소인이 죽을죄를 지었사옵니다! 황후궁 내에 있는 차로 찻물을 우려낸 것이온데, 그게 잘못이었을 줄은 소인도 몰랐사옵니다! 죽여 주시옵소서!"

"뭐라?! 이놈이! 이 증상은 음약에 중독된 것이다! 그런데도 몰랐더란 말이냐?!"

그러면서 휘연이 더 또렷하게 들으라는 듯이 환백이 당장에라도 아소를 죽일 듯 노발대발하자, 휘연이 다급하게 환백의 목을 끌어안고 도리질을 쳤다.

"제발……흐읏— 폐하, 제발…… 흑!"

"이런! 우선 약효부터 풀어야겠군. 네놈의 죄는 추후에 묻겠으니 당장 나가라!"

드디어 끝났다! 아소가 기다렸다는 듯 후다닥 물러나고, 문을 닫자마자 그 자리에 맥없이 주저앉았다. 그런 아소의 어깨를 교령이 격려하듯 토닥이고 다른 이들은 땅이 꺼지라 한숨을 내쉬었다.

"……전, 죽으면 죽었지 두 번 다시 이 짓 못 하겠습니다."

"후우—"

아소의 질린 듯한 중얼거림을 끝으로 또다시 동시 다발로 한숨이 터져 나오며, 저마다 지친 표정으로 아예 편안하게 자리를 잡고 주저앉았다.

강력한 만큼 약효 또한 오래도록 지속한다고 했으니 아마도 한동안은 이 문이 열릴 일은 없을 것이다. 설사 약효가 아니더라도 오늘 하루는 훌쩍 넘기겠지만.

사흘 만이지 않은가. 안 그래도 넘치는 체력과 정력으로 틈만 나면 장소 불문하고 달라붙는 환백이 이런 절호의 기회를 곱게 넘길 리가 없기 때문이다.

"후, 설마 주군의 저런 모습을 평생 봐야 하는 건 아니겠지."

묵혼의 작은 중얼거림에 일제히 시선이 쏠리고 한결같이 몸을 부르르 떨며 고개를 내저었지만, 누구 하나 부정하는 한마디를 내뱉지 못했다. 아무리 생각해도 그리될 것만 같았기 때문이다.

"끄응—"

◈

정갈하고 단아한 평소의 모습과는 달리 약 기운에 취해 몸을 제대로 가누지 못하고 흐트러진 모습을 무방비하게 보이는 휘연을 내려다보며 환백은 상황도 잊고 입안에 가득 고인 침을 꿀꺽 삼키며 히죽 웃었다.

이게 얼마 만에 맡아 보는 정인의 향이란 말인가. 그래 봐야 고작 이틀이지만 환백이 느끼기에는 근 십 년은 보낸 듯한 기분이었기에 지금 이 순간이 너무도 달콤한 꿈결처럼 달가운 것이다.

어찌 이리도 사랑스러운지. 붉게 물든 눈가에 아롱아롱 눈물이 맺힌 채로 힘겹게 헐떡이며 내뱉는 뜨거운 숨결마저 달콤해 그 말도 못 할 사랑스러움에 참지 못하고 휘연의 흐트러진 몸을 와락 껴안았다.

"흑! 폐하—"

"휘연, 힘들지? 내 곧 원 없이 풀어 주마. 걱정하지 마라."

그러면서 느릿하게 입맛을 다시며 음흉한 웃음을 흘린 환백이 몇 겹이나 겹쳐 입은 옷을 찢어발기다시피 벗겨 내고 자신의 옷도 무서운 기세로 훌러덩 벗어 젖히기 시작했다.

어느새 완전한 나신이 된 휘연을 내려다보는 환백의 눈빛이 진득한 욕망으로 무섭게 번들거리고 허겁지겁 먹어치우듯이 헐떡이는 입술을 빨아들이며 약 기운에 예민한 몸 구석구석을 빠르게 쓸어내렸다.

얼마나 급하게 덤벼드는지 숨이 턱 막힐 정도의 열기에 반항도 못한 채 입술이 빨리고 입안 곳곳이 범해지며 온몸을 누비는 그 손길에 휘연은 간신이 붙들고 있는 이성마저 사라지는 것 같았다.

하지만 그건 시작에 불과했으니. 약이 독해도 어지간히 독한 듯 머릿속이 새하얗게 변해 버린 휘연은 부끄러움도 잊고 평소라면 쉽게 하지 못할 말을 거침없이 쏟아 내며 매달렸다.

"학! 뜨거워…… 으응! 안아 주세요…… 제발…… 제발 빨리…… 미칠 것 같아. 흑!"

"……젠장, 왜 이렇게 예쁜 것이야!"

안 그래도 휘연에 한해서는 인내심이 바닥을 보이는 마당에, 땀에 젖어 달콤한 체향을 흩뿌리는 하얀 몸을 비벼 오며 귓가로 뜨겁게 속삭이며 재촉해 오는 그 사랑스러움에 환백은 완전한 야수가 되었다.

차려진 밥상에 더 이상 거리낄 것도 없겠다, 지난 이틀간 허벅지를 쥐어뜯으며 쫄쫄 굶어야 했던 배를 채울 시간이 돌아온 것이다. 이제는 먹어치우는 일만 남았다.

두 눈을 번뜩이며 콧김을 씩씩 내뿜던 환백이 휘연의 허리와 등을 세게 끌어안은 채 굶주린 듯 땀에 젖은 목덜미를 거칠게 물었다.

휘연은 고개를 한껏 뒤로 젖히며 비명 같은 신음을 내질렀다. 피부 아래로 느껴지는 따끔한 통증은 타오르는 욕정에 부채질을 할 뿐이었다.

분명히 짠맛이 나야 하는 땀이건만, 어찌 이리도 달짝지근한지. 환백은 한없이 달콤하게 느껴지는 목덜미를 탐욕스럽게 머금으며 허리에 감고 있던 손을 움직여 옆구리며 가슴을 지분거리기 시작했다.

"아흣! 핫—"

혼이 나가 버릴 정도로 강하게 몸을 밀어붙이는 환백의 가슴 밑에서 휘연의 몸이 침상 위에 깔린 금침과 마찰하며 버석거리는 소리를 내었다.

하얀 몸이 당장에라도 짓눌려 부서져 버릴 것 같았으나, 약 기운이 오를 대로 올라 있는 휘연에게는 한 치도 어긋남 없이 맞닿은 열기만으로도 더할 나위 없이 자극적이었다.

그런데다 바삐 움직이는 손길이 닿는 곳마다 익숙한 성감대라, 환백의 한 손이 이미 꼿꼿이 선 가슴의 돌기를 비틀어 꼬집고 또 다른 손이 옆구리를 스치자 진저리를 치며 신음을 내뱉었다.

"환백…… 흐윽!"

"하— 젠장, 힘드니까 우선 한 번은 빼자?"

"하악! 흑—"

엉망으로 뒤엉켜 목덜미와 유두를 깨물고 맨살을 비비며 정신없이 탐하던 환백이 이미 애액을 찔끔거리며 자신도 모르게 비벼 오는 휘연을 보며 조급한 듯 입술을 핥았다.

휘연의 다리를 한껏 벌린 자세로 탄력 있는 둔부를 한 번 강하게 움켜쥔 환백이 끄응— 침음성을 삼키며 손을 바삐 놀려 회음부로, 그리고 붉게 흥분한 작은 양물의 끝으로 이동했다.

부드러운 손놀림으로 예민한 양물을 감싸 쥔 채 섬세하게 주무르고 쓰다듬는 환백의 손을 맞잡은 휘연의 등이 유려한 굴곡을 그리며 휘어졌다.

약 기운 때문인지 평소보다 더 예민한 탓에 몸을 제대로 가누지 못하는 휘연의 허리를 감아 안고 있던 환백의 남은 한 손이 회음을 지나 곧바로 숨겨진 비문에 닿았다.

몇 번이나 끈질기게 촘촘히 다물린 봉오리를 지분거리던 환백의 손가락이 쾌감에 정신을 놓은 휘연의 벌려진 분문 속으로 매끄럽게 파고들었다.

"아앗……!"

아찔한 비명과 함께 휘연이 완전히 환백의 품 안으로 파고들었다. 신체의 가장 예민한 두 곳에서 동시에 느껴지는 견디기 힘든 자극으로 쾌감에 젖어 든 휘연의 몽롱한 눈은 너무나도 아름다웠다.

반쯤 벌려진 입으로 달뜬 신음을 흘리며 발갛게 달아오른 얼굴을 들어 자신을 올려다보는 휘연의 교태로운 몸짓에 환백은 열기와 함께 지독하게 강한 사정감이 몰려들었다.

"하아, 뜨겁게 조여. 예쁘다, 연아."

지난 이틀을 빼고는 하루도 거르지 않고 몇 번씩 안았는데도 손가락으로 느껴지는 탄력과 뜨거움은 자신의 양물을 얼마나 꽉 조이며 빨아들이는지를 떠올리게 해, 촉촉이 젖은 채 벌름대는 그곳을 환백은 만족스러운 듯 바라봤다.

그럴수록 더더욱 조급해지는 마음에 오금이 저릴 만한 신음을 흘리며 허리를 뒤트는 휘연의 입술에 몇 번이나 입을 맞추고 손가락을 빠르게 추가해 가며 이리저리 움직여 좁디좁은 내부를 넓혀 갔다.

"흑— 환백 님, 빨리…… 아아!"

"하지만 아직 아플 텐데."

휘연의 재촉에 세 개의 손가락을 머금고 있는 비문을 힐끔 내려다보며 중얼거리는 환백의 얼굴이 울듯이 일그러졌다. 사실상 급해도 자신이 더 급했기 때문이다.

아까부터 자신의 양물은 벌떡 일어나 성을 내고 있었고, 휘연이 자지러지며 허리를 젖힐 때마다 온몸의 혈액이 코로 몰리는 느낌에 코피가 터질 뻔한 게 한두 번이 아니었다.

사랑스럽다 못해 가슴을 진탕시킬 정도로 요염한 신음과 몸짓이지 않은가. 도대체 누굴 잡으려고! 이리도 사랑스럽게 엉덩이까지 흔들며 재촉을 하느냐 말이다.

그렇다고 무작정 덤벼들자니 정인이 상처 입을 것이 염려돼 안 그래도 필사적으로 인내력을 발휘하고 있건만, 또다시 조르며 매달리는 휘연 때문에 환백은 입술이 바짝바짝 말랐다.

"연아, 조금만 참아라. 응?"

"싫어…… 아응! 빨리…… 하아, 들어와요."

파르르 떨리는 눈꼬리에 눈물까지 한 방울 매단 채 힘겹게 도리질을 치며 스스로 다리를 더 벌리고 두 팔을 뻗어 오는 휘연의 모습은 환백의 남은 이성을 날려 버리기에 충분했다.

더 이상 커질 것도 없어 보이던 환백의 거대한 양물이 한층 더 불끈 솟아오르고, 두 눈은 욕망으로 이글이글 타오르다 못해 아예 불을 뿜기 시작한 것이다.

그와 동시에 인내심이 뚝 끊긴 환백은 휘연의 비문에서 자신의 손가락을 빼내고 조금은 거친 동작으로 흐느적거리는 가는 두 다리를 어깨 위로 올리며 몸을 바짝 밀어붙였다.

"아흐윽—"

"허억! 크—"

거대한 양물이 비문을 가르며 조금은 성급하게 파고들자 휘연은 통증과 함께 밀려드는 쾌감에 진저리를 치며 눈물을 흘렸고, 환백 역시 눈앞에 빛이 번쩍일 정도의 쾌감에 몸을 떨었다.

환백은 부들부들 떨고 있는 휘연의 허리를 자신의 두터운 팔로 감싸고 벌어진 채 다물지 못하고 신음을 흘리는 붉은 입술을 핥으며 꾸준히 앞으로 나아갔다.

자신의 고환이 휘연의 보드라운 엉덩이에 닿자 촉촉하고 탄력 있으며 뜨거운 그곳을 비로소 완전히 점령했다는 성취감에 환백은 가슴이 빼근해졌다.

하지만 재촉하듯 자신의 양물을 조이고 풀어 주기를 반복하는 휘연의 내부는 성취감을 느낄 시간 따위는 주지 않았다. 조급한 만큼 환백의 허리가 힘차게 요동치기 시작했다.

"흐윽— 앗……하앙!"

"아! 좋아. 헉…… 휘연— 으읏…… 휘연!"

좁고 촉촉한 내부는 상상도 못 할 쾌감을 안겨 준다는 사실에 흡족한 미소를 지으며 환백은 휘연의 하얗고 모양 좋은 엉덩이를 양손으로 꽉 잡아 잔뜩 벌리고 성이 날 대로 난 자신의 양물을 거칠게 박아 댔다.

그런 환백의 입에서는 사람의 신음보다는 짐승의 으르릉거림에 가까운 소리와 탄성 같은 외침이 흘러나오고, 휘연의 비밀스러운 곳에서는 축축하고 음란한 소리와 더불어 간드러진 신음이 끊이지 않고 이어지고 있었다.

"아아! 앗…… 더! 하앗!"

"읏…… 휘연— 헉헉!"

폭풍처럼 거칠게 밀고 들어오는 쾌감에 진저리를 치며 환백은 자신의 거친 움직임에 맞춰 절묘하게 엉덩이를 흔드는 휘연의 허리를 부러트릴 듯 강하게 껴안고 정신없이 허리를 움직였다.

뜨거운 열기와 함께 집어삼킬 듯 강하게 빨아들이기도 하고 감질나게 풀어 주기도 하며 자신의 양물을 물고 놔주지 않는 연인의 몸은 환백의 혼을 빼놓기에 충분하고도 넘쳤다.

제정신 따위는 일찌감치 던져 버린 환백은 거칠게 허리를 치대며 커다란 손바닥으로 간간이 탐스러운 엉덩이를 찰싹 소리가 날 정도로 쳤고, 휘연은 그럴 때마다 움찔거리며 환백의 양물을 꽉 물었다.

자신의 양물이 거칠게 박혀 들어갈 때는 촉촉이 빨아들이다가도 빠져나갈 때는 아쉬운 듯 꽉 물고 늘어지는 휘연의 뜨거운 내부는 환백을 점점 더 한계로 몰아가고 있었다.

"아, 아아! 헉…… 휘연!"

"하악! 환백…… 흑……!"

감당하는 건 고사하고 자신이 맞출 수 없을 정도로 강하고 빠르게 치대는 환백의 움직임에 휘연은 정처 없이 흔들리며 미친 듯이 신음을 흘렸다.

눈앞이 깜깜해질 정도의 쾌감에 정신없이 흔들리는 자신의 몸을 주체하지 못할 때쯤 휘연은 비명에 가까운 신음을 내뱉으며 자신의 양물을 잡고 흔들던 환백의 손에 쏟아 냈다.

환백 역시 한계에 다다른 쾌감에 몸부림치다 자신의 양물을 쥐어짤 듯 꽉꽉 조이는 내벽에 아찔한 신음을 내지르며 힘차게 정을 내뿜었다.

"아앗— 아아아……!"

"허억! 아—!"

지나친 쾌감 탓에 한동안 시야가 제대로 돌아오지 않아 휘연이 축 늘어진 채 가쁜 숨만 내쉴 때, 어느새 몸을 추스른 환백은 그런 휘연의 땀에 젖은 머리를 쓰다듬고 이마에, 뺨에, 입술에 부드럽게 입을 맞췄다.

그제야 정신을 온전히 차린 휘연이 낯 뜨거운 자신의 절정을 떠올리며 화악 얼굴을 붉혔다. 연달아 세 번이나 뺀 덕분에 어느 정도 약 기운이 사라진 탓에 새삼 부끄러운 것이다.

그런 휘연을 내려다보며 환백이 입가에 호선을 그렸다. 붉어진 눈가. 눈물이 고인 눈. 가쁜 숨을 토해 내는 촉촉한 입술. 어디 한군데 사랑스럽지 않은 곳이 없었다.

힘없이 침상 위로 늘어진 휘연의 팔을 들어 올려 손바닥에 지그시 입을 맞춘 환백이 그대로 입술을 끌어 올려 검지를 입안에 넣었다.

혀를 굴리며 손가락과 그 마디마디를 자극하자 양물을 감싸고 있는 휘연의 내부가 움찔거리고, 강렬하진 않지만 기분 좋은 자극에 환백은 입술을 유려하게 말아 올리며 잠시 멈추었던 움직임을 재개했다.

“하아— 환백 님. 흐읏!”

“아름다워, 휘연. 하아…… 사랑한다, 연아.”

애끓는 마음을 그대로 대변하듯 더할 나위 없이 부드럽게 속삭이며 환백의 양물이 다시 들락거리기 시작하자 휘연의 내부에 고여 있던 정액이 밖으로 새어 나오며 축축하고 음란한 마찰음이 흘러나왔다.

환백은 휘연의 양다리를 활짝 벌리고 부풀 대로 부풀어 올라 힘줄이 선명하게 도드라진 자신의 양물이 느릿하게 들락거리는 비문을 핏발 선 눈으로 바라봤다.

붉게 부어올라 자신의 양물을 잔뜩 머금고 있는 그곳의 모습은 환백을 한층 더 흉포하게 만들고, 부풀어 오른 꽃잎의 주위로 흐르는 하얀 액이 주는 시각적 효과로 인해 환백의 양물은 한층 더 부풀어 올랐다.

그 모습에 꿀꺽 입안에 고인 침을 삼킨 환백은 양물을 꽂은 채로 휘연의 몸을 훌떡 뒤집어 버리고는 양팔로 허리를 감아올려 엉덩이만 높게 들어 올리게 만들었다.

“아아앗—!”

“으윽!”

갑작스러운 움직임에 쓸린 내벽의 자극을 견디지 못하고 파르르 떨리는 휘연의 허리를 부드럽게 쓰다듬으며 환백은 매끈한 등에 몇 번이고 입을 맞추었다. 휘연의 목숨을 되돌리며 지워지지 않았어야 할 상흔까지 완전히 사라진 것이다.

"흐읏— 환백 님?"

"미안…… 으음, 더 거칠지도 몰라. 이건 다 그대가 너무 사랑스러워서 그래."

자세가 자세다 보니 더 자극적이라 환백은 짓궂은 말을 늘어놓으며 느릿하게 빠져나갔다가 필요 이상으로 깊숙이 파고들었다. 그렇게 시작한 두 번째는 곧 빠르고 난폭하게 바뀌었다.

다시 후끈 달아오르는 열기와 자지러지는 신음 소리는 휘연의 약 기운이 온전히 사라졌음에도 끊이지 않고 흘러나왔으니.

대낮에 시작한 열기가 해가 기울고 달이 뜨며 시야가 완전히 어두워지고야 끝내 견디지 못한 휘연이 세 번째 혼절을 하면서 온전히 멈춘 것이다.

"흐음, 이제야 개운하군."

꼼꼼하게 씻기고 침의로 갈아입히는 동안에도 정신을 못 차리는 휘연이 안쓰러울 만도 하련만, 늘어지게 기지개를 편 환백이 말간 혈색을 자랑하며 지극히 만족한 미소를 지었다.

하긴, 지난 이틀간 참았던 욕정을 다 풀었는데 오죽 좋을까. 게다가 평소에도 휘연의 몸을 생각한답시고 두 번 이상은 제대로 하지 못해 아쉬움이 남던 차였으니 더했으리라.

그래서인지 누가 보는 사람도 없는데 혼자 실없이 히죽히죽 웃고 있던 환백이 옆에서 들리는 불편한 신음 소리에 고개를 번쩍 들었다.

아직 잠들어 있었지만, 살짝 뒤척이는 것만으로도 몸이 불편한지 얼굴을 잔뜩 찌푸린 채 작게 칭얼거리는 휘연을 보며 환백의 얼굴이 또다시 헤벌쭉 풀어졌다.

어쩌면 이리도 사랑스러운지 찡그린 미간조차도 어여쁘게만 보이니 미칠 노릇이다. 가만히 보고 있는 것만으로도 온몸이 흐물흐물 녹아내릴 지경인데 더 말해 무얼 할까.

그 덕분에 난감해진 환백이 이내 나직하게 혀를 차며 돌아가지 않는 고개를 억지로 돌려야 했다. 짐승도 이런 짐승이 없다고 눈치 없는 하반신이 또다시 벌떡 일어나 성을 내고 있었기 때문이다.

"끙, 참자. 참아야 한다."

여기서 더했다가는 무슨 원망을 들을지 모를 일이지 않은가.

"쩝, 아쉽긴 하지만 어쩔 수 없지."

장장 몇 시진을 괴롭혀 놓고도 모자란 듯 못내 입맛을 다신 환백이 휘연의 입술에 가볍게 입을 맞추고 후다닥 물러나며 굳게 닫힌 문을 벌컥 열어 젖혔다.

그와 동시에 여기저기서 벌떡 일어나는 부산스러운 움직임과 함께 기다렸다는 듯 쏠리는 시선에 환백이 태연하게 말했다.

"입 함부로 놀렸다가는 알지?"

무엇에 대한 것인지는 뻔한 일이라 일제히 떨떠름한 표정으로 어색하게 웃자, 그런 이들을 돌아보며 만족스러운 듯 말을 이었다.

“의심하지 않게 대답 잘하는 게 좋아.”

그리고는 히죽히죽 헤픈 웃음을 흘리는 환백을 보며 더 이상 대꾸할 힘도 없는 듯 일제히 고개를 푹 숙였다. 어차피 말한다고 들어줄 상대도 아니지 않은가.

이럴 때는 찍소리도 안 하는 게 그나마 심신을 편하게 하는 것이다. 다만 알면서도 엄습해 오는 오한까지는 막지 못한 듯 저마다 맞추기라도 한 듯이 몸을 부르르 떨었다.

새삼 환백이 두려워서는 아니었다. 전쟁터를 누비는 피의 황제라면 모를까, 어딘가 단단히 풀어진 듯 실실거리는 지금의 모습에 코웃음을 쳤으면 쳤지 두려움을 느낄 리는 없잖은가.

그럼에도 이렇게 불안해하는 이유는 그저 묵혼의 예상대로 앞으로도 이런 일이 비일비재할 것 같은 불길함을 이번에는 더 생생하게 느낀 탓이었다.

‘맙소사!’

◈

어스름한 새벽녘에야 잠에서 깬 휘연은 곧 익숙하게 온몸을 옥죄듯 끌어안고 있는 단단한 품 안에서 상황을 인식하려는 듯 두 눈을 깜빡이다가 언제나처럼 답답함에 나지막이 한숨부터 내쉬었다.

지난 이틀간의 여유가 거짓말처럼 한 치의 빈틈없이 찰싹 달라붙은 커다란 몸에 짓눌린 몸이 뻐근함을 호소해 왔기 때문이다. 이제 와서 어디 도망가는 것도 아니건만 어찌 매번 이러는지 모르겠다.

'후, 잠버릇을 고치든가 해야지.'

하루 이틀도 아니고 이래서야 피로가 풀리기는커녕 더 쌓이지 않는가. 생각할수록 암담하지만, 평생을 이 꼴로 살지 않으려면 고치기는 해야 할 것 같아 마음을 굳히다가 이내 미간을 찌푸렸다.

다시 살아난 그때부터 잠 한 번 편한 자세로 자 본 적이 없다는 걸 새삼 깨달은 것이다. 과연 고쳐지기나 할지, 뱃속부터 우러나오는 한숨에 휘연이 갑갑한 몸을 들썩일 때였다.

잠에서 깨려는지 허리를 끌어안아 오는 환백의 팔에 더 힘이 들어가며 정수리에 따뜻한 온기가 느껴질 정도로 입을 맞추고 장난스럽게 꾹꾹 눌러 오는 통에 휘연의 입에서 불만에 찬 목소리가 흘러나왔다.

"공, 깨셨으면 힘 좀 풀어 주십시오. 답답합니다."

"쿡쿡, 잘 잤어?"

물론 잠이야 잘 잤다. 매번 자고 일어나면 온몸이 쑤시는 게 문제지. 하루도 거르지 않고 몰아붙여 거의 혼절하다시피 잠드는데 단잠을 못 잘 리는 없잖은가.

"후, 대체 왜 이렇게 달라붙는 것입니까? 잘 때만이라도 좀 편하게 자고 싶습니다만?"

"칫, 나도 어쩔 수가 없다고."

어쩔 수가 없다니? 그전에는 이렇게까지 심하지는 않았으니 고치려고 마음만 먹으면 얼마든지 고칠 수 있으면서 무슨 되지도 않은 핑계란 말인가?

“이렇게 딱 달라붙지 않으면 불안해. 내가 모르는 곳으로, 내 손이 닿지 않는 곳으로 영영 날아갈 것 같아서 초조하고 불안해서 나도 어찌할 수가 없다.”

그러면서 다시 한 번 온몸을 밀어붙이며 숨이 막히도록 꼭 끌어안아 오는 환백의 품 안에서 휘연은 나직한 한숨 끝에 쓴웃음을 지었다.

환백의 마음이 이해가 되면서도 다시 황궁에 돌아온 지 근 삼 년이나 흘렀는데도 아직도 불안해하는 모습이 좋지만은 않은 것이다.

언제까지고 마냥 이대로 지낼 수는 없지 않은가. 비단 잠버릇만 문제가 아니기 때문이다. 무슨 일이든 자신과 연관이 있다면 앞뒤 분간 없이 득달같이 달려드는 것도 문제다.

게다가 종잡을 수 없는 건 또 어떻고? 멀쩡하다가도 한순간에 황제로서 위엄은 냅다 던져 버리니, 그 또한 차마 눈뜨고 못 볼 지경이라 휘연은 지끈거리는 관자놀이를 꾹꾹 누르며 간신히 환백의 품에서 벗어났다.

“후, 제가 어딜 간다고 그러십니까? 두 아이의 어미로 환백 님의 곁이 제가 있어야 할 자리라고 몇 번이나 말씀드렸지 않습니까?”

“알고 있다. 알고 있는데…… 때때로 나도 모르게 그런 마음이 드는 것을 어쩌라고.”

마치 야단이라도 맞은 듯 의기소침한 목소리로 힐끔 눈치까지 살피는 환백을 보며 휘연이 착잡한 표정으로 한숨을 짓다가 손을 뻗어 흐트러진 순백의 머릿결을 가지런히 정리했다.

그 부드러운 손길에 환백의 얼굴이 한순간에 헤벌쭉 풀어졌다. 그 모습에 휘연이 어이없어하던 것도 잠시, 손도 빠르게 둔부를 꽉 움켜쥐는 악력에 화들짝 놀랐다.

“끙, 환백 님. 손 치우세요.”

대체 이 빠른 변화를 어찌 감당해야 하는지. 조용한 타박에 움찔거리면서도 절대 손을 치울 생각은 없는 듯 도리질을 치며 움켜쥔 둔부를 부지런히 주물럭거리는 환백을 보며 휘연은 정말이지 기가 막혔다.

매번 경험했음에도 매번 황당할 지경이라 순식간에 진득한 욕망을 숨김없이 드러내는 환백을 보며 휘연이 나직하게 혀를 차며 두 손을 찰싹 소리가 나도록 쳐 냈다.

“아야! 왜 때려?”

“진정 몰라서 묻습니까?”

“칫, 내가 뭘 어쨌다고 그래.”

정말 뻔뻔한 것도 정도가 있지! 지난밤 그렇게 사람을 몰아붙여 놓고 눈 뜨자마자 발정이라니! 또다시 부글부글 끓어오르는 화에 휘연이 심기를 가라앉히려는 듯 호흡을 가다듬고 환백과의 거리를 두었다.

어차피 시달린 거야 이미 지나간 일이니 그렇다 치더라도, 어제 일이 못내 마음에 걸리는 것이다. 그러자면 덮침도 방지할 겸 적당한 거리를 유지하는 게 대화를 나누기에 더 좋다는 생각에 멀찌감치 떨어졌건만.

떨어진 만큼 쪼르르 다가오는 환백 때문에 휘연이 불편한 몸을 미적거리며 버둥거리기를 한참. 문득 자신의 상황에 실소가 흘러나와 휘연이 고개를 설레설레 내젓고 결국은 단단히 붙잡혀 품에 끌어안긴 자세로 말문을 열었다.

"후, 지금 제 몸이 정상이 아닙니다. 그리고 그전에 제게 하실 말씀이 있을 텐데요?"

"내가? 없는데."

"……정말 없으십니까? 어제 일입니다만?"

"어제 일? 설마, 미약에 중독된 거 말하는 건가? 그거야 나하고는 상관없는 일이지!"

아무리 생각해도 상관있을 것 같아서 말입니다. 그것도 상당히 깊게, 라는 말이 목구멍까지 차올랐지만, 휘연은 눈을 가늘게 뜨고 표정도 당당하게 턱을 치켜드는 환백을 노려봤다.

"그렇군요. 환백 님은 상관이 없다는 말씀이시지요?"

"당연하지! 내가 그런 걸 알 리가 있나? 솔직히 말해서 그대만 보면 힘이 감당이 안 되는 마당에 약까지 쓸 이유가 없잖아? 그리고 말이 나왔으니 말인데, 잘못은 내종관이 했는데 어째서 나를 의심하고 그래? 사람 섭섭하게. 나는 그래도 내종관이 그대를 어릴 때부터 모셨다고 해서 벌도 내리지 않았는데 그대가 나를 의심하다니? 그건 너무 하잖아?"

어쩌면 이리도 뻔뻔할까. 밖에 있는 여섯 명이 들었다면 또 한 번 경악할 만큼 얼굴색 하나 안 변하고 너무도 태연하게 늘어놓는 말에 휘연이 긴가민가한 얼굴로 고개를 갸웃거렸다.

곰곰이 생각해 보니 딱히 환백의 말이 틀리지 않기 때문이다. 자신만 보면 시도 때도 없이 발정하는데 굳이 약을 쓸 필요는 없지 않은가.

아무리 상황을 모면하려고 했다고는 해도 미약까지 사용했다는 건 휘연의 상식으로는 도저히 이해가 안 가는 것이다. 그렇다 보니 어느새 휘연의 귀도 솔깃해졌다. 이미 반은 넘어간 것이다.

다만 못내 마음 한구석이 찝찝한 감이 있어 휘연은 선뜻 이렇다 할 대답을 하지는 않았다. 아소의 모습만 봐도 평소 같지가 않은 데다 황후궁에 그런 것이 있을 리가 없다는 이유에서다.

"어찌 말이 없어? 설마, 나를 못 믿는 것이야?"

"솔직히……."

그렇습니다, 라는 말은 하지 않았지만, 용케도 찰떡같이 알아들은 환백이 미간을 찌푸리며 큰소리를 쳤다.

"좋아! 그렇게 의심스럽다면 확인해!"

"예? 확인이라니요?"

"나도 어찌 된 연유인지 알아야 하니 당장 내종관을 불러 확인해 보자고! 확인해서 내종관의 죄로 밝혀지면 아무리 그대가 아끼는 이라고 해도 그에 합당한 벌을 내려야지."

벌이라니? 다른 사람도 아니고 아소에게 벌을 준다는 말에 휘연이 두 눈을 휘둥그레 뜨고 다급하게 환백의 품에서 빠져나왔다.

환백의 말이 틀리지 않다고는 하나 상대가 아소라면 아무리 공정하게 일 처리를 하는 휘연이라도 당황할 수밖에 없었기 때문이다.

"환백 님, 내종관은 죄가 없습니다. 미약이 무엇인지도 모르는 아이인데, 그런 아이가 무엇하러 제게 해를 입히겠습니까?"

"그럼, 나는?"

"예?"

"그대가 어찌 내게 이럴 수가 있어? 내종관은 믿으면서 평생을 함께할 부군인 나는 믿지 못한단 말이 아니야?"

그거야 워낙 엉뚱하기도 하고 또 무슨 사고를 칠지 종잡을 수 없다 보니 온전히 믿을 수가 없어서지만, 차마 그리 답하지 못한 휘연은 입을 꾹 다물었다.

그 모습에 환백이 입을 불퉁 내밀며 화가 났다는 걸 보여주듯이 비스듬히 누워 있던 몸을 벌떡 일으켜 여러 겹의 주렴을 거둬 내고 침상 옆에 늘어진 줄을 잡아당겼다.

"불러 계시옵니까."

휘장 밖에서 들려온 아소의 떨리는 목소리에 휘연이 걱정스럽게 바라보다가 흐트러진 침의를 추스르고 자리에서 일어나자 그보다 환백이 먼저 말문을 열었다.

"조사는 해 봤느냐?"

"그, 그러하옵니다, 폐하."

"그래? 하면, 어찌 된 연유로 황후가 미약에 중독됐는지도 알겠구나. 네놈이 지은 죄가 아니라면 소상히 말하라."

당연히 죄가 없는 줄 알면서 어찌 이리도 뻔뻔하게 묻는 것인지. 아소가 납작 엎드린 채로 호흡을 가다듬듯 나직하게 신음 같은 한숨을 내쉬고야 천천히 말을 이었다.

"그것이…… 궁의께 검사를 요했더니 마마께 올렸던 기홍

이 들은 차갑(茶匣)에 그것이 섞여 있었다고 하옵니다."

"네 이놈! 확인도 안 하고 황후께 올렸단 말이냐?!"

"헉! 폐하! 소인이 죽을죄를 지었사옵니다! 소인은 그저 새로운 것이라 개봉을 한 것이온데, 그것이 섞여 있을 줄은 소인도 몰랐사옵니다."

"이놈이 그래도 변명이구나. 안 되겠다. 네놈을 엄히 다스려 다시는 이 같은 일이 없도록 해야지!"

이런 억울할 데가! 뻔히 시킨 대로 말한 걸 알면서 굳이 이렇게까지 몰아붙이는 이유는 또 뭐란 말인가?! 억울한 마음에 울컥 눈시울이 붉어진 아소가 바닥에 납작 엎드린 상태로 바들바들 떨어 대자 휘연이 환백의 앞을 막아서고 나섰다.

"환백 님, 내종관을 벌한다는 명은 거두어 주십시오."

"휘연, 이건 결코 가벼이 넘길 문제가 아니다. 이번에는 미약으로 그쳤다고는 하나 만약 더 불온한 것이었으면 어찌할 뻔했어? 이런 일일수록 엄히 다스려야 하니 그대는 이번 일에서 빠지는 게 좋겠군."

"안 됩니다, 환백 님. 저를 봐서라도 내종관을 용서해 주십시오. 제발, 환백 님."

아무것도 모른 채로 마치 애교라도 부리듯 가슴팍으로 파고들어 애처로운 표정으로 올려다보는 휘연을 보며 환백은 슬그머니 터져 나오려는 웃음을 감추고 난감한 듯 말을 이었다.

"어허! 어찌 이리 고집을 피워?"

"고집이 아닙니다. 비록 시음하지 않은 죄는 있다지만, 내종관은 절대 제게 해를 입힐 아이가 아닙니다. 어찌해서 그런 불순한 게 이곳 황후궁에 있는지는 모르나 필시 이유가 있을 것이니 이번 한 번만 용서해 주십시오."

"끙, 아니 되는데……."

"해를 입은 것도 아니고 무사하지 않습니까? 그러니 제발 내종관을 용서해 주십시오."

"쯧, 그대가 그리 간곡하게 청하니 어쩔 수 없지. 대신, 이번 한 번만이다. 만약 또 이 같은 일이 있을 시, 그때는 아무리 그대가 아끼는 이라고 해도 절대 용서치 않을 것이야."

마치 마지못해 들어준다는 듯 수긍하는 말에 휘연이 단박에 안색을 밝히며 환백의 품 안으로 파고들었다. 그런 휘연을 단단히 끌어안은 환백의 얼굴이 만족스럽게 풀어졌다.

물론, 그 꼴을 바로 눈앞에서 봐야 하는 아소는 무슨 죄인지, 찰나간 휘연에 대한 안쓰러움을 드러내다가 환백의 웃는 얼굴에는 질린다는 듯 고개를 내저었다. 정말이지 별짓을 다 해 본다.

그렇게 무사히 환백이 원하는 결과로 일단락되며 아소가 몇 번이고 고개를 조아리고 물러나자, 헤벌쭉 풀어진 얼굴을 가다듬은 환백이 휘연의 얼굴을 마주하며 두 눈을 번뜩였다. 이른바 욕정이 깃든 진득한 눈길이었다.

"왜, 왜 그리 보십니까?"

"설마 그냥 넘어갈 생각인 건 아니겠지?"

"무엇을……."

"어허, 이렇게 나오면 섭섭하지. 누구보다 우선순위로 믿고 사랑해야 할 연인을 의심한 벌은 받아야지?"

그러면서 능글맞게 히죽 웃는 환백을 보며 휘연은 저도 모르게 마른침을 꿀꺽 삼키며 욱신거리는 허리까지 무시하고 다급하게 뒤로 물러났다.

여전히 찝찝한 감이 있다고는 해도 아소도 무사하고 환백을 의심한 일에는 미안한 마음도 있었지만, 그렇다고 벌이라니?! 게다가 저 음흉한 시선은 또 뭐란 말인가?

얼핏 봐도 벌을 가장한 너무도 명확한 목적에 휘연은 절로 몸이 떨릴 지경이었다. 맙소사! 아직 온몸이 욱신거리는데 또 시달리란 말인가?

"이리 와, 휘연."

"이, 이러지 마십시오. 아직 몸이 좋지 않습니다."

"괜찮아. 내가 부드럽게 어루만져 주마, 연아."

웃기는 소리! 괜찮긴 뭐가 괜찮단 말인가? 한 번 했다 하면 흉포한 짐승이 되면서 부드럽게 어루만지다니. 어이없는 말에 휘연은 환백이 다가올수록 천천히 뒷걸음질 치며 간절하게 고개를 내저었다.

그 표정이 하얗게 질려 애처롭기 그지없었지만, 오히려 환백에게는 자극이었는지 숨을 거칠게 내쉬며 단번에 다가와 휘연의 손목을 움켜쥐고 침상으로 이끌었다. 그리고는 부드러운 목소리로 속삭였다.

"오늘 하루는 침전에서 벗어날 생각은 안 하는 게 좋아. 그 정도 대가는 치러야지?"

"그, 그런…… 읏!"

이제야 아침 동이 떠오르는 마당에 하루라니? 그 말은 곧

한 번으로 끝낼 생각이 전혀 없다는 뜻이지 않은가. 경악한 휘연이 최대한 몸을 뒤로 빼며 환백의 손을 피하려고 필사적으로 노력했다.

말이 하루지, 그걸 어찌 견디라고! 하지만 부질없는 짓이었으니. 어찌나 집요하게 파고드는지 단번에 침의 자락을 찢을 기세로 벗기며 두 다리를 활짝 벌려 오는 환백의 행동에 휘연은 소리 없는 비명을 내질렀다.

"아읏! 자, 잠시만…… 흑!"

"흠, 발갛게 부었군."

그렇게 시달렸는데 붓는 게 당연하고, 또 직접 눈으로 확인했다면 곱게 물러나는 게 당연하건만. 전혀 그럴 생각이 없는 듯 오히려 입맛을 다시며 망설임 없이 입을 그곳으로 가져다 대고 혀로 핥기 시작했다.

마치 부기를 빼기라도 하려는 듯 달래는 것 같은 혀 놀림에 휘연이 힘겹게 버둥거렸지만, 곧바로 안을 관통하고 들어오는 축축하고 뜨거운 감각에 정신을 차릴 수가 없었다.

처음에야 아릿한 통증을 남겼지만, 관계에 익숙해진 몸은 빠르게 젖어 가고 있었기 때문이다. 그런 데다 환백은 단시간에 흥분시키는 방법을 알고 있었기에 애초에 반항은 부질없는 짓이었다.

그래서인지 밀어내려고 환백의 가슴에 대고 있던 손이 어느 순간부턴가 힘을 잃어 가자 환백이 귀를 핥으며 숨소리를 불어넣었다. 발정을 숨기지 않은 거친 호흡 소리였다.

환백은 휘연을 안을 때면 항상 무언가에 쫓기는 것처럼 여유롭다가도 순식간에 돌변하기를 반복했고, 역시나 얼마 가지 않아 환백은 흉포한 한 마리 짐승으로 완벽하게 돌변하고 말았으니.

겁에 질린 듯 애처롭게 애원하는 휘연의 입을 덮치듯 막아버린 환백이 단숨에 파고들며 만족한 탄성을 터트렸다. 그렇게 시작된 움직임은 고작 두 번 만에 혼절하는 휘연 때문에 잠시 멈추는 듯했다.

하지만 말 그대로 잠시의 여유에 지나지 않았으니. 휘연은 끼니 때면 환백의 무릎 위에서 식사를 하고, 틈틈이 운동을 빙자한 시달림을 하루 종일 당하며 두 번 다시는 환백을 의심하지 않겠다는 약조를 수도 없이 함으로 비로소 진정한 휴식을 취할 수 있었다.

十章
행복

소건황제 정(政) 치세(治世) 7년. 황태자 운룡과 황녀 화영이 무럭무럭 자라 이제는 의젓하게 말을 하는 가운데, 초여름 따스한 바람과 새로 피어난 달콤한 꽃향기가 황궁 안에 가득 피어 퍼졌다.

여유로운 만큼 근심 걱정 없이 태평성세를 구가하고 있는 수나라를 돌아보자면 사사로운 것부터 그동안 많은 일이 있었지만, 변하지 않는 거라면 단연 황제 내외를 꼽을 수 있었다.

정무를 볼 때 외에는 여전히 팔불출과 엉뚱함을 자랑하는 황제와 언제나 단아한 미소로 내정, 외정을 무리 없이 이끌어 가는 황후의 애정이 날이 갈수록 깊어져 이제는 감당이 안 되는 수준까지 간 것이다.

물론 대부분이 환백 때문이지만, 그 정도가 얼마나 심한지 차마 눈 뜨고 못 볼 지경이라 이제는 이상한 기미만 보였다 하면 체념부터 하는 게 버릇이 될 정도라면 말 다한 것이다.

그렇게 황제 내외가 여전히 달콤한 행복에 푹 빠져 있을 때, 수나라 전역이 흥겨움에 들썩였다. 황후 휘연의 탄신일이 돌아오며 나라 전역에 닷새간 축제가 벌어지고 있었기 때문이다.

본시 황후의 탄신일 또한 황제와 매한가지로 이레간 축제를 열어 만백성이 태평성세를 축원하고 건강 장수와 다재다복, 길상평안을 축원하는 것이었지만, 휘연이 낭비라 하여 닷새로 줄인 것이다.

그 때문에 건국제를 제외하고 일 년에 고작해야 네 번 있는 연회 중 황제인 환백의 탄신일도 닷새로 줄이고, 닷새로 예정되어 있던 황태자와 황녀의 탄신일은 사흘로 줄일 수밖에 없었다.

그에 딱히 불만을 품은 사람은 없었다. 낭비하는 대신 축제 때만큼은 국고를 열어 백성들에게 베풀었고, 그로 인해 황제 내외를 향한 백성들의 신망은 더더욱 높아졌기 때문이다.

하지만 정작 당사자인 휘연은 저녁 연회를 앞두고도 전혀 즐겁지가 않은지 얼굴에 수심이 가득했다. 그런 휘연의 모습에 아소와 무영이 걱정스럽게 기색을 살폈다.

"마마? 무슨 걱정이라도 있으시옵니까?"

"안색이 좋지 않사옵니다."

"후, 태자와 황녀 때문이다. 분명 무슨 일이 있는 듯한데 도통 말을 안 하니 답답하구나."

벌써 달포째다. 5살이 되면서 언제까지 끼고 살 수도 없고, 법도 때문이라도 각자의 궁에 기거해야 하는 것이 옳기에 가기 싫어하는 두 아이를 각각 황태자궁과 황녀궁으로 내보낼 수밖에 없었다.

그때 이후로 한동안은 매번 울며불며 찾아오기를 반복했지만, 그것도 차츰 나아지는 것 같아 안심하고 있었건만. 이번에는 또 무슨 일로 두문불출이란 말인가?

더 정확히는 달포 전부터다. 그전에는 문후를 핑계로 오면 돌아가지 않고 버티려고 하던 두 아이가 달포 전부터는 조석으로 문후만 덜렁 올리고 그대로 내빼는 것이 아닌가?

게다가 어울리지 않게 어린 얼굴 가득 드리운 피로와 시름은 또 무엇 때문인지. 아무리 물어도 답을 피해 어색하게 웃기만 하니 답답할 노릇이라 애꿎은 환백만 다그친 일이 한두 번이 아니었다.

"내관들의 말로는 별다른 일은 없었다고 하옵니다. 그러니 걱정하지 마시옵소서."

"그러하옵니다, 마마. 무슨 일이 있다면 이렇듯 조용할 리가 있사옵니까? 별일 아닐 것이옵니다."

"그거야 그렇지만……."

무영의 말대로 만약 무슨 일이라도 생겼다면 두 아이를 보필하는 유모나 내관들이 당연히 알려 왔을 것이다. 그럼에도 도저히 마음을 놓을 수가 없어 휘연이 답답한 듯 길게 한숨을 내쉬었다.

두 아이 성격을 모르는 것도 아니고 언제나 쾌활하다 못해 힘이 넘쳐나 말썽부터 피우는 아이들이 달포나 유독 조용하게 지낸다면 당연히 의심부터 들지 않는가.

"아무래도 이상해. 무언가가 있는데……. 설마, 또 폐하께서 엉뚱한 사고를 치신 건 아니겠지?"

"그……럴 리가 있사옵니까? 요즘 들어 폐하께서도 조용하시옵니다."

"예, 그때…… 이후로는 한동안 조용하시지요."

그때라 하면 약 달포하고도 보름 전을 말한다. 따뜻한 봄 햇살을 받으며 나란히 손을 잡고 후원을 산책하던 도중에 보기 드물게 활짝 웃고 있는 휘연을 환백이 한순간에 휙 돌아 강제로 덮쳤던 일이 있었다.

그것도 몸 하나 숨길 곳 없을 정도로 탁 트인 후원의 보드라운 잔디밭에서 장장 두 시진을. 얼마나 적나라하든지, 두 사람을 가까이에서 모시는 이들이야 이미 만성이 됐다지만, 다른 이들은 무슨 죄란 말인가.

평소 황후궁 침전 안에는 발조차 들이밀지 못하던 내관들과 본궁의 시종장은 눈앞에서 펼쳐지는 적나라한 색사에 새빨개진 얼굴로 눈 둘 곳을 찾지 못해 거의 실신 직전까지 갔었다.

물론 이미 만성이 된 이들의 태도는 지극히 평온했다. 하도 비일비재하게 겪다 보니 흡사 해탈의 경지에라도 올랐는지 얼굴에 아무런 감정의 동요도 드러내지 않은 것이다.

그렇게 되기까지 초인적인 인내로 얼마나 심신을 단련했던가. 새삼 과거를 떠올리니 울적해지는 기분에 두 사람이 땅이 꺼지라 한숨을 내쉴 때, 휘연은 그때를 떠올리고 붉어진 얼굴을 두 손으로 가렸다.

부끄러웠다. 그 사고를 쳐 놓고도 뻔뻔하게 시종장과 내관들을 돌아보며 얼음장을 놓던 환백과는 달리 휘연은 한동안 얼굴을 들고 다니지 못했을 정도로 충격에서 헤어 나오지 못했기 때문이다.

"후, 내가 정말…… 미쳐."

더 이상 무슨 말을 할 수 있을까. 힘없이 중얼거리는 휘연의 말에 두 사람이 고개를 끄덕이며 수긍했다. 그렇다고 말릴 재간이 있는 것도 아니고, 세 사람이 동시에 한숨을 내쉴 때 황태자궁에서 마주한 두 아이의 입에서도 연방 한숨만이 흘러나오고 있었다.

"상처가 더 늘었네?"

"응. 오늘도 열 번은 넘게 찔렸어."

화영이 온통 상처투성이인 자신의 손을 내려다보며 침울하게 중얼거리자, 그런 화영을 보며 고개를 설레설레 내저은 운룡 또한 상처만 없다 뿐이지 작은 손이 발갛게 물들어 있었다.

"그래도 완성해서 다행이다."

"칫! 그러면 뭐해? 엉망인데. 고작 이런 걸로 어마마마가 마음에 들어 하실지 몰라."

"걱정하지 마. 어마마마라면 반드시 마음에 들어 하실 거야."

"그럴까?"

"응!"

씩씩한 운룡의 대답에 그제야 안심이 되는 듯 화영의 얼굴이 활짝 풀어졌다. 그동안 살다시피 한 황후궁에 문후 때를 제외하고 출입하지 않았던 이유는 휘연에게 줄 생일 선물에 온 정성을 쏟아붓느라 그런 것이다.

운룡은 휘연이 좋아하는 매화나무 밑에 앉은 휘연의 모습을 그림으로 그렸고, 화영은 황후를 뜻하는 봉황을 황금색 수실과 각종 화려한 수실로 수를 놓은 손수건을 준비했다.

문제는 정성을 들이는 건 좋은데 이제 고작해야 5살의 어린 나이로 너무 버거운 주제를 정하다 보니, 지난 달포간 수도 없이 시행착오를 거쳤다는 점이다.

그 결과로 운룡은 붓을 잡은 손이 붉게 변해 굳은살이 박였고, 화영은 바늘에 수도 없이 찔리다 보니 멀쩡한 손가락이 없을 정도였다.

그렇게 해서 탄생한 선물은 5살의 나이로 했다고는 믿어지지 않을 만큼 훌륭했다. 단지 두 아이가 봤을 때 그렇다는 점이고, 일반적인 시선으로는 심히 안타깝게도 허술하기 짝이 없는 결과물이었다.

그래도 그 성의가 얼마나 기특한가. 휘연이라면 자신들의 정성을 알아줄 거라는 생각에 지난 달포간의 고생을 다 잊은 듯 두 아이는 환하게 웃으며 연회 준비에 열을 올렸다.

"마마, 폐하께서 기다리고 계시옵니다."

시간은 빠르게 흘러 드디어 해가 기울며 연회의 시작을 알리자, 화려한 황금색 용포를 입은 환백이 평소와 달리 역시나 화려한 연회복을 갖춰 입고 황후궁을 나오는 휘연을 보며 멍하니 중얼거렸다.

"휘연, 아름다워. 천상의 선녀도 그대만큼은 아름답지 않을 것이야."

하루 이틀도 아니고 환백의 낯간지러운 칭찬이 새삼스러울 것도 없건만, 이상하게 오늘따라 더 부끄러워지는 기분에 휘연이 살포시 얼굴을 붉히며 슬며시 고개를 돌렸다.

그 사랑스러운 모습에 부드럽게 미소 짓던 환백이 복숭앗빛으로 물든 휘연의 볼을 두 손으로 감싸고 가볍게 입을 맞춘 후에야 한 손을 내밀었다.

"오늘은 오롯이 그대만을 위한 날이니 부디 행복했으면 좋겠소."

"폐하."

"다시 한 번 말하리다. 못난 내 곁에 있어 주어 고맙고, 내 연인으로, 소중한 반려로 앞으로도 언제까지나 내 곁을 지켜 주시오."

"예, 폐하. 그리할 것입니다."

"사랑하오, 휘연."

그러면서 또 한 번 입을 맞추는 황제 내외의 금실 좋은 모습에 지켜보는 이들로서는 응당 흐뭇해야 함이 옳았으나, 그것도 잠깐이지! 한 번 붙었다 하면 떨어질 생각을 안 하니 미칠 노릇이 아닌가.

도대체가 애틋한 듯 부드럽게 시작했다가도 순식간에 돌변하는 일이 예사니 처음에는 가볍게 촉촉 입맞춤만 하던 것이 어느새 입술을 깨물고 혀가 얽히며 츕츕— 타액 섞인 질척이는 소리까지 들린다.

점점 깊어지는 입맞춤에 휘연이 고개를 돌리며 피했지만

애초에 힘으로 빠져나오는 게 무리인 이상 환백이 만족할 때까지 시달린 후에야 간신히 떨어질 수 있었다.

휘연이 가쁜 호흡을 내쉬며 원망스레 눈을 흘겼다. 잠시도 방심할 수 없다는 사실을 새삼 깨달은 것이다. 휘연이 민망함에 걸음을 재촉하자 히죽 웃은 환백이 성큼 다가와 다시 휘연의 손을 단단히 잡고 연회장으로 향했다.

특별한 상황에만 이용하는 넓은 연회장에는 이미 두 아이를 비롯해 효헌과 대소신료들, 그리고 날이 날이니만큼 그들의 가족들이 모두 참석해 들어서는 두 사람을 향해 극진한 예로 맞이했다.

그렇게 연회는 여느 때처럼 어김없이 환백의 팔불출 기가 다분히 엿보이는 축사를 시작으로 여기저기 작은 웃음소리가 터져 나오며, 민망한 몇몇을 빼고는 시종 화기애애한 분위기로 이어졌다.

"어마마마, 생신을 경하드리옵니다."

"생신을 경하드리옵니다, 어마마마."

"고맙습니다, 태자, 황녀. 헌데 이것이 무엇입니까?"

자신이 직접 해서 입힌 연회복을 입고 나온 두 아이의 사랑스러운 모습에 휘연이 흡족한 미소를 짓다가 이내 수줍은 듯 배시시 웃는 동시에 가지런히 내미는 무언가에 고개를 갸웃거리며 받아 들었다.

운룡이 내민 것은 색색의 끈으로 매듭을 지은 족자였고, 화영이 내민 것은 손바닥만 한 크기의 함으로, 그것이 두 아이가 직접 마련한 선물이라는 걸 가지런히 모은 상처투성이 손과 기대 섞인 올망졸망한 표정만으로도 충분히 짐작할 수 있었다.

그래서인지 휘연은 한동안 말을 잇지 못하고 두 가지 선물을 무릎 위에 올려놓은 채 막연히 쓰다듬기만 했다. 하루가 멀다고 말썽을 피우던 게 엊그제 같은데 어느새 자라 정성을 들인 선물까지 준비한 사실에 감격한 것이다.

"뭐 하고 있소? 나도 궁금하니 어서 풀어 보시오."

모두의 이목이 쏠린 가운데 환백의 재촉까지 이어지자 휘연이 곱게 미소 지으며 운룡이 준 족자부터 들어 올렸다. 조심조심 색색의 매듭 끈이 풀리고 둥글게 말린 족자를 펼쳤을 때였다.

휘연의 입에서는 탄성이, 환백의 입에서는 풉— 하는 웃음소리가 동시에 터져 나왔다. 그만큼 운룡의 선물은 안타깝게도 그림이라고 하기에도 모호한 것이었다.

그래도 그 정성만은 뻔히 눈에 보여 휘연이 만족스러운 미소를 띠며 눈치 없는 환백의 옆구리를 슬그머니 꼬집었다. 웃지 말라는 경고였다.

"큼! 아, 알았소. 입 닫고 있으리다."

말은 잘하지. 여전히 실실거리는 환백을 노려보다가 화영이 준 함을 열어 곱게 접어 놓은 손수건을 펼쳐 들자 또다시 옆에서 들려오는 웃음소리에 이번에는 좀 더 세게 꼬집었다. 그 바람에 환백의 입에서 얼떨결에 신음이 튀어나오고 말았다.

"윽— 아프잖소?"

"조용히 하십시오."

어찌 이리도 눈치가 없는지. 휘연의 나직한 핀잔에 작게 헛기침을 한 환백이 다시 시선을 내려 손수건을 보고 입가를 실룩거리며 곧바로 고개를 돌렸다.

어림잡아 봉황이라는 것은 짐작하겠는데 작은 손수건 한 면을 빼곡히 채운 정체불명의 화려한 무언가는 아무리 봐도 봉황이라 하기에는 무리가 따랐기 때문이다.

"혹 지난 달포간 두문불출했던 이유가 이것 때문이었습니까?"

"예, 어마마마께 선물을 드리고자 그리하였습니다."

"저…… 마음에 드시옵니까?"

올망졸망한 눈망울을 굴리며 초조하게 물어오는 두 아이를 보며 휘연은 진심으로 즐겁게 웃었다. 마음에 들다 뿐이겠는가. 매년 들어오는 그 어떤 화려한 선물보다도 가장 값진 선물이었다.

"이리 훌륭한 선물을 받았는데 마음에 들다 뿐이겠습니까?"

"와! 헤헤~ 다행이다."

"하지만 다음에는 이러지 마세요. 손이 엉망이지 않습니까?"

"히~ 처음이라 그렇사옵니다."

"다음에는 이보다 더 잘할 수 있사옵니다."

"그 마음이면 충분합니다. 그러니 이 어미 걱정시키지 말고 건강하고 바르게만 자라 주세요."

"예, 어마마마!"

휘연이 환한 미소와 함께 두 팔을 벌리자 기다렸다는 듯 활짝 웃으며 쪼르르 품으로 파고드는 두 아이를 꼭 끌어안고 정수리에 번갈아가며 입을 맞췄다.

그러자 할 말이 넘치는 듯 그동안 있었던 일을 잠시도 쉬지 않고 재잘거리는 두 아이와 휘연의 모습은 누가 봐도 애정이 넘쳐나는 가족이라 지켜보는 이들의 표정에도 흐뭇함이 어리고 있었다.

물론 환백 역시 예외는 아니었다. 다만 자신만 쏙 빼놓고 행복에 빠져 있는 세 사람이 못마땅해 불퉁하게 투덜거리며 휘연의 몸을 자신의 옆으로 바짝 끌어당겼다.

그 바람에 또다시 황제 내외의 낯간지러운 애정 행각을 봐야 하는 것이 아닌지를 두고 여기저기 탄식 같은 묘한 소리가 동시 다발로 터져 나오고 있었다.

황궁 내에 거주하는 궁인들과 대소신료들이야 하도 접하다 보니 이제는 그러려니 하는 수준이라지만, 날이 날이니만큼 그 가족들까지 이 자리에 있지 않은가.

아무리 부부 금실이 좋다고는 하나, 보는 눈을 생각해 체통을 지키셔야 하거늘! 역시나 우려대로 휘연을 사이에 두고 두 아이와 아웅다웅하는 채신없는 황제의 모습이라니!

이제는 흡사 자신들을 병풍 취급하며 헤벌쭉 풀어진 얼굴로 보란 듯이 쪽쪽 입맞춤까지 해 대는 환백의 모습에 여기저기 끙— 하는 침음성이 흘러나왔다.

하긴, 매년 보는 모습인데 새삼스러울 것도 없었다. 이제와서 홀라당 버린 체통을 따져 본들 무슨 소용인가. 그저 바라고 바라건대, 제발 좀 장소는 가렸으면 하는 바람뿐이었다.

하지만 안타깝게도 대소신료들의 바람은 이루어지지 않았

으니. 이후로도 한참이나 차마 눈뜨고 못 볼 꼴을 고스란히 지켜볼 수밖에 없었고, 보다 못한 효헌이 앞으로 나서면서 안도의 한숨을 내쉴 수 있었다.

"다시 한 번 경하드리옵니다, 황후마마."

"감사합니다, 왕야. 보내 주신 귀한 선물은 잘 받았습니다."

휘연의 표정에서 그 선물이 마음에 들었음을 알 수 있어 효헌이 부드럽게 미소 지었다. 보통 황후의 탄신일에는 황후를 상징하는 봉황을 새겨 넣은 선물이 주를 이루었는데, 그 종류도 참으로 다양했다.

그중 대표적인 예가 비녀인 봉잠(鳳簪)부터 대나무로 만든 봉황의 날개 같은 악기인 봉소(鳳簫), 봉황의 꽁지 모양으로 만든 부채인 봉미선(鳳尾扇), 그도 아니면 봉황을 들어간 화려한 비단과 보석들이 대부분이었다.

황후의 탄신일을 제외하고는 황제의 재가가 있어야지만, 새길 수 있다 보니 특별한 제재를 가하지 않는 이때에 그러한 선물들이 모이는 것은 당연한 것이다.

물론, 그렇지 않은 선물도 있다. 낮은 품계의 신료들은 감히 봉황을 새길 엄두를 내지 못하다 보니 그림이나 시문을 적어 냈고, 학식이 높은 휘연을 생각해 지필연묵을 선물한 이도 있었다.

효헌 또한 특이한 벼루를 선물했는데 그 양쪽 표면에 소나무와 대나무를 양각해 넣은 것으로, 딱히 화려한 보석에 관심을 두지 않는 휘연에게는 흡족한 선물임에 틀림이 없었다.

"어째 갈수록 형님 얼굴이 무방비하게 풀어지십니다? 그 심정 모르는 바는 아닙니다만, 어지간하면 장소는 가리시지요?"

"흥, 부러우면 부럽다고 해라."

여전히 휘연의 허리에 찰싹 달라붙어 떨어질 생각을 하지 않는 환백을 향해 다소 핀잔을 섞어 한 말이었건만, 뻔뻔스레 되돌아오는 대답에 효헌은 헛웃음을 터트렸다.

말해 무얼 할까. 말한들 귀에 들어가지도 않을 것이 뻔하고 효헌 역시 이미 만성이 된 터라 부질없는 발언은 하고 싶지도 않았다. 그저 환백의 품에서 벗어나려 버둥거리는 휘연을 잠시 잠깐 안쓰럽게 바라보며 속으로만 중얼거렸다.

'참으로 고생이 많으십니다, 마마.'

아무리 좋아도 그렇지. 저렇게까지 달라붙으면 피곤하기 마련이지 않는가. 돌고 돌아 하늘이 맺어 준 인연인 휘연에 대한 사랑이 식을 리도 없거니와 환백의 지독한 집착이 사라질 일은 더더욱 없을 것이다.

아마도 평생을 저렇게 시달려야 하지 않을까. 그 생각만으로도 질린 듯 효헌이 진저리를 치며 이젠 포기한 듯 한숨을 내쉬는 휘연과 히죽히죽 웃으며 얼굴 구석구석 입을 맞추는 환백을 바라봤다.

그리고 그 옆에서 환백을 휘연에게서 떼어 내려고 볼을 잔뜩 부풀리고 찡찡거리는 두 아이까지. 처음에는 우려도 탈도 많았던 인연들이 어느새 가족이라는 울타리 안에 너무도 자연스럽게 어울리는 모습이었다.

'뭐 행복해 보이니 괜찮겠지.'

終章

대륙을 일통해 수나라의 역사를 다시 세운 제20대 소건황제와 하늘이 내린 성인인 의성이자 어질고 현명한 국모로서 만백성을 두루 살핀 소월황후에 대한 이야기는 재위 기간 20년간 수많은 기록을 남겼다.

역사상 다시없을 태평성세를 구가하며 만백성의 절대적인 민심을 바탕으로 간신적자들을 내쳐 황권을 강화했으며, 올바른 정책과 수많은 업적을 남겼을 뿐만 아니라 인재를 발굴함에 있어서는 신분 격차를 무시한 파격적인 면도 돋보였다.

또한 소건황제와 소월황후의 이야기 중에는 부부 금실을 빼놓을 수 없었는데. 황태자 운룡이 18세 성인이 되면서 황제의 위를 물려주고 태상황으로서 황궁 가장 안쪽에 새로이 지은 매화도궁(梅花圖宮)에서 평생을 기거했다.

본시 매화도궁이 있었던 자리는 황궁 가장 안쪽 외진 곳으로, 몇 개의 별궁이 있었던 척박한 곳이었으나 소건황제의 명으로 그 일대를 모두 밀어 버리고 소월황후가 좋아하는 다양한 꽃과 매화나무를 빼곡히 심어 그 사이에 궁을 지은 것이다.

그 모양새가 꼭 매화 골짜기에 있는 무릉도원을 연상케 해 궁의 이름을 매화도궁이라 칭했으며, 크고 작은 나무의 수가 무려 일천 그루에 달해 계절마다 꽃향기가 가득했으며, 매년 늦겨울부터 봄에 이르기까지는 황궁 전체에 매화향이 가득 퍼졌다고 한다.

그곳에서 평생을 나오지 않은 태상황 내외를 만날 수 있었던 이들 또한 몇몇이 넘지 않았는데, 먼저 효성이 지극해 조석으로 문후 인사를 다닌 제21대 소휼황제와 출가를 하고도 이레에 한 번씩 꼬박꼬박 문후 인사를 올리는 소현황녀였다.

그리고 32세의 나이로 겨우 늦장가를 든 황실의 유일한 종친 왕야 효헌과 가끔 자문을 구하거나 학문을 논하고자 찾는 대소신료들이 전부로, 그 옆을 지키는 여섯 명을 제외하고는 적적할 정도로 조용하고 평화로운 세월을 보내면서도 태상황 내외의 얼굴에는 언제나 행복한 웃음이 지워지지 않았다고 전해진다.

<完>

후기

처음 그림자 황후를 구상하고 시놉시스를 짜기 시작하면서 나름대로 열심히 공부했습니다만, 글을 마무리 지은 지금에도 여전히 여운과 아쉬움이 많이 남는 글입니다.

사실은 좀 더 내용을 탄탄하게 하고 싶었던 부분도 많았고, 자칫 지루해질까 우려되는 마음에 삭제하고 설명 부분으로 넘긴 점은 솔직히 지금도 너무 아쉽기만 합니다.

그래서인지 제 부족함을 다시 한번 절실히 느낀 글이기도 하고, 또 한편으로는 마무리 지었다는 점에 뿌듯하기도 한 복잡한 심경이라고 해야 할지.

그래도 그림자 황후를 통해서 배운 점이 많았다는 점에서는 지극히 만족스럽습니다.

이 글의 주제라 할 수 있는 운명이라는 게 과연 존재하는 것인지부터, 휘연의 희생과 사랑, 환백의 후회와 그리움, 고통.

그리고 비록 수박 겉핥기식이라 하나 약초에 대해서 자료를 모으고 어지간해서는 돌아볼 일도 없는 공자님, 맹자님 말씀에. 하하.

글을 쓰는 내내 머리가 터질 것 같았습니다만, 지금 돌이켜보면 누구보다 나 자신한테 많은 도움이 된 것 같습니다.

부디 부족하나마 이 글을 보신 분들도 저와 같은 기분을 느끼셨으면 좋겠습니다.

감사합니다.

—유리엘리—

누구나 알고 있지만 누구도 할 수 없었던
그들만의 이야기

누구나 알고 있지만 누구도 할 수 없었던
그들만의 이야기